KB019214

수능기출문제집

한문 I

김경률 지음

도서출판 계승

머리말

대학수학능력시험을 준비할 때 빼놓을 수 없는 것이 바로 기출문제 풀이입니다. 그런데 여타 과목과 달리 「한문Ⅰ」 과목의 기출문제집은 아직까지 거의 없다시피 한 실정입니다. 그래서 부족하나마 이 책을 쓰게 되었습니다.

이 책의 특징

이 책은 기출문제 풀이가 단순히 실력을 점검하는 것에 그치지 않고, 이를 통하여 한문 독해력을 높이는 한편, 문제에 접근하는 방법을 터득하여 점수 상승으로 이어질 수 있도록 하였습니다.

한문 독해력을 쌓을 수 있도록 이 책은 철저한 직역을 지향하였습니다. 한문을 공부하는 데 가장 어려운 부분은 한자와 해석이 일대일로 대응되지 않는다는 것입니다. 그러다 보니 해석을 읽어도 그 지문의 내용은 이해할지언정 다른 지문을 해석할 수 있는 실력은 여전히 키워지지 않습니다. 이 책에서는 원문과 해석을 나란히 제시하고, 한자와 해석이 일대일로 대응되도록 철저히 직역하여 글자 하나하나가 어떻게 해석되는지 눈으로 보면서 따라갈 수 있게 하였습니다.

철저한 직역을 지향하는 것은 쉽지 않은 일이었습니다. 한문에서 한 글자, 한 글자가 정확히 어떤 뜻으로 해석되는지 파악하는 것은 때에 따라서 매우 어려운 일이 되기도 합니다. 해석이 애매한 부분을 만날 때마다 직역하지 않고 적당히 의역하여 넘어가고 싶었지만 이런 유혹을 뿌리치고 철저한 직역이 되도록 하였습니다. 이 때문에 다소 표현이 부자연스러운 부분이 있지만, 이해하는 데에는 큰 무리가 없는 정도라고 생각됩니다.

문제에 접근하는 방법을 익힐 수 있도록 문제를 푸는 사람의 입장에서 문제를 해설하려고 하였습니다. 긴말이 필요 없는 문제는 구태여 장황하게 해설하지 않았습니다. 기존의 기출문제집이 흔히 그러하듯이 쓸데없이 문제를 변호하려고 하지도 않았습니다. 특히, 누구나 찾으면 알 수 있는 지문의 내용만 해석해 놓는 데 그치지 않고, 지문의 내용을 완전히 파악하지 못한 상태에서도 답을 찾을 수 있는 여러 방법을 제시하려고 하였습니다.

구성과 활용법

이 책에는 2018학년도부터 2022학년도까지의 모든 6월, 9월 모의평가, 대학수학능력시험 문제가 실려 있습니다.

문제를 풀고 채점한 다음, 한자 영역은 모르는 한자나 한자어, 성어를 찾아 읽습니다. 한문 영역은 지문의 해석을 읽으면서 원문과 한 글자, 한 글자 대조하여 보고, 그 다음에는 해석을 보지 않고 지문을 한 글자, 한 글자 짚어 가며 해석하는 연습을 합니다. 이런 연습을 통하여 문장의 구조를 보는 눈이 생깁니다. 그러면 처음 보는 지문의 복잡한 문장을 만나도 해석하는 방법이 자연히 눈에 보이게 됩니다.

부가적으로 이런 과정에서 지문의 내용도 머리에 남게 됩니다. 고등학교 교육용 한자(1800자)의 범위 안에서 나올 수 있는 지문이 제한적이기 때문에 출제된 지문이 또 출제되는데, 이런 상황에서 지문의 내용을 상기할 수 있는 것은 문제를 푸는 데 엄청난 자산이 됩니다. 이 사실은 기출문제를 풀면서 점점 더 뼈저리게 느낄 수 있을 것입니다.

끝으로 어려운 출판계 형편에도 흔쾌히 이 책의 출간을 승낙해 주시고, 기획에서부터 최종 교정에 이르기까지 불철주야 물심양면으로 온갖 수고를 아끼지 않으신 도서출판 계승 대표님과 직원 여러분께 무한한 감사의 마음을 전합니다.

아무쪼록 이 책으로 공부한 분들이 대학수학능력시험에서 소기의 성과를 거두기를 바랍니다.

2022년 1월
김경률

차례

최신 기출문제의 해설은 도서출판 계승 홈페이지(blog.naver.com/bir0622)에서 확인할 수 있습니다.

2018학년도 대학수학능력시험 6월 모의평가 문제지

제 5 교시

제2외국어/한문 영역(한문Ⅰ)

성명		수험 번호	

1. 그림과 대화의 내용으로 보아 ㉠에 알맞은 것은? [1점]

교사 : 이 그림은 조선 후기 심사정의 작품이에요. 무엇이 그려져 있나요?
학생 : 나무 근처에서 두 사람이 앉아서 뭔가를 마시고 있어요. 그 옆에 어린아이도 있네요.
교사 : 그래요. 소나무 아래에서 차를 마시는 모습을 그렸다고 해서 '松下(㉠)茶圖'라고 해요.

① 飢 ② 飮 ③ 飽 ④ 飯 ⑤ 飾

2. 다음 조건을 모두 만족시키는 한자는? [1점]

① 充 ② 尖 ③ 共 ④ 光 ⑤ 示

3. 두 자를 <보기>와 같이 합하여 하나의 한자로 만들 때, ㉠과 ㉡의 음이 모두 옳은 것은? [1점]

<보 기>

心 + 曾 = (憎)

○ 水 + 兄 = (㉠)　　○ 手 + 員 = (㉡)

	㉠	㉡
①	황	원
②	황	손
③	황	운
④	형	원
⑤	형	손

4. 같은 뜻을 지닌 한자끼리 연결된 것을 <보기>에서 고른 것은? [1점]

<보 기>

ㄱ. 屈 － 伸　　ㄴ. 增 － 加
ㄷ. 補 － 助　　ㄹ. 緩 － 急

① ㄱ, ㄴ ② ㄱ, ㄷ ③ ㄴ, ㄷ
④ ㄴ, ㄹ ⑤ ㄷ, ㄹ

5. 대화의 내용 중 옳은 것을 고른 것은?

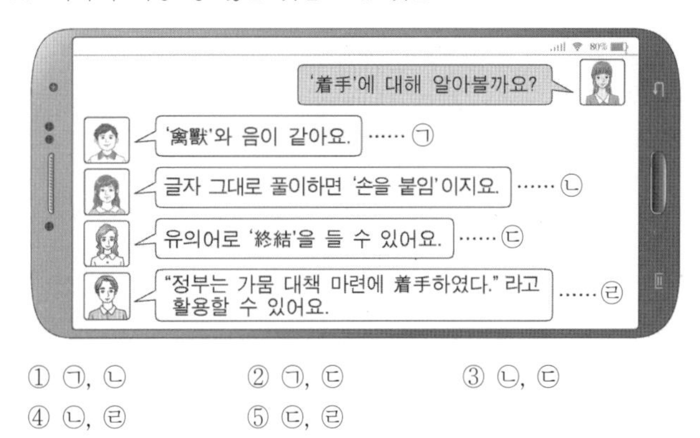

① ㉠, ㉡ ② ㉠, ㉢ ③ ㉡, ㉢
④ ㉡, ㉣ ⑤ ㉢, ㉣

6. 그림의 내용으로 보아 ㉠에 알맞은 것은? [1점]

① 豫想 ② 騷動 ③ 疏通 ④ 傾聽 ⑤ 靜肅

7. 화살표 방향으로 성어를 채울 때, ㉠에 알맞은 것은?

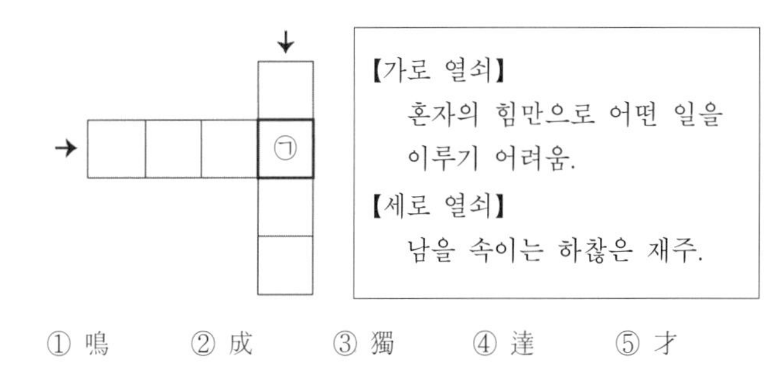

① 鳴 ② 成 ③ 獨 ④ 達 ⑤ 才

8. 단어장의 내용으로 보아 ㉠에 알맞은 것은? [1점]

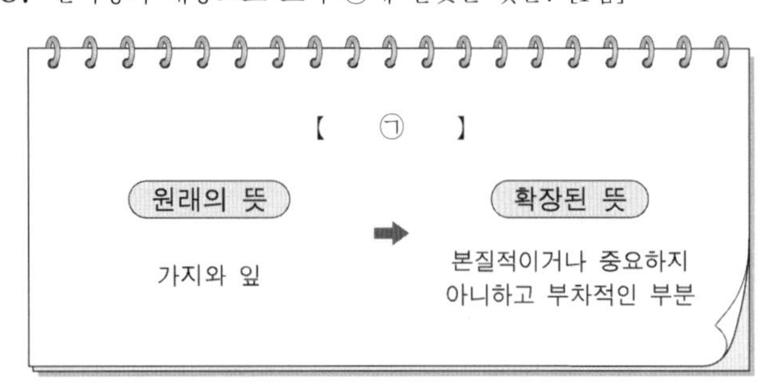

① 指定 ② 枝葉 ③ 基礎 ④ 溫床 ⑤ 根幹

9. 대화의 내용으로 보아 ㉠에 알맞은 것은? [1점]

① 庫 ② 稿 ③ 顧 ④ 鼓 ⑤ 枯

10. 그림과 대화의 내용으로 보아 ㉠에 알맞은 것은? [1점]

① 割當 ② 削減 ③ 割賦 ④ 削除 ⑤ 割引

11. 시의 내용과 가장 관계있는 것은?

> 만 리 서녘 바람 백발에 불어오니
> 고향에서도 오늘 밤 이 가을 슬퍼하리.
> 병든 몸 중원 땅 나그네도 싫증 나
> 고향 생각 물결 따라 가는 배보다 바쁘네.
> 떨어지는 잎새 벌레 우는 소리 구슬프고
> 높은 하늘 북두성은 더욱 아득하구나.
> 저 멀리 가족들은 등불 아래 이야기하며
> 상자 열어 해진 갓옷 다시 살펴보겠지.
>
> -『유하집』-

① 隔世之感 ② 看雲步月 ③ 同病相憐
④ 日暮途遠 ⑤ 風樹之歎

12. 그림의 한자로 만들 수 있는 사자성어의 의미와 관계있는 것은?

① 내가 잘못한 것이 분명해서 변명할 말도 없어.
② 솜씨가 얼마나 좋은지 다른 사람들과 비교가 안 돼.
③ 모처럼 좋은 일 생기나 했더니 하필 그런 일이 터지다니.
④ 그 일을 시작한 지 얼마나 되었다고 벌써 효과를 바라니.
⑤ 말에 가시가 있는 것이 그냥 해 보는 말은 아닌 것 같구나.

13. 시나리오의 내용으로 보아 ㉠에 알맞은 것은?

S# 123. 강태공의 행차

아내에게 버림받은 강태공이 제나라 임금이 되어 금의환향할 때, 강태공을 버린 아내가 행차를 막는다.

강태공: 그대는 나를 버리고 간 여인이 아니오?
여 인: 다시 당신과 부부의 연을 잇고 싶습니다.

강태공이 하인에게 물동이에 담긴 물을 쏟게 한다.

강태공: 쏟아진 물을 원래대로 담을 수 있다면 그대를 다시 부인으로 삼겠소.
여 인: (망연자실하여 그냥 엎드려 있다.)
강태공: [㉠]라 하였소. 한번 끊어진 인연은 다시 이을 수가 없소.

① 落花流水 ② 水魚之交 ③ 覆水難收
④ 上善若水 ⑤ 流水不腐

14. 글의 내용으로 보아 ㉠에 알맞은 것은?

> 滄浪之水, (㉠)兮, 可以濯吾纓.
> ↕
> 滄浪之水, 濁兮, 可以濯吾足.
>
> * 滄浪(창랑): 강 이름 * 纓(영): 갓끈
>
> -『고문진보』-

① 淸 ② 波 ③ 浸 ④ 涉 ⑤ 決

제2외국어/한문 영역 (한문 I)

15. 광고의 내용과 관계있는 것은?

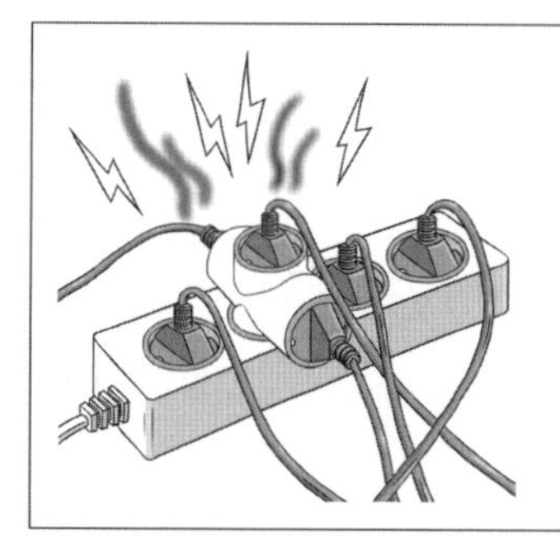

안 전 사 고

방심하는 순간
일어납니다.

① 二人同心, 其利斷金.
② 予所憎兒, 先抱之懷.
③ 患生于所忽, 禍起于細微.
④ 右手畫圓, 左手畫方, 不能兩成.
⑤ 雖危亂之際, 人心固結則國安, 人心離散則國危.

16. 글에서 말하고자 하는 것과 관계가 없는 것은?

고전 명구 - 고전에서 배우는 삶의 지혜

人不可不擇友也

유익한 벗과 사귀면 배움이 날로 밝아지고, 학업이 나날이 진보한다.
해로운 벗과 사귀면 이름이 절로 낮아지고, 몸이 절로 천하게 된다.

① 無義之朋, 不可交.
② 欲識其人, 先視其友.
③ 君子, 必愼其所與處者焉.
④ 取友必端人, 擇友必勝己.
⑤ 玉不自出, 人自採之, 鏡不自見, 人自照之.

17. 글의 내용으로 보아 ㉠에 알맞은 것은?

君非民, 孰與爲國. 故曰君人者以(㉠)爲天.

-『홍재전서』-

① 宗廟 ② 官吏 ③ 先祖 ④ 百姓 ⑤ 諸侯

18. 글의 내용과 의미가 통하는 것은?

前事之不忘, 後事之師也.

-『사기』-

① 前車覆, 後車戒.
② 盜以後捉, 不以前捉.
③ 精思力行, 何憂不至.
④ 先卽制人, 後則爲人所制.
⑤ 治病於未起之前, 不治於旣成之後.

[19~20] 다음 글을 읽고 물음에 답하시오.

其後, 更取㉠美貌男子, 粧飾之, ㉡名花郎以奉之, 徒衆雲集. 或相磨以道義, 或相悅以歌樂, 遊娛山水, 無遠不至. 因此, 知其人邪正, 擇其善者, 薦之於朝.

-『삼국사기』-

19. ㉠과 짜임이 같은 것은? [1점]

① 登山 ② 夕陽 ③ 浮沈 ④ 背反 ⑤ 日出

20. ㉡의 풀이 순서를 바르게 배열한 것은?

① 名 → 以 → 花郎 → 奉 → 之
② 名 → 花郎 → 以 → 奉 → 之
③ 名 → 花郎 → 以 → 之 → 奉
④ 花郎 → 名 → 之 → 以 → 奉
⑤ 花郎 → 名 → 以 → 之 → 奉

[21~22] 다음 글을 읽고 물음에 답하시오.

生亦我所㉠欲也, 義亦我所欲也, 二者, 不可得兼, 舍生而取義者也. 生亦我所欲, 所欲, 有甚於生者. 故, 不爲㉡苟得也, 死亦我所惡, 所惡, 有甚於死者. 故, 患有所不辟也. ㉢如使人之所欲, 莫甚於生, 則凡可以得生者, 何不用也. <하략>

＊辟(피) : 피하다

-『맹자』-

21. ㉠~㉢의 풀이로 옳은 것만을 <보기>에서 있는 대로 고른 것은?

<보 기>

㉠ : 원하다 ㉡ : 진실로 ㉢ : 만약

① ㉠ ② ㉡ ③ ㉠, ㉢
④ ㉡, ㉢ ⑤ ㉠, ㉡, ㉢

22. 윗글의 내용을 다음과 같이 설명할 때 옳지 않은 것은?

① 한자의 뜻 : '舍'는 '捨'와 뜻이 같음.
② 한자의 음 : '惡'의 음은 '惡漢'의 '惡'와/과 같음.
③ 허사의 쓰임 : '於'는 '~보다'의 의미로 쓰임.
④ 어구풀이 : '所惡, 有甚於死者'에서 '所惡'은/는 '不義'를 의미함.
⑤ 중심내용 : 삶과 의를 동시에 취할 수 없다면 의를 취함.

[23~24] 다음 글을 읽고 물음에 답하시오.

> 厖村, 年至九十, ㉠聰明不少衰, 朝廷典章經史子書, 若燭照算數. 常宴坐一室, 終日無言, 互開兩眼看書而已, 雖壯年強記者, 亦不敢㉡企.
>
> * 厖村(방촌): 황희의 호
>
> -『해동잡록』-

23. ㉠의 독음으로 옳은 것은? [1점]

① 발명 ② 간명 ③ 선명 ④ 현명 ⑤ 총명

24. 의미상 ㉡과 바꾸어 쓸 수 있는 것은?

① 望 ② 用 ③ 錯 ④ 信 ⑤ 援

[25~27] 다음 글을 읽고 물음에 답하시오.

> 天下至廣, 而產財各異, (가) 其勢, 不能不轉移流通, (나) 此錢所以作. 錢無用之器, (다) 特㉠權而㉡宜之, 欲財之盡乎用也. 然歷代因㉢革, 辯論各明, 廢之則有濕粟㉣薄絹之患, 行之則有重利㉤逐末之尤. 二者皆可惡, (라) 惡之而不可兩廢, (마) 苟其可存, 弊又不足惡也.
>
> -『성호전집』-

25. ㉠~㉤의 풀이로 옳은 것은?

① ㉠: 저울질하다 ② ㉡: 베풀다
③ ㉢: 따르다 ④ ㉣: 넓다
⑤ ㉤: 이루다

26. 윗글의 내용으로 알 수 있는 것만을 <보기>에서 있는 대로 고른 것은?

<보 기>

ㄱ. 돈의 유래 ㄴ. 돈의 기능
ㄷ. 돈의 단위 ㄹ. 돈의 폐해

① ㄱ, ㄷ ② ㄱ, ㄹ ③ ㄴ, ㄷ
④ ㄱ, ㄴ, ㄹ ⑤ ㄴ, ㄷ, ㄹ

27. 윗글의 내용으로 보아 <보기>의 문장이 들어갈 곳으로 알맞은 것은?

<보 기>

則甚者可去, 輕者可存.

① (가) ② (나) ③ (다) ④ (라) ⑤ (마)

[28~30] 다음 시를 읽고 물음에 답하시오.

> (가) 寺在白雲中, 白雲僧不㉠掃.
> 客來門始㉡開, 萬壑松花老.
>
> * 壑(학): 골짜기
>
> - 이달, 「山寺」 -
>
> (나) 春風忽已㉢近清明, 細雨霏霏晚未㉣晴.
> 屋角杏花開欲遍, 數枝㉤含露向人傾.
>
> * 霏霏(비비): 비가 내리는 모양 * 杏(행): 살구나무
>
> - 권근, 「春日城南卽事」 -

28. ㉠~㉤의 풀이로 옳지 않은 것은?

① ㉠: 쓸다 ② ㉡: 열리다
③ ㉢: 다가오다 ④ ㉣: 개다
⑤ ㉤: 탐하다

29. 위 시에 대한 설명으로 옳은 것만을 <보기>에서 있는 대로 고른 것은?

<보 기>

ㄱ. (가)의 형식은 오언율시이다.
ㄴ. (가)의 넷째 구에서 계절적 배경을 알 수 있다.
ㄷ. (나)의 첫째 구와 둘째 구는 대우(對偶)를 이루고 있다.
ㄹ. (나)의 셋째 구는 '屋角杏花 / 開欲遍'으로 띄어 읽는다.

① ㄱ, ㄴ ② ㄱ, ㄷ ③ ㄴ, ㄹ
④ ㄱ, ㄷ, ㄹ ⑤ ㄴ, ㄷ, ㄹ

30. 위 시에 대한 이해로 옳은 것은?

* 확인 사항
○ 답안지의 해당란에 필요한 내용을 정확히 기입(표기)했는지 확인하시오.

2018학년도 대학수학능력시험 9월 모의평가 문제지

제 5 교시

제2외국어/한문 영역(한문Ⅰ)

성명		수험 번호	-

1. 그림과 대화의 내용으로 보아 ㉠에 해당하는 것은? [1점]

학생: 개를 잘 그렸다는 조선 후기 화가 김두량의 작품을 찾아 왔어요. 그런데 그림에 쓰여 있는 글의 내용을 잘 모르겠어요.

교사: 아, "밤에 문을 지키는 게 네 일이거늘, 어찌 길에서 낮에도 이와 같으냐."라고 쓰여 있어요. 이 그림에는 ㉠저마다 마땅히 해야 할 일에 충실해야 한다는 옛 사람들의 생각이 들어 있답니다.

① 力量 ② 職分 ③ 兼業 ④ 妥協 ⑤ 激務

2. 다음 조건을 모두 만족하는 한자는? [1점]

① 米 ② 奏 ③ 笑 ④ 柔 ⑤ 美

3. 같은 뜻을 지닌 한자끼리 연결한 것을 <보기>에서 고른 것은? [1점]

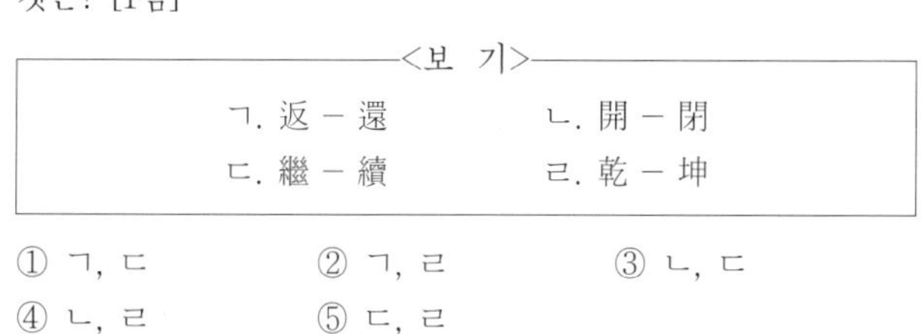

<보 기>

ㄱ. 返 - 還　　ㄴ. 開 - 閉

ㄷ. 繼 - 續　　ㄹ. 乾 - 坤

① ㄱ, ㄷ ② ㄱ, ㄹ ③ ㄴ, ㄷ
④ ㄴ, ㄹ ⑤ ㄷ, ㄹ

4. ㉠과 ㉡에 해당하는 한자의 음이 모두 옳은 것은? [1점]

	㉠	㉡
①	음	간
②	음	한
③	음	단
④	암	간
⑤	암	한

5. 대화의 내용 중 옳은 것만을 있는 대로 고른 것은?

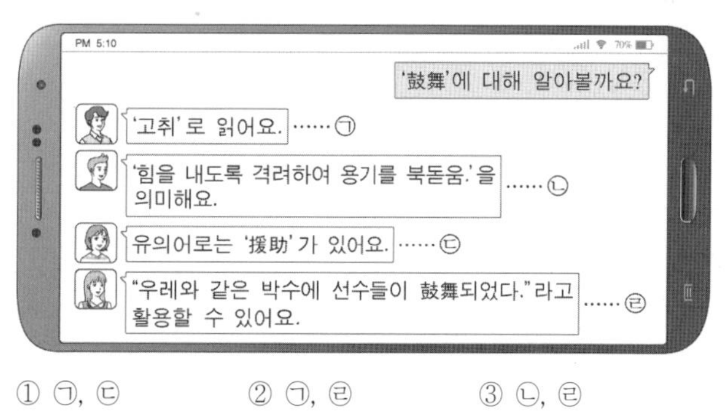

① ㉠, ㉢ ② ㉠, ㉣ ③ ㉡, ㉣
④ ㉠, ㉡, ㉢ ⑤ ㉡, ㉢, ㉣

6. 단어장의 내용으로 보아 ㉠에 들어갈 것은? [1점]

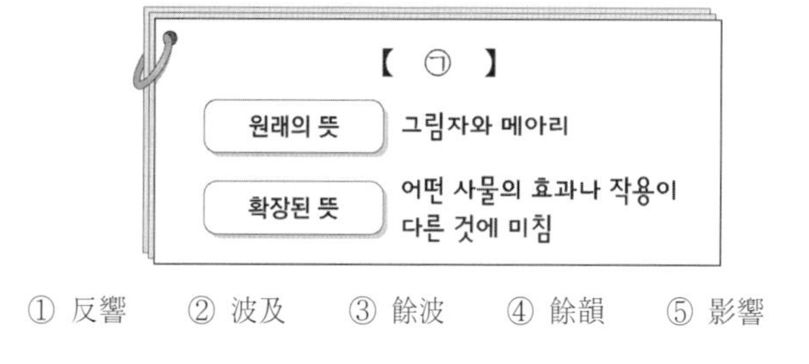

① 反響 ② 波及 ③ 餘波 ④ 餘韻 ⑤ 影響

7. 글의 내용으로 보아 ㉠에 들어갈 것은? [1점]

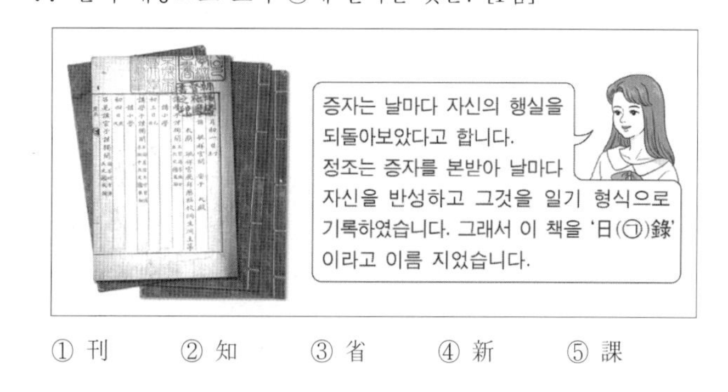

① 刊 ② 知 ③ 省 ④ 新 ⑤ 課

8. 그림과 대화의 내용으로 보아 ㉠에 들어갈 것은? [1점]

① 快 ② 急 ③ 等 ④ 過 ⑤ 減

9. 그림과 대화의 내용으로 보아 관계있는 성어는? [1점]

① 白眼視 ② 伯仲勢 ③ 如反掌
④ 破天荒 ⑤ 無盡藏

10. 화살표 방향으로 성어를 채울 때, ㉠에 들어갈 것은?

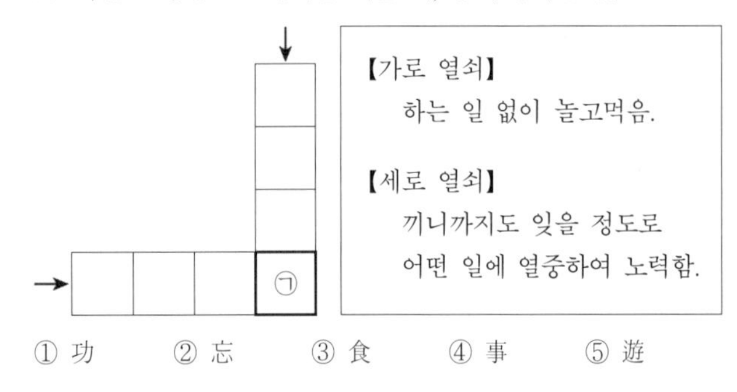

① 功 ② 忘 ③ 食 ④ 事 ⑤ 遊

11. 그림과 대화의 내용으로 보아 ㉠에 들어갈 것은?

① 師表 ② 教師 ③ 師弟 ④ 恩師 ⑤ 師事

12. 그림의 한자로 만들 수 있는 사자성어의 의미와 관계있는 것은?

① 썩 좋진 못해도 이 방법밖에 없잖아.
② 그런 일로 가족끼리 다투어서야 되겠니.
③ 그 고통은 이루 말할 수 없이 처참했어.
④ 힘들어도 참고 견디면 좋은 날이 올 거야.
⑤ 그 둘은 어떻게 해도 화합할 수 없는 사이야.

13. 시의 내용과 가장 관계있는 성어는? [1점]

> 불꽃은 자기 속에 어둠을 간직하고서
> 스스로를 불태워 세상을 비춘다
> 불꽃은 저희끼리 아득하고 측은한 혀로써
> 서로를 핥아 불꽃을 만든다
> 불꽃은 제 몸을 덜어내 이웃에게 주지만
> 저에게는 아무것도 줄 수 없어서 홀로 여윈다
> 불꽃은 끝없이 타올라 불꽃을 이룰 뿐
> 끝끝내 제 자신을 완성하지 않는다
> 불꽃은 제 힘이 다할 때 불꽃임을 포기하고
> 마침내 재보다 깊은 적막 속으로 돌아간다
>
> - 김명인, 「불꽃」 -

① 他山之石 ② 明若觀火 ③ 殺身成仁
④ 拔本塞源 ⑤ 隱忍自重

14. 대화의 내용으로 보아 ㉠에 알맞은 것은?

① 時習一汚, 百濯而不去.
② 百練絲能白, 千磨鏡始明.
③ 守口則無妄言, 守身則無妄行.
④ 謂學不暇者, 雖暇, 亦不能學矣.
⑤ 人之過誤宜恕, 而在己則不可恕.

15. 시나리오의 내용으로 보아 ㉠에 들어갈 것은?

S#73. 옥중 재회

어사 신분을 숨기고 남원으로 돌아온 이몽룡은 옥에 갇힌 성춘향과 마침내 재회한다.

춘향 : 내일 사또 생신 잔치 끝에 나를 죽인다니 부디 멀리 가시지 말고 옥문 밖에 서셨다가 칼머리나 들어 주오. 제 상여 곱게 꾸며 나를 메고 나갈 적에, 서울로 올라가서 서방님 선산 아래 묻어 주오.

몽룡 : (근심스런 표정으로) 오냐, 춘향아. 울지 마라. 오늘 날이 새고 보면 상여를 탈지 가마를 탈지 그 속이야 누가 알겠느냐? [㉠](이)라고 하지 않더냐? 사람이 죽으란 법은 없으니, 오늘 밤만 잘 견디고 내일 상봉하자.

① 隨友適江南. ② 天雖崩, 牛出有穴.
③ 窮人之事, 飜亦破鼻. ④ 佐祭者嘗, 佐鬪者傷.
⑤ 蔬之將善, 兩葉可辨.

16. 글의 내용과 관계있는 것은?

> 有而不知足, 失其所以有.
>
> -『사기』-

① 不患人之不己知. ② 有志者, 事竟成也.
③ 才或不足, 非所患也. ④ 欲貪彼, 而反失此也.
⑤ 求則得之, 舍則失之.

[17~18] 다음 글을 읽고 물음에 답하시오.

> 富㉠與貴, 是人之所欲也, ㉮不以其道得之, 不處也. 貧與賤, 是人之所㉡惡也, 不以其道得之, 不去也. 君子㉢去仁, 惡乎成名?
>
> -『논어』-

17. ㉠~㉢의 풀이로 옳은 것만을 <보기>에서 있는 대로 고른 것은?

<보 기>

㉠ : 주다 ㉡ : 싫어하다 ㉢ : 떠나다

① ㉠ ② ㉡ ③ ㉠, ㉢
④ ㉡, ㉢ ⑤ ㉠, ㉡, ㉢

18. 윗글의 내용으로 보아 ㉮의 의미로 옳은 것은?

① 非其義, 終不取. ② 屈己者, 能處重.
③ 滿招損, 謙受益. ④ 不勞身, 不成功也.
⑤ 聖人之道, 責己不責人.

19. 글의 내용으로 보아 ㉠에 들어갈 것은?

> 賞而當其功, 則爲善者(㉠), 刑而當其罪, 則爲惡者懲矣.
>
> -『삼봉집』-

① 拒 ② 怨 ③ 逃 ④ 罰 ⑤ 勸

20. 글의 내용과 관계있는 것은?

> 종리춘은 제나라 무염읍의 여인인데, 세상에 둘도 없는 추녀였다. 어느 날 종리춘은 용기 내어 왕을 찾아가 후궁으로 들어가게 해 달라고 간청하였다. 그녀를 본 신하들이 모두 웃었지만 왕은 그녀를 불러들였다. 그러자 종리춘은 제나라가 당면한 국내외의 심각한 문제를 왕에게 조목조목 말하였다. 왕은 아첨하는 사람만 가까이 두었기에 그와 같이 올바른 말을 해 주는 이가 아무도 없었다. 왕이 그녀의 말을 받아들여 정사에 힘쓴 결과, 제나라는 잘 다스려졌다. 종리춘은 왕후가 되었고 그 행적이 후대까지 일컬어졌다.
>
> -『몽구상설』-

① 喜揚人惡, 顯殃必至.
② 智者千慮, 必有一失.
③ 君子防未然, 不處嫌疑間.
④ 行高者, 名自高, 人所重, 非貌高.
⑤ 薄施厚望者不報, 貴而忘賤者不久.

[21~22] 다음 글을 읽고 물음에 답하시오.

> 不能視遠物者, 爲近視, 此因目中之水晶體, 太凸故也. 不能視近物者, 爲遠視, 此因目中之水晶體, 太平故也. 今以凹鏡, (㉠)近視, 凸鏡, (㉡)遠視, 其目力之遠近, 可齊而爲一矣.
>
> * 晶(정) : 맑다 * 凸(철) : 볼록하다 * 凹(요) : 오목하다
>
> -『소학한문독본』-

21. 글의 내용으로 보아 ㉠과 ㉡에 공통으로 들어갈 것은?

① 昏 ② 染 ③ 配 ④ 探 ⑤ 誤

22. 윗글에서 설명하고 있는 물건은?

[23~24] 다음 글을 읽고 물음에 답하시오.

我國, 國小而民貧, 今耕田㉠疾作, 用其賢才, 通商惠工, 盡國中之利, ㉡猶患不足. 又必通遠㉢方之物而後, 貨財殖焉, 百用生焉. 夫百車之㉣載, 不及一船, 陸行千里, 不如舟行萬里之爲㉤便利也. 故通商者, 又必以水路爲貴.

＊殖(식): 불어나다

-『북학의』-

23. ㉠~㉤의 풀이로 옳은 것은?

① ㉠: 아프다 ② ㉡: 같다 ③ ㉢: 방법
④ ㉣: 싣다 ⑤ ㉤: 문득

24. 윗글에서 말하고자 하는 것은?

① 공정한 인재 등용 ② 농업 기술의 개발
③ 수레 보급과 활용 ④ 다양한 상품 생산
⑤ 수로 통상의 효용

[25~27] 다음 글을 읽고 물음에 답하시오.

一日, 妻甚飢, 泣曰: "子平生, 不赴擧, 讀書何爲?" 許生笑曰: "吾讀書未熟." 妻曰: "不有工乎?" 生曰: "工未素學, 奈何?" 妻曰: "不有商乎?" 生曰: "商無㉠本錢, 奈何?" 其妻恚且罵曰: "晝夜讀書, 只學奈何. 不工不商, 何不盜賊?" 許生, 掩卷起曰: "惜乎! 吾讀書, 本期十年, 今七年矣." 出門而去, 無相識者. 直之雲從街, 問市中人曰: "漢陽中, 誰最富?" 有㉡道卞氏者, 遂訪其家.

＊恚(에): 성내다 ＊罵(매): 꾸짖다
＊掩(엄): 덮다 ＊卞(변): 성씨

-『열하일기』-

25. ㉠과 짜임이 같은 것은? [1점]

① 日沒 ② 登校 ③ 勝負 ④ 晩秋 ⑤ 養育

26. ㉡과 쓰임이 같은 것을 <보기>에서 고른 것은?

<보 기>

ㄱ. 無道人之短.
ㄴ. 人不學, 不知道.
ㄷ. 道吾過者, 是吾師.
ㄹ. 古之道, 言貴乎簡.

① ㄱ, ㄴ ② ㄱ, ㄷ ③ ㄴ, ㄷ
④ ㄴ, ㄹ ⑤ ㄷ, ㄹ

27. 윗글의 내용과 일치하지 않는 것은?

① 허생의 아내는 몹시 굶주렸다.
② 허생은 과거에 응시하지 않았다.
③ 허생은 한양의 최고 부자를 찾아 갔다.
④ 허생의 아내는 허생에게 장사를 권했다.
⑤ 허생은 계획했던 것보다 삼 년 더 공부했다.

[28~30] 다음 시를 읽고 물음에 답하시오.

(가) 月到天㉠心處, 風來水面時.
一般淸意味, 料得㉡少人知.

- 소옹, 「淸夜吟」 -

(나) 甲㉢第當街蔭綠槐, 高門應㉣爲子孫開.
年來㉤易主無車馬, 唯有行人避雨來.

＊蔭(음): 그늘 ＊槐(괴): 홰나무

- 이곡, 「途中避雨有感」 -

28. ㉠~㉤의 풀이로 옳지 않은 것은?

① ㉠: 가운데 ② ㉡: 어리다 ③ ㉢: 집
④ ㉣: 위하다 ⑤ ㉤: 바뀌다

29. 위 시에 대한 설명으로 옳은 것만을 <보기>에서 있는 대로 고른 것은?

<보 기>

ㄱ. (가)의 운자는 '時', '知'이다.
ㄴ. (가)의 첫째 구와 둘째 구는 대우(對偶)를 이루고 있다.
ㄷ. (나)는 문답의 형식으로 구성되어 있다.
ㄹ. (나)의 넷째 구는 '唯有行人 / 避雨來'로 띄어 읽는다.

① ㄱ, ㄷ ② ㄱ, ㄹ ③ ㄴ, ㄷ
④ ㄱ, ㄴ, ㄹ ⑤ ㄴ, ㄷ, ㄹ

30. 위 시에 대한 이해로 옳은 것은?

＊ 확인 사항

○ 답안지의 해당란에 필요한 내용을 정확히 기입(표기)했는지 확인하시오.

2018학년도 대학수학능력시험 문제지

제 5 교시

제2외국어/한문 영역(한문 I)

성명		수험 번호	—

1. 그림과 대화의 내용으로 보아 ㉠에 해당하는 것은? [1점]

학생 : 김홍도가 고양이도 그렸네요. 고양이가 호랑나비를 쳐다보고 있는 모습이 참 재밌어요.
교사 : 그렇죠. 고양이는 칠십 노인, 나비는 팔십 노인을 뜻하는데 그것은 중국어 발음으로 서로 비슷하기 때문이에요. 칠십 노인이 팔십 세까지 살기를 바라는 염원을 표현했어요. ㉠오래 살라는 바람을 담아냈죠.

① 久　② 靑　③ 活　④ 壽　⑤ 舊

2. 다음 조건을 모두 만족하는 한자는? [1점]

① 看　② 突　③ 革　④ 急　⑤ 倫

3. ㉠과 ㉡에 해당하는 한자의 음이 모두 옳은 것은? [1점]

	㉠	㉡
①	판	차
②	판	사
③	판	조
④	반	차
⑤	반	사

4. 단어장의 내용으로 보아 ㉠에 들어갈 것은? [1점]

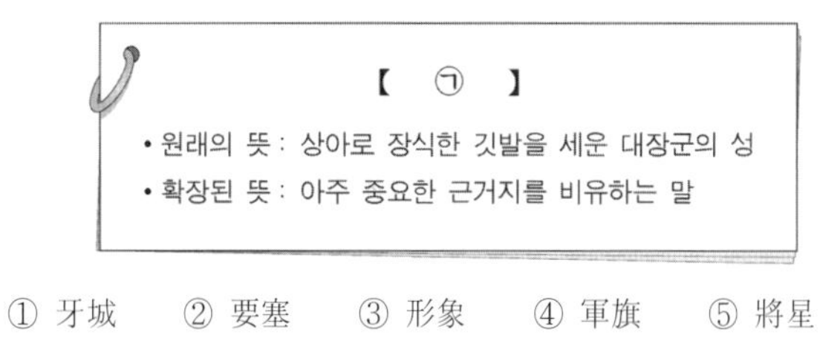

① 牙城　② 要塞　③ 形象　④ 軍旗　⑤ 將星

5. 대화의 내용 중 옳은 것을 고른 것은? [1점]

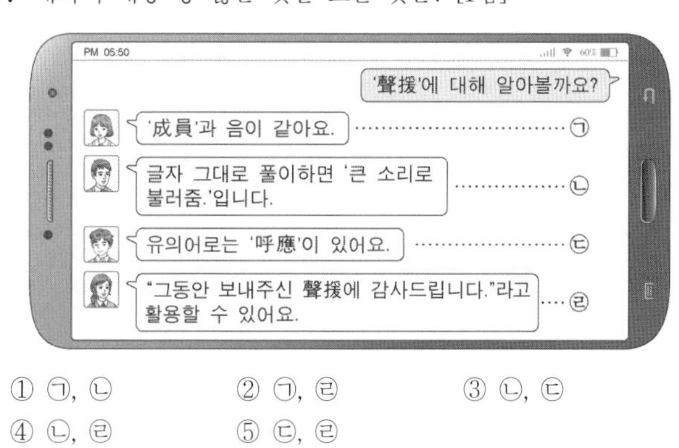

① ㉠, ㉡　② ㉠, ㉣　③ ㉡, ㉢
④ ㉡, ㉣　⑤ ㉢, ㉣

6. 그림과 대화의 내용으로 보아 ㉠에 들어갈 것은? [1점]

① 走　② 步　③ 同　④ 直　⑤ 徐

7. 글의 내용으로 보아 ㉠에 들어갈 것은?

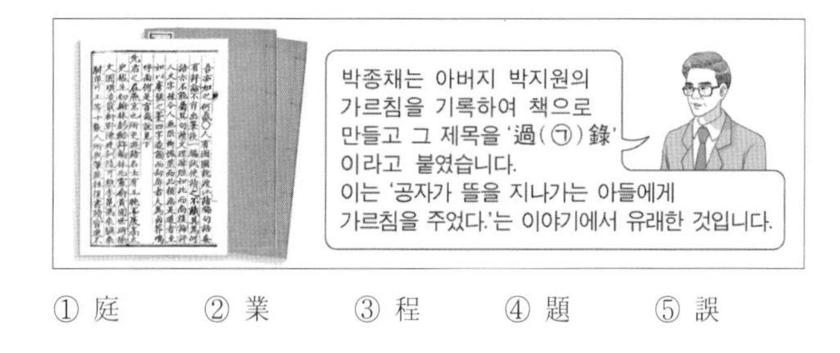

① 庭　② 業　③ 程　④ 題　⑤ 課

8. 그림과 대화의 내용으로 보아 ㉠에 들어갈 것은? [1점]

① 登 ② 地 ③ 等 ④ 連 ⑤ 騰

9. 화살표 방향으로 성어를 채울 때, ㉠에 들어갈 것은?

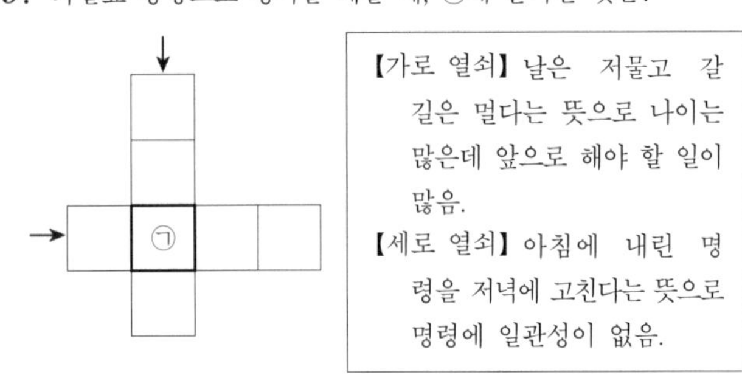

【가로 열쇠】 날은 저물고 갈 길은 멀다는 뜻으로 나이는 많은데 앞으로 해야 할 일이 많음.
【세로 열쇠】 아침에 내린 명령을 저녁에 고친다는 뜻으로 명령에 일관성이 없음.

① 募 ② 墓 ③ 幕 ④ 慕 ⑤ 暮

10. 대화의 내용과 관계있는 성어는? [1점]

① 如反掌 ② 口舌數 ③ 背水陣
④ 下馬評 ⑤ 長蛇陣

11. 시의 내용과 관계있는 성어는? [1점]

> 남들은 형제가 다 별 탈 없건만
> 나는 형 노릇도 못하고 참 부끄럽구나.
> 우애의 도리 지키지 못한 게 많았는데
> 갑자기 또 남쪽 끝으로 떨어져 버렸네.
> 가난해 곤궁해짐 어찌 생각하랴마는
> 귀양살이 위태로움 견디기 힘들어지네.
> 홀로 저 멀리 파도를 바라보고 있노라니
> 기러기는 꼭 셋씩 짝을 지어 날아가누나.
>
> - 노수신 -

① 後生可畏 ② 骨肉之情 ③ 易地思之
④ 我田引水 ⑤ 難兄難弟

12. 그림의 한자로 만들 수 있는 사자성어의 의미와 관계있는 것은?

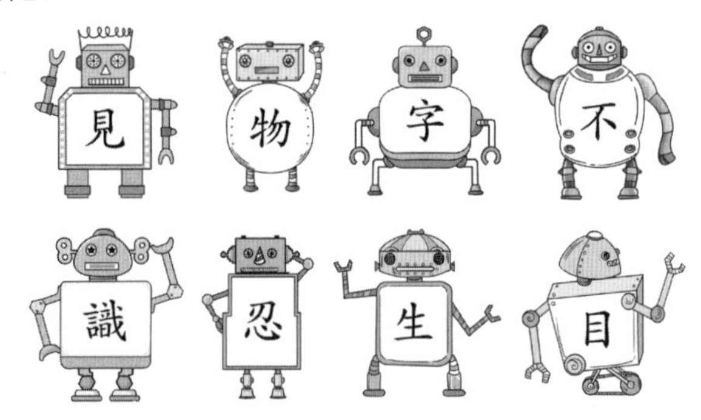

① 그 자전거 한번 보면 갖고 싶어질 걸.
② 뻔히 보고도 그렇게 쉬운 걸 모르다니.
③ 아무리 힘들어도 꿋꿋하게 버텨 주면 좋겠어.
④ 일은 안 하고 노는 꼴이란 참으로 가관이군.
⑤ 알량한 재주가 도리어 일을 그르치고 말았어.

13. 광고의 내용과 관계있는 것은?

① 己所不欲, 勿施於人.
② 無贈弟物, 有贈盜物.
③ 佐祭者嘗, 佐鬪者傷.
④ 當斷不斷, 反受其亂.
⑤ 積善之家, 必有餘慶.

14. 글의 내용과 의미가 통하는 성어는?

> 勢交者近, 勢竭而亡, 財交者密, 財盡而疏.
>
> * 竭(갈) : 다하다
>
> -『명심보감』-

① 炎涼世態 ② 近墨者黑 ③ 忘年之交
④ 脣亡齒寒 ⑤ 騎虎之勢

15. 글의 내용으로 보아 ㉠에 들어갈 것은?

> 政之所興, 在順民心,
> ↕
> 政之所(㉠), 在逆民心.
>
> -『관자』-

① 正 ② 安 ③ 盛 ④ 起 ⑤ 廢

16. 시나리오의 내용으로 보아 ㉠에 들어갈 것은?

S#16. 놀부네 집

쫓겨났던 흥부는 자식들이 굶주림에 울부짖자, 먹을 것을 구하러 놀부 집으로 찾아간다.

흥부 : (머리를 조아리고 애원하며) 형님, 흥부이옵니다. 굶어서 누운 자식들을 살려낼 길이 없사오니, 쌀이든 벼든 주시면 품을 팔아 갚겠습니다. 부디 형제의 정을 생각하여 사람을 살려 주시오.

놀부 : (성난 눈으로 호통 치며) 이놈, 흥부야. 너도 염치없다. 내말 들어 보거라. '[㉠]'이라 하지 않더냐. 타고난 네 복을 누구에게 주고 나를 이리 보채느냐. 너 줄 쌀 없으니 썩 물러가라!

① 助善事者, 得福.
② 滿招損, 謙受益.
③ 天不生無祿之人.
④ 與吉相會則得福.
⑤ 他山之石, 可以攻玉.

17. 대화의 내용으로 보아 ㉠에 알맞은 것은?

① 人無遠慮, 必有近憂.
② 水深可知, 人心難知.
③ 旣乘其馬, 又思牽者.
④ 朋友有過, 忠告善導.
⑤ 我有良貨, 乃求善價.

18. 글의 내용으로 보아 ㉠에게 필요한 교훈은?

조선 시대 윤회가 젊었을 때 길을 가다 날이 저물어 여관에 투숙하려 했는데 주인이 숙박을 허락하지 않기에 마당가에 앉아 있었다. 그때 주인집 아이가 커다란 진주를 가지고 밖으로 나왔다가 마당 가운데 떨어뜨리자 옆에 있던 거위가 삼켜 버렸다. 얼마 후 주인이 그 진주를 찾다가 윤회가 훔쳤다고 의심하여 그를 묶어 놓고 아침에 관가에 고발하겠다고 하였다. 윤회는 변명하지 않고 다만 "저 거위도 내 곁에 묶어 주시오."라는 말만 하였다. 아침에 진주가 거위의 똥에 섞여 나오니 ㉠주인이 매우 부끄러워하였다.

-『연려실기술』-

① 鳥久止, 必帶矢.
② 經夜無怨, 歷日無恩.
③ 盜以後捉, 不以前捉.
④ 疑人莫用, 用人莫疑.
⑤ 好憎人者, 亦爲人所憎.

19. 글의 흐름으로 보아 ㉠에 들어갈 내용과 관계있는 성어는?

均薪施火, 火就燥, 平地注水, 水流濕, (㉠).

* 薪(신) : 땔나무

-『순자』-

① 先公後私
② 類類相從
③ 有備無患
④ 苦盡甘來
⑤ 殺身成仁

[20~21] 다음 글을 읽고 물음에 답하시오.

我所不施, 以望人之先施, 是, 汝傲根, 猶未除也. 玆後留心, 於平居無事之日, 恭睦愼忠, 務得㉠諸家之歡心.

-『여유당전서』-

20. ㉠과 짜임이 다른 것은? [1점]

① 柔軟 ② 環境 ③ 裏面 ④ 微熱 ⑤ 豫測

21. 윗글에 담긴 의도로 알맞은 것은?

① 承諾 ② 祝賀 ③ 慰勞 ④ 勸勉 ⑤ 稱讚

[22~23] 다음 글을 읽고 물음에 답하시오.

齊宣王見孟子於雪宮, (가) 王曰 : "賢者, 亦有此樂乎?" 孟子對曰 : "有. 人不得, 則㉠非其上矣. (나) 不得而非其上者, 非也, ㉡爲民上而不與民同樂者, 亦㉢非也. (다) 樂民之樂者, 民亦樂其樂, (라) 憂民之憂者, 民亦憂其憂. 樂以天下, 憂以天下. (마)"

-『맹자』-

22. ㉠~㉢의 풀이로 옳은 것만을 <보기>에서 있는 대로 고른 것은?

<보 기>

㉠ : 비난하다 ㉡ : 위하다 ㉢ : 옳지 않다

① ㉠
② ㉡
③ ㉠, ㉢
④ ㉡, ㉢
⑤ ㉠, ㉡, ㉢

23. 윗글의 내용으로 보아 <보기>의 문장이 들어갈 곳으로 알맞은 것은?

<보 기>

然而不王者, 未之有也.

① (가) ② (나) ③ (다) ④ (라) ⑤ (마)

[24~25] 다음 글을 읽고 물음에 답하시오.

> 夫天地者, 萬物之㉠逆旅, 光陰者, 百代之過客, 而浮生㉡若夢, 爲歡幾何? 古人秉燭夜遊, ㉢良有以也. 況陽春, ㉣召我以煙景, 大塊, ㉤假我以文章!
>
> ＊秉(병) : 잡다
>
> -『고문진보』-

24. ㉠~㉤의 풀이로 옳지 않은 것은?

① ㉠ : 맞이하다 ② ㉡ : 같다 ③ ㉢ : 어질다
④ ㉣ : 초대하다 ⑤ ㉤ : 빌려주다

25. 윗글에 대한 이해로 옳은 것만을 <보기>에서 있는 대로 고른 것은?

<보 기>
ㄱ. 시간을 나그네에 비유하였다.
ㄴ. 밤늦도록 노는 것을 경계하였다.
ㄷ. 덧없는 인생에 대한 아쉬움이 엿보인다.
ㄹ. 자연과 더불어 사는 은자의 삶을 동경하였다.

① ㄱ, ㄷ ② ㄱ, ㄹ ③ ㄴ, ㄹ
④ ㄱ, ㄴ, ㄷ ⑤ ㄴ, ㄷ, ㄹ

[26~27] 다음 글을 읽고 물음에 답하시오.

> 古之道, 言貴乎簡. 言所以宣意也, 奚取乎簡哉? 言其所可言, 不言其所不可言而已. 矜己之言, 不可言, 敗人之言, 不可言, 無實之言, 不可言, 非法之言, 不可言. 言能戒是四者, 則㉠言不期簡而簡矣. 故曰: "君子之言, 不得已而後言."
>
> ＊矜(긍) : 자랑하다
>
> -『백호집』-

26. ㉠의 의미로 옳은 것은?

① 실천을 전제해야 말이 간결해진다.
② 변명하지 않아야 말이 간결하게 된다.
③ 말이 간결해야 후회할 일이 적어진다.
④ 말이 간결할수록 오해를 덜 받게 된다.
⑤ 의도하지 않아도 말이 절로 간결해진다.

27. 윗글에 대한 설명으로 옳지 않은 것은?

① 논제를 제기하고 있다.
② 논쟁의 상대가 설정되어 있다.
③ 목표 도달을 위한 방법이 나열되어 있다.
④ 자수·구법이 서로 같은 표현법을 사용하였다.
⑤ 결론을 제시하고 있다.

[28~30] 다음 시를 읽고 물음에 답하시오.

> (가) 懷君㉠屬秋夜, 散步詠涼天.
> 空山松子落, 幽人㉡應未眠.
>
> - 위응물, 「秋夜寄丘員外」 -
>
> (나) 紅葉紛紛㉢已滿庭, 階前殘菊㉣尙含馨.
> 山中百物渾衰㉤謝, 獨愛寒松歲暮靑.
>
> ＊馨(형) : 향기 ＊渾(혼) : 모두
>
> - 이언적, 「冬初」 -

28. ㉠~㉤의 풀이로 옳은 것은?

① ㉠ : 모으다 ② ㉡ : 대답하다
③ ㉢ : 그치다 ④ ㉣ : 높이다
⑤ ㉤ : 시들다

29. 위 시에 대한 설명으로 옳은 것만을 <보기>에서 있는 대로 고른 것은?

<보 기>
ㄱ. (가)의 운자(韻字)는 '天', '眠'이다.
ㄴ. (가)의 셋째 구는 '空山 / 松子落'으로 띄어 읽는다.
ㄷ. (나)의 셋째 구와 넷째 구는 대우(對偶)를 이루고 있다.
ㄹ. (나)에는 시각적 심상이 나타나 있다.

① ㄱ, ㄴ ② ㄴ, ㄷ ③ ㄷ, ㄹ
④ ㄱ, ㄴ, ㄹ ⑤ ㄱ, ㄷ, ㄹ

30. 위 시에 대한 이해로 옳지 않은 것은?

＊ 확인 사항
○ 답안지의 해당란에 필요한 내용을 정확히 기입(표기)했는지 확인하시오.

제 5 교시

제2외국어/한문 영역(한문Ⅰ)

성명		수험 번호	–

1. 그림과 대화의 내용으로 보아 ㉠에 해당하는 것은? [1점]

교사 : 조선 후기 화가 최북의 그림을 감상해 봅시다.
지원 : 흰 눈 덮인 겨울 산속에 초가집이 있네요.
유림 : 나뭇가지가 한 방향으로 휘어져 있어요. 눈바람이 휘몰아치나 봐요.
주한 : 나그네와 동자가 눈길을 지나는데, 검둥개가 사립문 앞에서 짖고 있고요.
교사 : 그래요. 눈바람 몰아치는 밤에 돌아가는 사람들의 모습을 그렸죠. 그래서 위쪽에 '風雪夜(㉠)人'이라고 써 놓았답니다.

① 婦 ② 慢 ③ 掃 ④ 停 ⑤ 歸

2. 다음 조건을 모두 만족하는 한자는? [1점]

① 分 ② 立 ③ 今 ④ 介 ⑤ 化

3. 같은 뜻을 지닌 한자끼리 연결한 것을 <보기>에서 고른 것은? [1점]

<보 기>

ㄱ. 安 – 危　　ㄴ. 到 – 達
ㄷ. 省 – 察　　ㄹ. 深 – 淺

① ㄱ, ㄷ　② ㄱ, ㄹ　③ ㄴ, ㄷ
④ ㄴ, ㄹ　⑤ ㄷ, ㄹ

4. ㉠과 ㉡에 해당하는 한자의 음이 모두 옳은 것은? [1점]

	㉠	㉡
①	호	수
②	호	계
③	호	리
④	여	수
⑤	여	계

5. 단어장의 내용으로 보아 ㉠에 들어갈 것은? [1점]

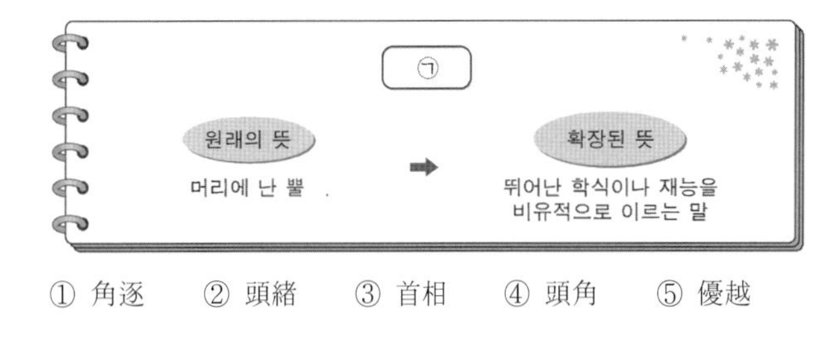

① 角逐 ② 頭緖 ③ 首相 ④ 頭角 ⑤ 優越

6. 그림과 대화의 내용으로 보아 ㉠에 들어갈 것은? [1점]

① 特 ② 待 ③ 時 ④ 得 ⑤ 代

7. 다음 중 옳은 것만을 있는 대로 고른 것은? [1점]

① ㉠, ㉢ ② ㉠, ㉣ ③ ㉡, ㉣
④ ㉠, ㉡, ㉢ ⑤ ㉡, ㉢, ㉣

8. 화살표 방향으로 성어를 채울 때, ㉠에 들어갈 것은?

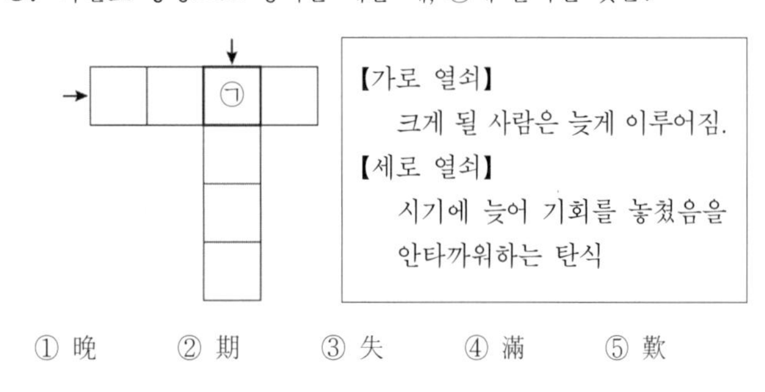

① 晩 ② 期 ③ 失 ④ 滿 ⑤ 歎

9. 그림의 한자로 만들 수 있는 사자성어의 의미와 관계있는 것은?

① 작년 한 해는 정말 어려움이 많았지.
② 그분의 도움을 지금껏 잊을 수가 없어.
③ 친척끼리 어쩜 저렇게 다툴 수 있을까?
④ 저 두 사람은 정말 우열을 가릴 수가 없네.
⑤ 많은 희생이 따랐지만 어쩔 수 없는 선택이었어.

10. 글의 내용과 관계있는 성어는?

作其始者, 當任其終.

-『순오지』-

① 首丘初心 ② 日就月將 ③ 一騎當千
④ 結者解之 ⑤ 自初至終

11. 광고의 내용과 관계있는 것은?

① 鳥久止, 必帶矢.
② 人飢三日, 無計不出.
③ 久而不已, 則必至于有成.
④ 官怠於有成, 病加於小愈.
⑤ 三日之程, 一日往, 十日臥.

12. 대화의 내용으로 보아 ㉠에 알맞은 것은?

① 陰地轉, 陽地變.
② 患生於所忽, 禍發於細微.
③ 記人之功, 忘人之過.
④ 夫人必自侮然後, 人侮之.
⑤ 鏡不自照, 智不自料.

13. 글의 흐름으로 보아 ㉠에 들어갈 것은?

父母, 養其子而不教, 是不愛其子也, 雖(㉠)而不嚴, 是亦不愛其子也.

-『고문진보』-

① 效 ② 憎 ③ 修 ④ 勞 ⑤ 教

14. ㉠에 들어갈 것을 <보기>의 카드로 완성할 때, 순서대로 바르게 배열한 것은? [1점]

(㉠), 家和萬事成.

-『명심보감』-

<보 기>

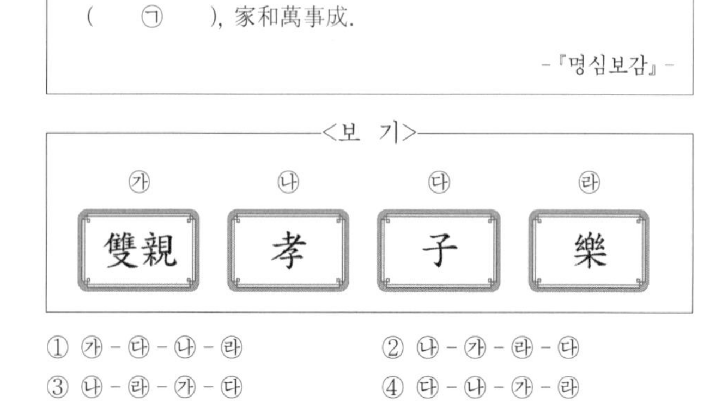

① ㉮ - ㉰ - ㉯ - ㉱ ② ㉯ - ㉮ - ㉱ - ㉰
③ ㉯ - ㉱ - ㉮ - ㉰ ④ ㉰ - ㉯ - ㉮ - ㉱
⑤ ㉱ - ㉰ - ㉯ - ㉮

15. 글의 내용과 관계있는 것은?

> 合抱之木, 生於毫末, 九層之臺, 起於累土.
>
> -『노자』-

① 千里之行, 始於足下.
② 不幸由己, 何不自反.
③ 寬而見畏, 嚴而見愛.
④ 知是行之始, 行是知之成.
⑤ 陷之死地而後生, 置之亡地而後存.

[16~17] 다음 글을 읽고 물음에 답하시오.

> 子曰: "飯疏食飮水, 曲肱而枕之, 樂亦在其中矣, 不義而富且貴, 於我如㉠浮雲."
>
> *肱(굉): 팔뚝
>
> -『논어』-

16. ㉠과 짜임이 같은 것은?

① 霜降 ② 貴賓 ③ 登頂 ④ 遵法 ⑤ 希望

17. 윗글의 내용과 관계있는 성어는?

① 安貧樂道 ② 自強不息 ③ 先見之明
④ 上善若水 ⑤ 望雲之情

[18~20] 다음 글을 읽고 물음에 답하시오.

> 王之諸子, 與諸臣, 將謀害之. 蒙母知之, 告曰: "國人將害汝, 以汝㉠才略, 何往不可? 宜速圖之." 於是, 蒙與烏伊等三人爲友, 行至淹水, 告水曰: "我是天帝子, 河伯孫. 今日逃遁, 追者垂及, 奈何?" 於是, 魚鼈成橋, ㉡得渡而橋解, 追騎不得渡. 至卒本州, 遂都焉.
>
> *烏伊(오이): 사람 이름 *淹水(엄수): 강 이름
> *遁(둔): 달아나다 *鼈(별): 자라
>
> -『삼국유사』-

18. ㉠의 독음으로 옳은 것은? [1점]

① 지혜 ② 지략 ③ 계략 ④ 재략 ⑤ 재능

19. ㉡에서 마지막으로 풀이되는 것은?

① 得 ② 渡 ③ 而 ④ 橋 ⑤ 解

20. 윗글에 대한 설명으로 옳지 않은 것은?

① 주인공의 이동 경로가 나타나 있다.
② 주인공의 고귀한 신분이 나타나 있다.
③ 주인공을 구원하는 존재가 나타나 있다.
④ 주인공이 민심을 얻는 과정이 나타나 있다.
⑤ 주인공이 위기에 처한 상황이 나타나 있다.

[21~22] 다음 글을 읽고 물음에 답하시오.

> 命判三司事鄭道傳, 名新宮諸殿. 道傳撰名, 幷㉠書所撰之義以進. …(중략)… 其勤政殿勤政門, 曰: "天下之事, 勤則治, 不勤則廢, 必然之㉡理也. 小事㉢尙然, 況政事之大者乎? …(중략)… 先儒曰: '㉣朝以聽政, 晝以訪問, 夕以修令, 夜以安身.' 此人君之勤也. 又曰: '勤於求㉤賢, 逸於任賢.' 臣請以是爲獻."
>
> *鄭道傳(정도전): 사람 이름 *撰(찬): 짓다 *幷(병): 아울러
>
> -『태조실록』-

21. ㉠~㉤의 풀이로 옳지 않은 것은?

① ㉠: 기록하다 ② ㉡: 이치 ③ ㉢: 오히려
④ ㉣: 조정 ⑤ ㉤: 현인

22. 윗글의 중심 내용으로 옳은 것은?

① 인재의 조건 ② 신하의 도리
③ 정사를 돌보는 순서 ④ 인재 등용의 방법
⑤ 전각 이름에 담긴 의미

23. 글의 내용으로 보아 ㉠에 들어갈 것은?

> 원수로다 원수로다 백발이 원수로다 오는 백발 막으려고
> 우수(右手)에 도끼 들고 좌수(左手)에 가시 들고
> 오는 백발 뚜드리며 가는 홍안(紅顔) 걸어 당겨
> 청사(靑絲)로 결박하여 단단히 졸라매되
> 가는 홍안 절로 가고 백발은 시시로 돌아와
> 귀밑에 살 잡히고 검은 머리 백발되니
> [㉠](이)라 무정한 게 세월이라
> 소년 행락(行樂) 깊은들 왕왕이 달라가니 이 아니 광음인가
>
> -『열녀춘향수절가』-
>
> 

① 風雨當年不盡吹 ② 獨愛寒松歲暮青
③ 朝如青絲暮成雪 ④ 夜半鐘聲到客船
⑤ 月白風淸興有餘

[24~25] 다음 시를 읽고 물음에 답하시오.

(가) 江碧鳥逾白, 山青花欲㉠然.
今春看又過, (㉡).

* 逾(유): 더욱

- 두보, 「절구(絶句)」 -

(나) 江山이 때를 만나 푸른빛이 새로우니
물가엔 새 더 희고 山에 핀 꽃 불이 붙네
올봄도 그냥 지날사 돌아 언제 갈거나

24. (나)는 (가)를 시조 형식으로 번역한 것이다. 이 내용으로 보아 ㉠과 의미가 통하는 한자는?

① 煙 ② 燃 ③ 燕 ④ 熟 ⑤ 煩

25. (나)의 내용으로 보아 ㉡에 알맞은 시구는? [1점]

① 何日是歸年 ② 驅車登古原
③ 遠客思歸切 ④ 落日見歸雲
⑤ 月明愛無眠

[26~28] 다음 글을 읽고 물음에 답하시오.

一國之事, 當與一國人, 共治, 不可㉮與一二私人, 從欲而治. 取一國公論所㉠指望之人, 任官㉡責成, 卽與國人共治也. 公論, 乃國人共㉢推之論, 非公論, 何以會合國人之心也? 國人之所願, 必從, 所不願, 亦從, 所欲, 必㉣從, 所不欲, 亦從, 雖欲不㉤治, 得乎?

- 『인정』 -

26. ㉮와 쓰임이 같은 것을 <보기>에서 있는 대로 고른 것은?

<보 기>

ㄱ. 施恩勿求報, 與人勿追悔.
ㄴ. 可與言而不與之言, 失人.
ㄷ. 與損者處, 則名自卑, 而身自賤.

① ㄱ ② ㄴ ③ ㄱ, ㄷ
④ ㄴ, ㄷ ⑤ ㄱ, ㄴ, ㄷ

27. ㉠~㉤의 풀이로 옳은 것은?

① ㉠: 지휘하다 ② ㉡: 꾸짖다
③ ㉢: 추측하다 ④ ㉣: 놓다
⑤ ㉤: 다스려지다

28. 윗글에서 경계하고자 하는 것은?

① 放心 ② 獨斷 ③ 寡慾 ④ 論爭 ⑤ 盲從

[29~30] 다음 시를 읽고 물음에 답하시오.

江月圓還缺, 庭梅落又開.
逢春歸未得, ㉠獨上望鄕臺.

- 임억령, 「송백광훈환향(送白光勳還鄕)」 -

29. 위 시에 대한 설명으로 옳은 것만을 <보기>에서 있는 대로 고른 것은?

<보 기>

ㄱ. 시의 형식은 오언절구이다.
ㄴ. 시의 운자(韻字)는 '開', '臺'이다.
ㄷ. 둘째 구에서는 과장된 표현이 사용되었다.
ㄹ. 셋째 구는 '逢春歸 / 未得'으로 띄어 읽는다.

① ㄱ, ㄴ ② ㄴ, ㄹ ③ ㄷ, ㄹ
④ ㄱ, ㄴ, ㄷ ⑤ ㄱ, ㄷ, ㄹ

30. 시적 화자가 ㉠과 같이 행동한 이유로 알맞은 것은?

* 확인 사항

○ 답안지의 해당란에 필요한 내용을 정확히 기입(표기)했는지 확인하시오.

2019학년도 대학수학능력시험 9월 모의평가 문제지

제 5 교시

제2외국어/한문 영역(한문Ⅰ)

성명		수험 번호						–				

1. 그림과 대화의 내용으로 보아 ㉠에 들어갈 것은? [1점]

교사 : 조선 후기 화가 이인문의 작품을 함께 감상해 볼까요?
문경 : 초가지붕 위에는 눈이 소복하게 쌓여 있고, 주변 소나무 가지 위에도 눈꽃이 피어 있네요.
은지 : 방 안에서는 두 사람이 대화를 나누고 있어요. 친구가 찾아왔나 봐요.
신우 : 소를 끌고 온 한 아이에게 들어오라고 손짓하는 아이도 보여요.
교사 : 그래요. 이 그림은 눈 속에 친구를 방문한 모습을 그린 것이랍니다. 그래서 그림의 제목을 '雪中(㉠)友'라고 하지요.

① 邦　② 訪　③ 畏　④ 益　⑤ 送

2. 단어장의 내용으로 보아 ㉠에 들어갈 것은? [1점]

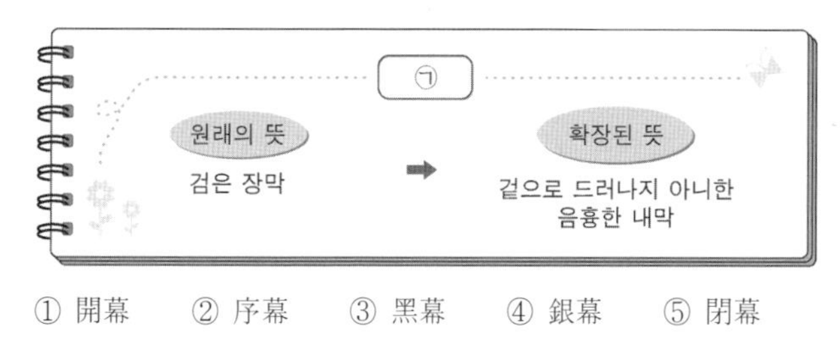

① 開幕　② 序幕　③ 黑幕　④ 銀幕　⑤ 閉幕

3. 화살표 방향으로 성어를 채울 때, ㉠에 들어갈 것은? [1점]

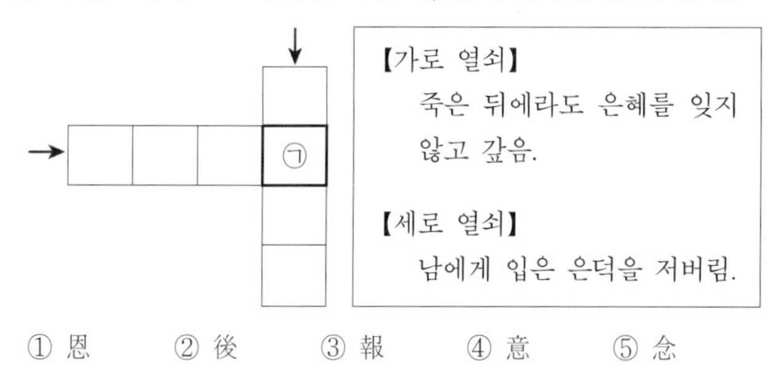

① 恩　② 後　③ 報　④ 意　⑤ 念

4. 다음 조건을 모두 만족하는 한자는? [1점]

① 留　② 短　③ 單　④ 周　⑤ 早

5. 대화의 내용으로 보아 옳은 것만을 있는 대로 고른 것은? [1점]

① ㉠　② ㉡　③ ㉠, ㉢
④ ㉡, ㉢　⑤ ㉠, ㉡, ㉢

6. 그림의 한자를 활용하여 만들 수 있는 사자성어의 의미와 관계있는 것은?

① 이번 일의 결과는 보나 마나 뻔해.
② 이유는 묻지도 않고 몰아세우는군.
③ 이렇게 가까이 두고도 한참을 찾았네.
④ 서늘한 가을밤이라 책 읽기에 참 좋구나.
⑤ 아랫사람에게 묻는다고 자존심 상할 일은 아니야.

7. 글에서 경계하고 있는 것은?

끓고 있는 물을 식히려면 어떻게 하는 것이 낫겠습니까? 끓고 있는 물을 퍼 올렸다가 다시 붓는 것보다는 물을 끓이는 데 쓰는 땔감을 제거하는 것이 더 빠를 것입니다. 마찬가지로 멀리 있는 이를 복종시키고자 한다면, 가까운 이들부터 잘 다스려서 멀리 있는 이들이 자발적으로 찾아오게 하는 것이 가장 나을 것입니다. 또 잘못을 바로잡고자 한다면, 행동을 고쳐서 그 잘못이 저절로 사라지게 하는 것이 가장 나을 것입니다. 만약 근본을 안정시키지 못하고 말단만 바로잡는 정책에 힘쓴다면, 그것이 곧 재앙의 원인이 될 것입니다.

-『육선공주의』-

① 姑息之計 ② 我田引水 ③ 千慮一失
④ 牽强附會 ⑤ 優柔不斷

8. 대화의 내용으로 보아 ㉠에 알맞은 것은?

① 自畫自讚 ② 泰然自若 ③ 自業自得
④ 毛遂自薦 ⑤ 悠悠自適

9. 글에서 말하고자 하는 것은?

守口則無妄言, 守身則無妄行, 守心則無妄動.

-『기언』-

① 正直 ② 愼重 ③ 守則 ④ 包容 ⑤ 忠言

10. 그림과 대화의 내용으로 보아 ㉠에 들어갈 것은? [1점]

① 地 ② 志 ③ 支 ④ 持 ⑤ 至

11. 글에서 공통적으로 말하고자 하는 것은?

○ 下之事上也, 不從其所令, 從其所行. -『예기』-
○ 其身正, 不令而行, 其身不正, 雖令不從. -『논어』-

① 겉과 속이 다른 사람을 조심해야 한다.
② 학식이 깊어질수록 타인의 의견을 경청해야 한다.
③ 큰일을 이루려면 작은 일도 소홀히 해서는 안 된다.
④ 남을 따르게 하려면 자신이 먼저 모범을 보여야 한다.
⑤ 뜻밖의 재물이 생기면 부정한 것은 아닌지 살펴봐야 한다.

12. 광고의 내용과 관계있는 것은?

사고 없는 안전 사회

예방이 **최선**입니다.

① 與人語美惡, 皆言好.
② 若要人重我, 無過我重人.
③ 同欲者相憎, 同憂者相親.
④ 愛人無可憎, 憎人無可愛.
⑤ 與其病後能服藥, 不若病前能自防.

[13~14] 다음 글을 읽고 물음에 답하시오.

子謂顔淵曰: "用之則行, 舍之則藏, 惟我與爾, 有是夫." ㉮子路曰: "子行三軍, 則㉠誰與?" 子曰: "暴虎馮河, 死而無悔者, 吾不與也, 必也臨事而懼, 好謀而成者也."

* 顔淵(안연): 사람 이름 * 爾(이): 너
* 馮(빙): 맨몸으로 건너다

-『논어』-

13. ㉠의 풀이로 옳은 것은?

① 무엇을 주겠습니까
② 어디로 보내겠습니까
③ 언제 함께하겠습니까
④ 누구를 보내겠습니까
⑤ 누구와 함께하겠습니까

14. 글의 내용으로 보아 ㉮가 얻을 수 있는 삶의 자세로 알맞은 것을 <보기>에서 고른 것은?

<보 기>

ㄱ. 조심성 ㄴ. 공정성 ㄷ. 계획성 ㄹ. 적극성

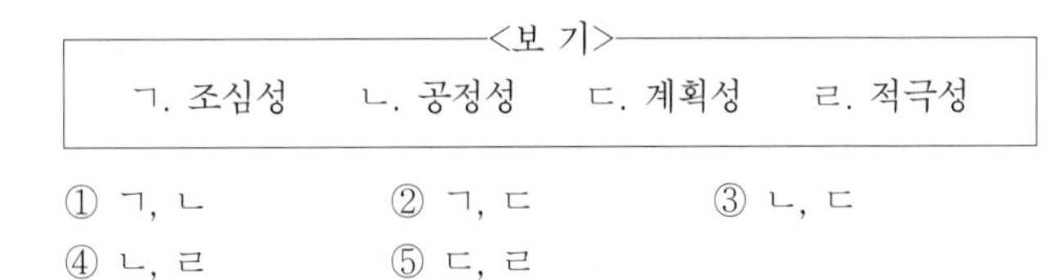

① ㄱ, ㄴ ② ㄱ, ㄷ ③ ㄴ, ㄷ
④ ㄴ, ㄹ ⑤ ㄷ, ㄹ

15. ㉠에 들어갈 내용을 <보기>의 카드를 활용하여 완성하고자 할 때, 순서대로 바르게 배열한 것은? [1점]

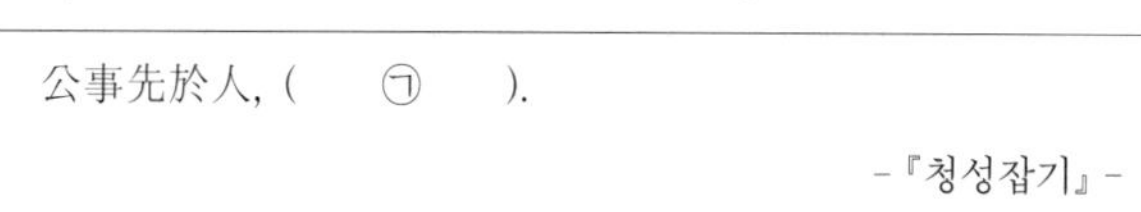

公事先於人, (㉠).

-『청성잡기』-

<보 기>

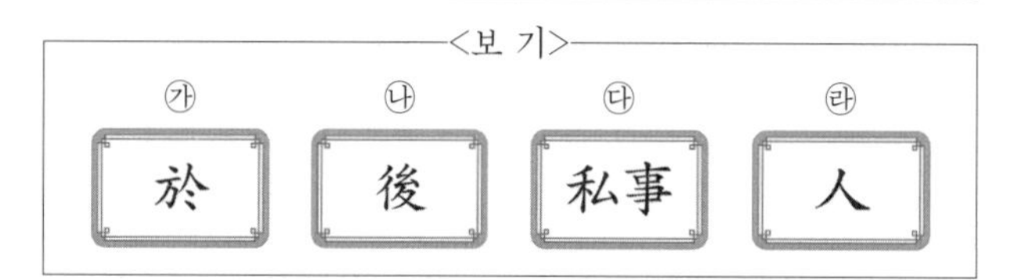

① ㉮ - ㉯ - ㉰ - ㉱ ② ㉯ - ㉮ - ㉱ - ㉰
③ ㉯ - ㉱ - ㉮ - ㉰ ④ ㉰ - ㉯ - ㉮ - ㉱
⑤ ㉱ - ㉰ - ㉯ - ㉮

[16~17] 다음 시를 읽고 물음에 답하시오.

遠客思歸切, 登樓北望京.
還同江上雁, 秋盡更南征.

- 윤결, 「次忠州望京樓韻」 -

16. 위 시에 대한 설명으로 옳은 것만을 <보기>에서 있는 대로 고른 것은?

<보 기>

ㄱ. 형식은 오언절구이다.
ㄴ. 운자(韻字)는 '切', '京'이다.
ㄷ. 넷째 구는 '秋盡 / 更南征'으로 띄어 읽는다.
ㄹ. 선경후정(先景後情)의 기법으로 시상을 전개하였다.

① ㄱ ② ㄱ, ㄷ ③ ㄴ, ㄹ
④ ㄴ, ㄷ, ㄹ ⑤ ㄱ, ㄴ, ㄷ, ㄹ

17. 위 시에 대한 이해로 옳지 <u>않은</u> 것은?

[18~19] 다음 시를 읽고 물음에 답하시오.

(가) 兩人對酌山花開, 一杯一杯㉠<u>復</u>一杯.
(㉡), 明朝有意抱琴來.

- 이백, 「山中與幽人對酌」 -

(나) 산꽃 핀 데 둘이 앉아 한 잔 다시 또 한 잔을
나는 취해 자겠으니 그대 역시 갔다가
낼 아침 생각나거든 거문고 들고 오게나

18. (나)는 (가)를 시조 형식으로 번역한 것이다. 이 내용으로 보아 ㉠과 음이 같은 것은? [1점]

① <u>復</u>活 ② <u>復</u>古 ③ <u>復</u>舊 ④ <u>復</u>權 ⑤ <u>復</u>歸

19. (나)의 내용으로 보아 ㉡에 들어갈 시구는?

① 我醉欲歸歸若何 ② 我醉欲眠卿且去
③ 我醉我歌我獨酌 ④ 我醉拔劍或時舞
⑤ 我醉欲忘世間憂

[20~22] 다음 글을 읽고 물음에 답하시오.

曾子㉮<u>弊</u>衣而耕於魯, 魯君聞之而致邑焉, 曾子㉯<u>固辭</u>不受. 或曰: "非㉠<u>子</u>之求, ㉡<u>君</u>自致之, 奚固辭也?" 曾子曰: "㉢<u>吾</u>聞受人施者常畏人, 與人者常驕人. 縱君有賜, 不㉣<u>我</u>驕也, (㉰)"

＊魯(로): 나라 이름 ＊驕(교): 교만하다

-『공자가어』-

20. ㉮와 ㉯의 음이 모두 옳은 것은? [1점]

	㉮	㉯		㉮	㉯
①	금의	찬사	②	녹의	겸양
③	마의	치사	④	포의	사양
⑤	폐의	고사			

21. ㉠~㉣ 중 가리키는 대상이 같은 것만을 있는 대로 고른 것은?

① ㉠, ㉡ ② ㉠, ㉢ ③ ㉡, ㉣
④ ㉠, ㉢, ㉣ ⑤ ㉡, ㉢, ㉣

22. 글의 흐름으로 보아 ㉰에 들어갈 내용으로 알맞은 것은?

① 내가 어떻게 거부할 수 있겠는가.
② 내가 어떻게 교만할 수 있겠는가.
③ 내가 어떻게 원망할 수 있겠는가.
④ 내가 어떻게 요구하지 않을 수 있겠는가.
⑤ 내가 어떻게 두려워하지 않을 수 있겠는가.

제2외국어/한문 영역

[23~25] 다음 글을 읽고 물음에 답하시오.

> ㉠日月如流, 事親不可久也. 故爲子者, 須盡誠竭力, 如恐㉡不及, 可也. 古人詩曰: "㉢古人一日養, 不以三公換." 所謂愛日者如此.
>
> * 竭(갈): 다하다
>
> -『격몽요결』-

23. 의미상 ㉠과 바꾸어 쓸 수 있는 것은?

① 時間 ② 天下 ③ 空間 ④ 世上 ⑤ 人間

24. 윗글의 내용으로 보아 ㉡의 의미로 옳은 것은?

① 부름에 응답하지 못하다.
② 능력을 발휘하지 못하다.
③ 제때에 봉양하지 못하다.
④ 높은 벼슬에 오르지 못하다.
⑤ 몸가짐을 바르게 하지 못하다.

25. ㉢과 짜임이 같은 것은? [1점]

① 黃土 ② 道路 ③ 登校 ④ 日沒 ⑤ 高低

[26~28] 다음 글을 읽고 물음에 답하시오.

> 世多㉠說東明王神異之事, ㉡雖愚夫騃婦, 亦頗能說其事. …(중략)… 東明之事, 非以變化神異眩惑衆目, 乃㉢實創國之神迹, 則此而不㉣述, 後㉤將何觀? 是用作詩以記之, 欲使夫天下, (㉮)我國本聖人之都耳.
>
> * 騃(애): 어리석다 * 眩(현): 어지럽다
>
> * 迹(적): 자취
>
> -『동국이상국집』-

26. ㉠~㉤의 풀이로 옳지 않은 것은?

① ㉠: 말하다 ② ㉡: 비록
③ ㉢: 진실로 ④ ㉣: 기억하다
⑤ ㉤: 장차

27. 글의 내용으로 보아 ㉮에 알맞은 것은?

① 無 ② 只 ③ 亦 ④ 改 ⑤ 知

28. 윗글의 중심 내용으로 옳은 것은?

① 집필의 목적 ② 작문의 방법
③ 건국의 이념 ④ 신화의 탄생
⑤ 왕조의 흥망

[29~30] 다음 글을 읽고 물음에 답하시오.

> 蔡壽有孫, 曰無逸. 年纔五六歲, 壽夜抱無逸而臥, 先作一句曰: "孫子夜夜讀書不." 使無逸對之, 對曰: "祖父朝朝飮酒猛." 壽又於雪中, 負無逸而行, 作一句曰: "犬走梅花落." 語卒, 無逸對曰: "鷄行竹葉成."
>
> * 蔡壽(채수): 사람 이름 * 纔(재): 겨우
>
> -『어우야담』-

29. 윗글에 대한 설명으로 옳지 않은 것은?

① 등장인물 간의 관계가 드러나 있다.
② 등장인물 간의 일화를 소개하고 있다.
③ 등장인물 간에 주고받은 시구가 있다.
④ 등장인물의 청빈한 삶을 다루고 있다.
⑤ 등장인물의 문학적 재능이 나타나 있다.

30. 윗글에 나오는 시구의 내용과 일치하는 것은?

①

②

③

④

⑤

* 확인 사항

○ 답안지의 해당란에 필요한 내용을 정확히 기입(표기)했는지 확인하시오.

2019학년도 대학수학능력시험 문제지

제 5 교시

제2외국어/한문 영역(한문Ⅰ)

성명		수험 번호					—				

1. 그림과 대화의 내용으로 보아 ㉠에 들어갈 것은? [1점]

교사 : 조선 후기 화가 신윤복의 풍속화를 감상해 볼까요?
우림 : 한밤중에 담 모퉁이에서 남녀가 만나고 있네요. 조선 시대에도 저런 일이 가능했나 봐요.
정우 : 그런가 봐요. 그런데 달의 모습이 이상해요. 볼록한 면이 위쪽을 향하고 있어요.
우림 : 잘못 그린 건가요? 아니면 실제로 보고 그린 건가요?
교사 : 신윤복이 서울에 부분 월식이 일어났던 날 자정 무렵의 모습을 그린 것이라고 추론한 연구 결과가 발표되기도 하였답니다.
정우 : 아! 그렇다면 부분 월식을 배경으로 한 사랑 이야기가 화폭에 담겨 있다고 볼 수도 있겠네요?
교사 : 맞아요. 이 그림은 달빛 아래 연인들의 모습을 그렸다고 해서, 제목을 '月下(㉠)人'이라고 합니다.

① 淨 ② 貞 ③ 情 ④ 晴 ⑤ 頂

2. 대화의 내용으로 보아 옳은 것만을 있는 대로 고른 것은?

① ㉠, ㉡ ② ㉠, ㉢ ③ ㉡, ㉣
④ ㉠, ㉢, ㉣ ⑤ ㉡, ㉢, ㉣

3. 다음 조건을 모두 만족하는 한자는? [1점]

① 州 ② 典 ③ 周 ④ 宙 ⑤ 界

4. 같은 뜻을 지닌 한자끼리 연결한 것을 <보기>에서 고른 것은? [1점]

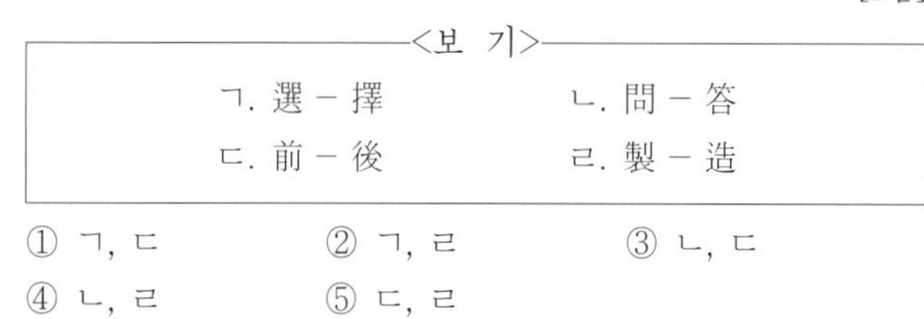

<보 기>

ㄱ. 選 - 擇　　ㄴ. 問 - 答
ㄷ. 前 - 後　　ㄹ. 製 - 造

① ㄱ, ㄷ ② ㄱ, ㄹ ③ ㄴ, ㄷ
④ ㄴ, ㄹ ⑤ ㄷ, ㄹ

5. 화살표 방향으로 성어를 채울 때, ㉠에 들어갈 것은? [1점]

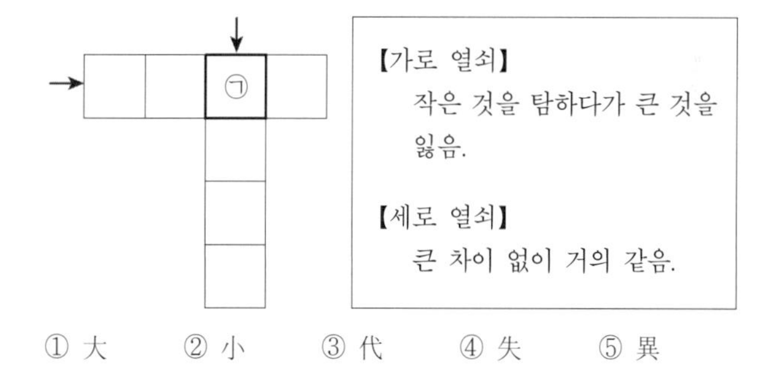

① 大 ② 小 ③ 代 ④ 失 ⑤ 異

6. 글에서 비판하고 있는 것은?

오늘날 사대부라고 하는 자들도 이 붓과 비슷하지 않은 경우가 드물다. 몸에 의관을 갖추어 입고 말을 조리 있게 하며, 법도에 맞게 걷고 엄숙한 기색으로 처세하고 있으니, 그들을 바라보면 모두 군자나 바른 선비 같아 보인다. 그러나 남들이 보지 않는 곳에서 이해관계가 얽히게 되면 평소의 뜻을 바꾸어 마구 욕심을 부리며, 어질지 못한 마음을 품고 의롭지 못한 행동을 하고 있다. 대개 그 겉은 아름답게 꾸몄으나 그 속은 온통 개털로 채워져 있는 것이 이 붓과 조금도 다를 것이 없다.

-『계곡집』-

① 堂狗風月 ② 甘言利說 ③ 漸入佳境
④ 骨肉相爭 ⑤ 表裏不同

7. 단어장의 내용으로 보아 ㉠에 들어갈 것은? [1점]

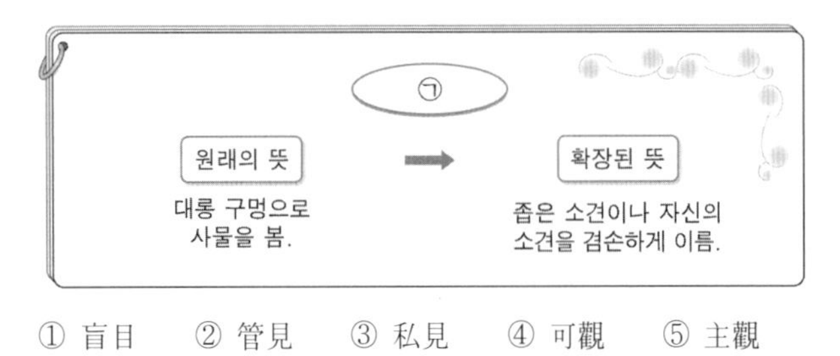

① 盲目　② 管見　③ 私見　④ 可觀　⑤ 主觀

8. ㉠에서 마지막으로 풀이되는 것은?

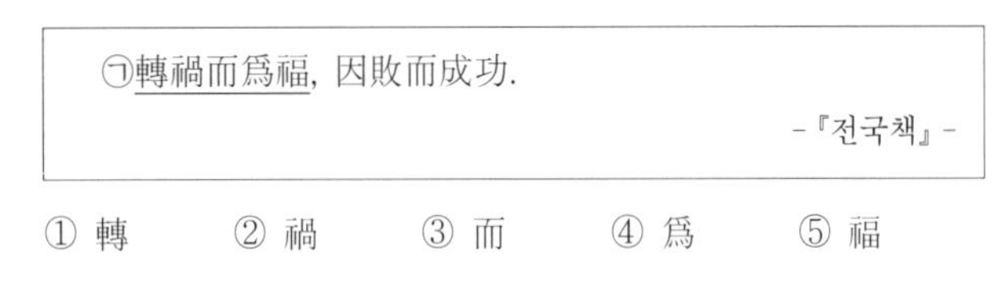

㉠<u>轉禍而爲福</u>, 因敗而成功.

-『전국책』-

① 轉　② 禍　③ 而　④ 爲　⑤ 福

9. 그림과 대화의 내용으로 보아 ㉠에 들어갈 것은? [1점]

① 場　② 將　③ 張　④ 壯　⑤ 丈

10. ㉠에 들어갈 내용을 <보기>의 카드를 활용하여 완성하고자 할 때, 순서대로 바르게 배열한 것은? [1점]

君子, 貴人而賤己, (　㉠　), 則民作讓.

-『예기』-

<보 기>

㉮ 己　㉯ 先　㉰ 而　㉱ 後　㉲ 人

① ㉮-㉯-㉰-㉱-㉲　② ㉯-㉮-㉰-㉱-㉲
③ ㉯-㉲-㉰-㉱-㉮　④ ㉱-㉲-㉰-㉯-㉮
⑤ ㉲-㉱-㉰-㉮-㉯

11. 대화의 내용으로 보아 ㉠에 알맞은 것은?

① 附和雷同　② 各樣各色　③ 衆口難防
④ 類類相從　⑤ 以心傳心

12. 그림의 한자로 만들 수 있는 사자성어의 의미와 관계있는 것은?

① 알려진 대로 참 뛰어난 능력을 지녔어.
② 유명세에 비해서는 실속이 없는 것 같아.
③ 남을 업신여기는 태도는 바람직하지 않아.
④ 평소 차분한 준비 덕에 재난을 극복한 것 같아.
⑤ 물건을 살 때는 이상이 있는지 없는지 살펴봐야 해.

13. 글에서 말하고자 하는 것은?

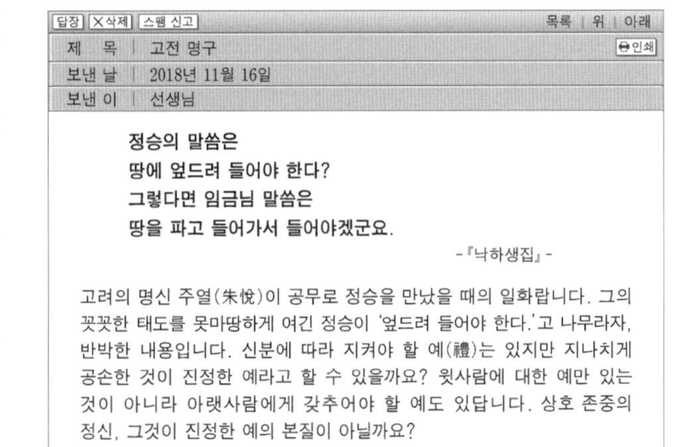

답장 X삭제 스팸 신고　　목록 | 위 | 아래

제　목 | 고전 명구　　인쇄

보낸 날 | 2018년 11월 16일

보낸 이 | 선생님

정승의 말씀은
땅에 엎드려 들어야 한다?
그렇다면 임금님 말씀은
땅을 파고 들어가서 들어야겠군요.

-『낙하생집』-

고려의 명신 주열(朱悅)이 공무로 정승을 만났을 때의 일화랍니다. 그의 꼿꼿한 태도를 못마땅하게 여긴 정승이 '엎드려 들어야 한다.'고 나무라자, 반박한 내용입니다. 신분에 따라 지켜야 할 예(禮)는 있지만 지나치게 공손한 것이 진정한 예라고 할 수 있을까요? 윗사람에 대한 예만 있는 것이 아니라 아랫사람에게 갖추어야 할 예도 있답니다. 상호 존중의 정신, 그것이 진정한 예의 본질이 아닐까요?

① 非禮勿視, 非禮勿聽.
② 過而不改, 是謂過矣.
③ 自重其身者, 人不敢輕之.
④ 若要人重我, 無過我重人.
⑤ 言勿異於行, 行勿異於言.

제2외국어/한문 영역 (한문 I)

[14~15] 다음 글을 읽고 물음에 답하시오.

> 爲學工夫如行路, 所期雖遠, 若行之不已, 則自當至於其㉠處, 若止而不行, 則雖至近之地, 何能至乎?
>
> -『포저집』-

14. 글의 내용으로 보아 ㉠의 의미로 알맞은 것은?

① 궁극적 목표 ② 구체적 과정 ③ 다양한 관점
④ 합리적 선택 ⑤ 뚜렷한 동기

15. 윗글에 대한 이해로 옳은 것은?

① 배운 것은 행동으로 옮겨야 해.
② 배움의 대상은 멀리 있는 것이 아니야.
③ 배우는 사람에게 선의의 경쟁은 필요해.
④ 배울 수 있는 시기는 정해져 있지 않아.
⑤ 배움에 있어서 꾸준함만큼 중요한 것은 없어.

[16~17] 다음 시를 읽고 물음에 답하시오.

> 旅館殘燈曉, 孤城細雨秋.
> 思君意不盡, 千里大江流.
>
> - 이정,「寄君實」-

16. 위 시에 대한 설명으로 옳은 것만을 <보기>에서 있는 대로 고른 것은?

<보 기>

ㄱ. 시의 형식은 오언절구이다.
ㄴ. 시의 운자(韻字)는 '曉', '秋', '流'이다.
ㄷ. 첫째 구와 둘째 구는 대우(對偶)를 이루고 있다.
ㄹ. 넷째 구는 '千里 / 大江流'로 띄어 읽는다.

① ㄱ, ㄴ ② ㄱ, ㄷ ③ ㄴ, ㄹ
④ ㄱ, ㄷ, ㄹ ⑤ ㄴ, ㄷ, ㄹ

17. 위 시에 대한 이해로 옳지 않은 것은?

18. 글의 내용으로 보아 ㉠에 들어갈 어구로 알맞은 것은?

> 육지를 지키는 병사 수십 만으로 왜적을 방어하는 것보다는 병선(兵船) 수 척으로 제어하는 것이 낫습니다. 병선은 이처럼 소중한 것인데, 그 재목은 반드시 소나무를 써야 하옵니다. 소나무는 거의 백 년을 자라야 배를 만들 수가 있고, 배 한 척에 소요되는 재목은 거의 수백 그루가 되옵니다. …(중략)… 산에 불을 놓는 것을 금하고 나무를 잘 가꾸도록 법령을 거듭 엄하게 하여, 소나무가 무성하고 산과 들에 재목이 가득하여, 이루 다 쓸 수 없게 된 뒤에 베어 쓰도록 허락하면 무엇이 해롭겠습니까. 공자는 '(㉠)'(이)라고 하셨으니, 이는 모두 그 후환을 염려할 줄 모르면 일을 당하고서 후회해도 미칠 수 없음을 경계한 뜻입니다.
>
> -『세종실록』-

① 其身正, 不令而行.
② 人無遠慮, 必有近憂.
③ 君子求諸己, 小人求諸人.
④ 欲速則不達, 見小利則大事不成.
⑤ 不患寡而患不均, 不患貧而患不安.

19. 글의 내용과 관계있는 것은?

> 所惡於上, 毋以使下, 所惡於下, 毋以事上.
>
> * 毋(무) : ~하지 마라
>
> -『대학』-

① 勸善懲惡 ② 莫上莫下 ③ 事必歸正
④ 下學上達 ⑤ 推己及人

20. 시의 주제와 관계있는 것은?

> 친구가 원수보다 더 미워지는 날이 많다
> 티끌만 한 잘못이 맷방석만 하게
> 동산만 하게 커 보이는 때가 많다
> 그래서 세상이 어지러울수록
> 남에게는 엄격해지고 내게는 너그러워지나 보다
> 돌처럼 잘아지고 굳어지나 보다
>
> 멀리 동해 바다를 내려다보며 생각한다
> 널따란 바다처럼 너그러워질 수는 없을까
> 깊고 짙푸른 바다처럼
> 감싸고 끌어안고 받아들일 수는 없을까
> 스스로는 억센 파도로 다스리면서
> 제 몸은 맵고 모진 매로 채찍질하면서
>
> - 신경림 -

① 己所不欲, 勿施於人.
② 寬而見畏, 嚴而見愛.
③ 律己須明白, 待人要包容.
④ 不患人之不己知, 患不知人也.
⑤ 察己則可以知人, 察今則可以知古.

제2외국어/한문 영역

[21~23] 다음 글을 읽고 물음에 답하시오.

> 凡曰某事難者, 皆不爲也, 非不能也. 人之才分, 固有限量, 而肯心所指, ㉠事無不成, 怠心所指, 事無不毁. 人之喜事者, 以有肯心而常覺㉡於易也, 人之厭事者, 以有怠心而常覺於(㉢)也.
>
> *厭(염): 싫어하다
>
> -『홍재전서』-

21. ㉠의 풀이로 옳은 것은?

① 이루어지지 않는 일이 없다.
② 일하지 않으면 이룰 수 없다.
③ 이루지 못할 일은 하지 마라.
④ 일이 없다고 이루지 못 하겠는가.
⑤ 일한 것이 없으니 이루어진 것도 없다.

22. 의미상 ㉡과 바꾸어 쓸 수 있는 것은? [1점]

① 而 ② 矣 ③ 于 ④ 又 ⑤ 耶

23. 윗글의 내용으로 보아 ㉢에 알맞은 것은?

① 治 ② 易 ③ 歡 ④ 難 ⑤ 亂

[24~26] 다음 글을 읽고 물음에 답하시오.

> 或問曰: "…(중략)… 以㉠子之能, 何不交貴顯取功名, 乃從閭巷小民遊乎? ㉡何其不自重也?" ㉮趙生笑曰: "…(중략)… 吾疾㉯世之醫, 挾其術, 以驕於人, ㉰門外騎相屬, 家㉢設酒肉以待, 率三四請然後, 肯往. 又所㉣往, 非貴勢家, 則富家也. …(중략)… 是㉤豈仁人之情哉? 吾所以專遊民間, 不干於貴勢者, 懲此輩也."
>
> *閭(려): 마을 *趙(조): 성씨
> *挾(협): 믿다 *驕(교): 교만하다
>
> -『청구야담』-

24. ㉠~㉤의 풀이로 옳은 것은?

① ㉠: 자식 ② ㉡: 향하다 ③ ㉢: 말하다
④ ㉣: 살다 ⑤ ㉤: 어찌

25. 윗글의 내용으로 보아 ㉮와 ㉯의 태도로 모두 옳은 것은?

	㉮	㉯		㉮	㉯
①	비판적	속물적	②	사교적	온정적
③	중립적	호의적	④	권위적	가식적
⑤	인도적	적대적			

26. ㉰와 짜임이 같은 것은? [1점]

① 登校 ② 出席 ③ 贊反 ④ 休息 ⑤ 校内

[27~28] 다음 글을 읽고 물음에 답하시오.

> 得天下, 有道, 得其民, 斯得天下矣. 得其民, 有道, 得其心, 斯得民矣. 得其(㉠), 有道, 所欲, 與之聚之, 所㉡惡, 勿施爾也.
>
> *聚(취): 모으다 *爾(이): 어조사
>
> -『맹자』-

27. 글의 흐름으로 보아 ㉠에 들어갈 것은?

① 天下 ② 道 ③ 民 ④ 心 ⑤ 欲

28. ㉡과 음이 같은 것은?

① 憎惡 ② 惡童 ③ 害惡 ④ 惡談 ⑤ 善惡

[29~30] 다음 글을 읽고 물음에 답하시오.

> ㉠司馬光, 字君實. …(중략)… 群兒戲于庭, 一兒登甕, 足跌沒水中, 衆皆棄去. 光持石擊甕破之, 水迸, 兒得(㉡).
>
> *甕(옹): 항아리 *跌(질): 헛디디다 *迸(병): 솟아나다
>
> -『송사』-

29. ㉠이 문제 해결을 위해 취한 방법은? [1점]

①

②

③

④

⑤

30. 윗글의 내용으로 보아 ㉡에 알맞은 것은?

① 活 ② 效 ③ 泣 ④ 入 ⑤ 點

> * 확인 사항
>
> ○ 답안지의 해당란에 필요한 내용을 정확히 기입(표기)했는지 확인하시오.

2020학년도 대학수학능력시험 6월 모의평가 문제지

제 5 교시

제2외국어/한문 영역(한문 I)

성명		수험 번호	—

1. 그림과 대화의 내용으로 보아 ㉠에 들어갈 것은? [1점]

교사 : 이 그림은 조선 중종 때 장원 급제한 김정(金淨)의 작품이랍니다.
은선 : 와! 그런 분이 그림도 잘 그리셨군요.
민석 : 새 한 마리가 지저귀니, 다른 한 마리는 부끄러워 머리를 깃 안에 넣고 화답하는 것 같아요.
교사 : 맞아요. 이 그림은 두 마리 새가 사이좋게 화답하며 우는 모습을 그렸다고 해서, 제목을 '二鳥(㉠)鳴圖'라고 해요.

① 和 ② 哀 ③ 華 ④ 知 ⑤ 爭

2. 다음 조건을 모두 만족하는 것은? [1점]

① 神 ② 發 ③ 賀 ④ 畜 ⑤ 祝

3. 대화의 내용으로 보아 옳은 것만을 있는 대로 고른 것은?

① ㉠, ㉡ ② ㉡, ㉢ ③ ㉢, ㉣
④ ㉠, ㉡, ㉣ ⑤ ㉠, ㉢, ㉣

4. 같은 뜻을 지닌 한자끼리 연결한 것을 <보기>에서 고른 것은? [1점]

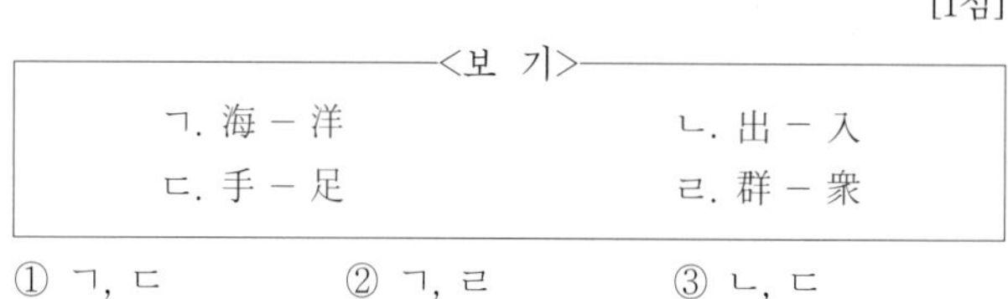

<보 기>

ㄱ. 海 - 洋　　ㄴ. 出 - 入
ㄷ. 手 - 足　　ㄹ. 群 - 衆

① ㄱ, ㄷ ② ㄱ, ㄹ ③ ㄴ, ㄷ
④ ㄴ, ㄹ ⑤ ㄷ, ㄹ

5. 화살표 방향으로 성어를 채울 때, ㉠에 들어갈 것은? [1점]

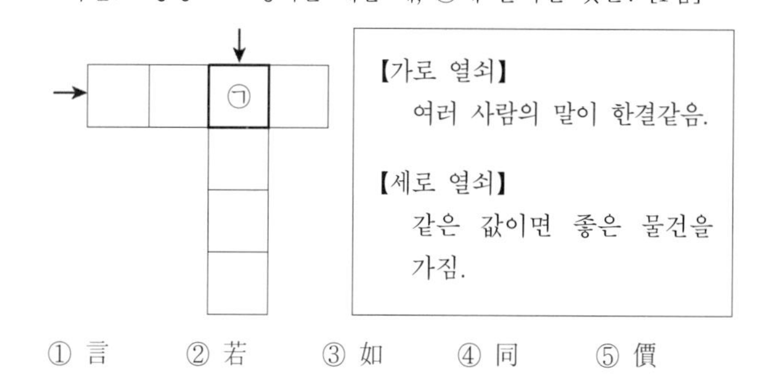

【가로 열쇠】
여러 사람의 말이 한결같음.

【세로 열쇠】
같은 값이면 좋은 물건을 가짐.

① 言 ② 若 ③ 如 ④ 同 ⑤ 價

6. 글에서 말하고자 하는 것은?

> 해동청 같은 천하의 좋은 매도 새벽을 알리는 일을 맡게 한다면 늙은 닭만 못하고, 한혈마 같은 천하의 명마도 쥐를 잡게 한다면 늙은 고양이만 못할 것입니다. 하물며 닭으로 사냥을 할 수 있으며, 고양이로 수레를 끌 수 있겠습니까?
>
> -『대동야승』-

① 鷄鳴狗盜 ② 適材適所 ③ 老馬之智
④ 有名無實 ⑤ 車載斗量

7. 대화의 내용과 관계있는 것은?

① 口蜜腹劍
② 山海珍味
③ 有終之美
④ 多多益善
⑤ 漸入佳境

8. 대화의 내용으로 보아 ㉠에 알맞은 것은?

① 牛耳讀經 ② 互角之勢 ③ 名不虛傳
④ 虛張聲勢 ⑤ 聲東擊西

9. 그림과 대화의 내용으로 보아 ㉠에 들어갈 것은? [1점]

① 盡 ② 晝 ③ 鎭 ④ 陳 ⑤ 生

10. 시의 주제와 관계있는 것은? [1점]

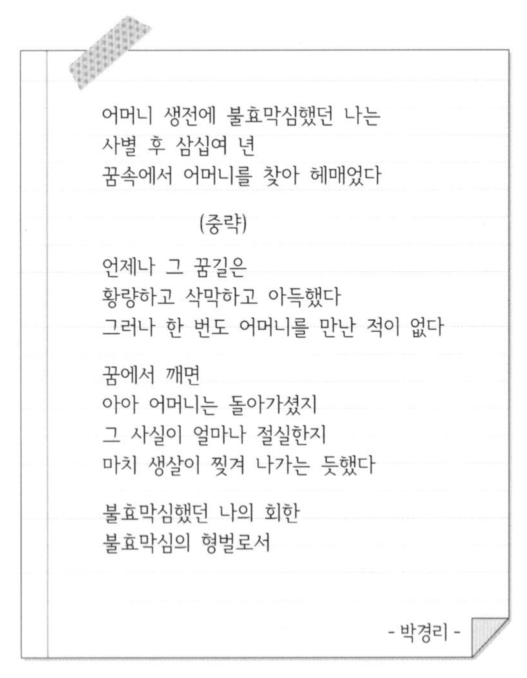
어머니 생전에 불효막심했던 나는
사별 후 삼십여 년
꿈속에서 어머니를 찾아 헤매었다

(중략)

언제나 그 꿈길은
황량하고 삭막하고 아득했다
그러나 한 번도 어머니를 만난 적이 없다

꿈에서 깨면
아아 어머니는 돌아가셨지
그 사실이 얼마나 절실한지
마치 생살이 찢겨 나가는 듯했다

불효막심했던 나의 회한
불효막심의 형벌로서

- 박경리 -

① 愛人不親, 反其仁.
② 寬而見畏, 嚴而見愛.
③ 愛人無可憎, 憎人無可愛.
④ 無聽之以耳, 而聽之以心.
⑤ 樹欲靜而風不止, 子欲養而親不待.

11. 그림의 한자로 만들 수 있는 사자성어의 의미와 관계있는 것은?

① 한 마디만 듣고도 거의 알다니 대단해.
② 마음이 불편해서 오래 있을 수 없었어.
③ 그 결과는 묻지 않더라도 뻔한 일이야.
④ 자세한 사정은 알아보지도 않고 화를 내네.
⑤ 원하는 만큼은 아니지만 지금 결과에 만족해.

12. ㉠에 들어갈 내용을 <보기>의 카드를 활용하여 완성하고자 할 때, 순서대로 바르게 배열한 것은? [1점]

(㉠), 小者大之源.

-『후한서』-

<보 기>

㉮	㉯	㉰	㉱	㉲
端	輕	重	之	者

① ㉮ - ㉯ - ㉰ - ㉱ - ㉲ ② ㉯ - ㉮ - ㉰ - ㉱ - ㉲
③ ㉯ - ㉲ - ㉰ - ㉱ - ㉮ ④ ㉱ - ㉲ - ㉰ - ㉯ - ㉮
⑤ ㉲ - ㉱ - ㉰ - ㉮ - ㉯

13. 광고의 내용과 관계있는 것은?

① 行不及時, 後時悔.
② 溫不兼日, 則氷不釋.
③ 耳聞之, 不如目見之.
④ 尺有所短, 寸有所長.
⑤ 同欲者相憎, 同憂者相親.

제2외국어/한문 영역 (한문 I)

[14～15] 다음 글을 읽고 물음에 답하시오.

> 子游問孝, 子曰 : "今之孝者, 是謂能養. 至於犬馬, 皆能有養, 不敬, ㉠何以別乎?"
>
> * 子游(자유) : 사람 이름
>
> -『논어』-

14. 윗글의 내용으로 보아 ㉠의 풀이로 옳은 것은?

① 왜 이별하겠는가
② 어찌 특별하겠는가
③ 누가 나눌 수 있겠는가
④ 무엇으로 구별하겠는가
⑤ 어째서 차별을 하겠는가

15. 윗글에서 강조하고 있는 것은?

① 敬 ② 禮 ③ 今 ④ 慈 ⑤ 古

[16～18] 다음 글을 읽고 물음에 답하시오.

> 崔興孝, 通國之善書者也. ㉠嘗赴擧, 書卷, 得一字, 類王羲之. ㉡坐視終日, ㉢忍不能捨, ㉮懷卷而歸, 是可謂㉯得失不存於心耳.
>
> * 崔興孝(최흥효), 王羲之(왕희지) : 사람 이름
>
> -『연암집』-

16. ㉠～㉢의 풀이로 옳은 것만을 <보기>에서 있는 대로 고른 것은?

<보 기>

㉠ : 일찍이 ㉡ : 앉다 ㉢ : 인내하다

① ㉠ ② ㉢ ③ ㉠, ㉡
④ ㉡, ㉢ ⑤ ㉠, ㉡, ㉢

17. 윗글의 내용으로 보아 ㉮의 이유로 알맞은 것은?

① 책이 훼손될까 봐
② 책을 자세히 읽고 싶어서
③ 글의 내용에 감동을 받아서
④ 책을 오래도록 간직하고 싶어서
⑤ 자신이 쓴 글씨가 왕희지체와 닮아서

18. ㉯와 짜임이 같은 것은? [1점]

① 品貴 ② 報恩 ③ 抑揚 ④ 歸家 ⑤ 廣告

[19～21] 다음 시를 읽고 물음에 답하시오.

> (가) 衆鳥高飛盡, 孤雲㉠獨去閒.
> 相㉡看兩不厭, 只有敬亭山.
>
> * 閒(한) : 한가하다 * 厭(염) : 싫어하다
>
> - 이백, 「獨坐敬亭山」 -
>
> (나) ㉢池上亭亭百尺松, 寒天斜日翠浮空.
> 四時不㉣變專孤節, 肯畏嚴霜與㉤疾風.
>
> * 翠(취) : 푸르다
>
> - 박인로, 「四友亭」 -

19. ㉠～㉤의 풀이로 옳지 않은 것은?

① ㉠ : 홀로 ② ㉡ : 바라보다
③ ㉢ : 연못 ④ ㉣ : 변하다
⑤ ㉤ : 느리다

20. 위 시에 대한 설명으로 옳은 것만을 <보기>에서 있는 대로 고른 것은?

<보 기>

ㄱ. (가)의 형식은 오언절구이다.
ㄴ. (가)의 셋째 구와 넷째 구는 대우(對偶)를 이루고 있다.
ㄷ. (나)의 운자(韻字)는 '節', '風'이다.
ㄹ. (나)의 둘째 구는 '寒天斜日 / 翠浮空'으로 띄어 읽는다.

① ㄱ, ㄷ ② ㄱ, ㄹ ③ ㄴ, ㄹ
④ ㄱ, ㄴ, ㄷ ⑤ ㄴ, ㄷ, ㄹ

21. 위 시에 대한 이해로 옳지 않은 것은?

22. 글의 내용으로 보아 ㉠에 알맞은 것은?

> 所憎者, 有功必賞, 所愛者, 有罪必(㉠).
>
> -『육도』-

① 罰 ② 償 ③ 尙 ④ 恕 ⑤ 然

[23~24] 다음 글을 읽고 물음에 답하시오.

> 見己之㉠過, 不見人之過, 君子也, 見人之過, 不見己之過, 小人也. 檢身苟誠矣, 己之過日見於前, 烏暇察人之過?
>
> -『상촌고』-

23. ㉠과 같은 뜻으로 쓰인 것은?

① 過信 ② 過去 ③ 過食 ④ 過用 ⑤ 過誤

24. 윗글의 주제와 관계있는 것은?

① 人之過失, 多由言語.
② 若要人重我, 無過我重人.
③ 自重其身者, 人不敢輕之.
④ 己過則默, 人過則揚, 是過也大矣.
⑤ 道吾過者, 是吾師, 談吾美者, 是吾賊.

[25~27] 다음 글을 읽고 물음에 답하시오.

> 或問㉮第五倫曰 : "公有私乎?" 對曰 : "昔, 人有與吾千里馬者, 吾雖不受, 每三公, 有所㉠選擧, 心不能忘, 而亦終不用也. 吾兄子嘗病, 一夜十往, 退而安寢, 吾子有疾, 雖不省視, 而竟夕不眠, 若是者, (　　㉡　　)?"
>
> -『소학』-

25. 윗글에 나타난 인물 ㉮의 태도와 관계있는 것은?

① 塞翁之馬 ② 先公後私 ③ 刻骨難忘
④ 背恩忘德 ⑤ 愚公移山

26. ㉠의 독음으로 옳은 것은? [1점]

① 선택 ② 천거 ③ 선거 ④ 과거 ⑤ 선발

27. 윗글의 흐름으로 보아 ㉡에 들어갈 내용으로 알맞은 것은?

① 어떻게 잊어버릴 수 있겠는가
② 언제 물러날지 알 수 있겠는가
③ 어느 세상인들 인재가 없겠는가
④ 어찌 사사로움이 없다 할 수 있겠는가
⑤ 누가 명마를 알아보는 안목이 있겠는가

28. 글의 내용과 관계있는 것은?

> 建大功者, 必享大福, 苟不及其身, 必於其後. 有施必獲, 固天道也.
>
> -『보한재집』-

① 記人之功, 忘人之過.
② 積善之家, 必有餘慶.
③ 己所不欲, 勿施於人.
④ 志行上方, 分福下比.
⑤ 以富爲福者, 財盡則貧.

[29~30] 다음 글을 읽고 물음에 답하시오.

> 年少者, 歷訪姻親長老, 曰舊歲拜. (㉠)昏至夜, 街巷行燈, 相續不絶.
>
> -『동국세시기』-

29. 윗글의 내용으로 보아 ㉠에 알맞은 것은?

① 其 ② 又 ③ 且 ④ 自 ⑤ 所

30. 윗글의 내용과 관계있는 것은? [1점]

①

②

③

④

⑤

> ＊ 확인 사항
>
> ○ 답안지의 해당란에 필요한 내용을 정확히 기입(표기)했는지 확인하시오.

제 5 교시

제2외국어/한문 영역(한문Ⅰ)

성명		수험 번호						–				

1. 지도와 대화의 내용으로 보아 ㉠에 들어갈 것은? [1점]

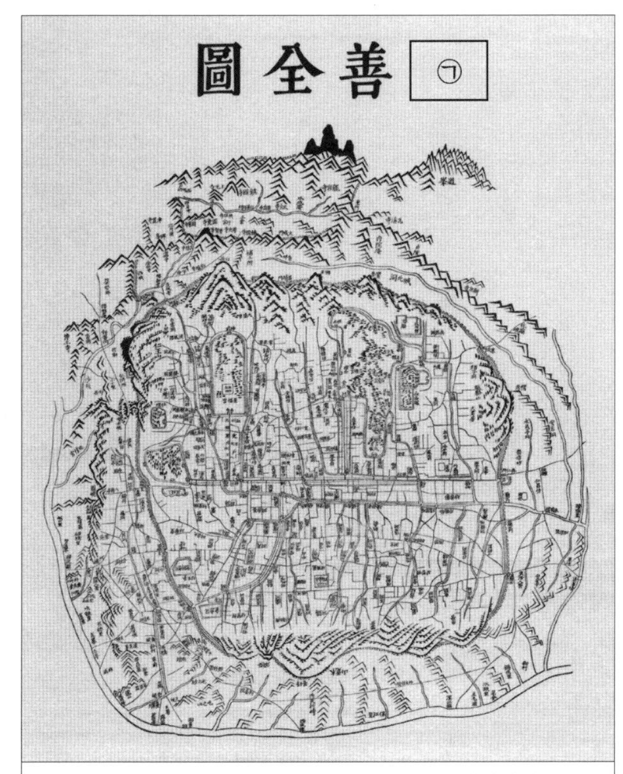

교사 : 이 지도는 김정호가 제작한 것으로 전해집니다.
상훈 : 맨 위에 있는 제목은 무슨 뜻인가요?
교사 : 오른쪽에서 왼쪽으로 '(㉠)善全圖'라고 읽어야 됩니다. 여기에서 '全圖'는 '전체를 그린 지도'라는 뜻이지요. 그렇다면 '(㉠)善'은 무슨 뜻일까요?
수민 : 지명과 관계있을 것 같은데요.
교사 : 네. 원뜻은 '으뜸가는 선'인데, 『사기』의 "으뜸가는 선을 세움은 서울에서 시작한다."라는 문구에서 비롯되어 '서울'을 지칭하는 말로 쓰이게 되었답니다.
상훈 : 아! 그렇다면 '서울의 전체 지도'라는 뜻이었네요.

① 首　② 修　③ 益　④ 改　⑤ 次

2. 상대되는 뜻을 지닌 한자끼리 연결한 것을 <보기>에서 고른 것은? [1점]

<보 기>

ㄱ. 高 – 低　ㄴ. 人 – 造
ㄷ. 道 – 路　ㄹ. 長 – 短

① ㄱ, ㄷ　② ㄱ, ㄹ　③ ㄴ, ㄷ
④ ㄴ, ㄹ　⑤ ㄷ, ㄹ

3. 다음 조건을 모두 만족하는 것은? [1점]

① 果　② 末　③ 余　④ 定　⑤ 束

4. 대화의 내용으로 보아 옳은 것만을 있는 대로 고른 것은? [1점]

① ㉠, ㉡　② ㉡, ㉢　③ ㉢, ㉣
④ ㉠, ㉡, ㉣　⑤ ㉠, ㉢, ㉣

5. 그림의 한자로 만들 수 있는 사자성어의 의미와 관계있는 것은?

① 크기가 고만고만하니 구별하기 참 어렵군.
② 일을 추진하려면 정당한 명분이 있어야 해.
③ 매우 위험한 상황에도 자신을 돌보지 않았어.
④ 내구성에 디자인까지 좋다면 많이 선택할 거야.
⑤ 이익을 보면 그것이 도의에 맞는지 먼저 생각했어.

6. 그림과 대화의 내용으로 보아 ㉠에 들어갈 것은? [1점]

① 歡 ② 卷 ③ 近 ④ 拳 ⑤ 觀

7. 단어장의 내용으로 보아 ㉠에 들어갈 것은? [1점]

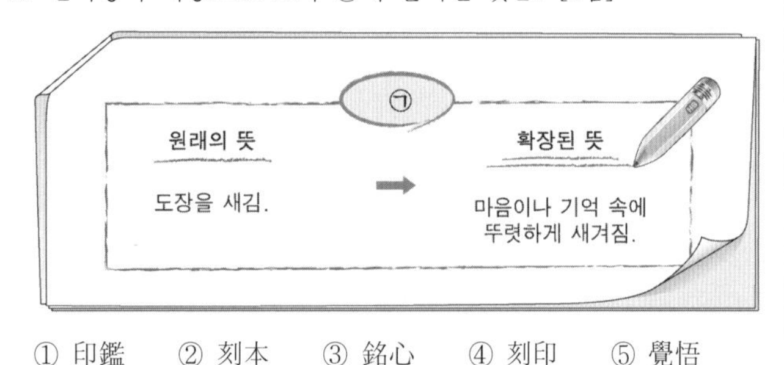

① 印鑑 ② 刻本 ③ 銘心 ④ 刻印 ⑤ 覺悟

8. 화살표 방향으로 성어를 채울 때, ㉠에 들어갈 것은? [1점]

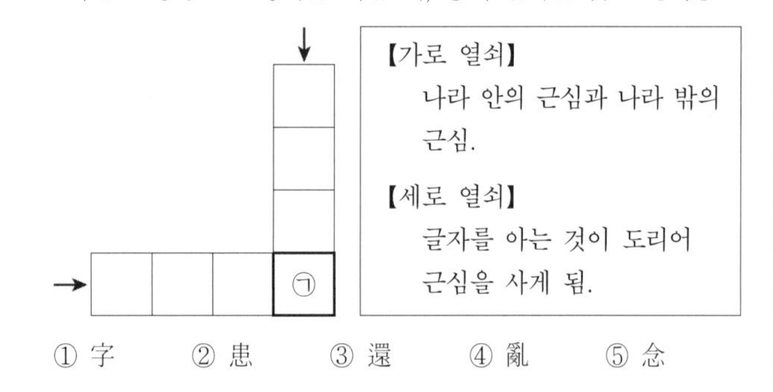

① 字 ② 患 ③ 還 ④ 亂 ⑤ 念

9. ㉠에 들어갈 내용을 <보기>의 카드를 활용하여 완성하고자 할 때, 순서대로 바르게 배열한 것은?

(㉠), 愼是護身之符.

-『명심보감』-

<보 기>

㉮ 寶 ㉯ 勤 ㉰ 無價 ㉱ 之 ㉲ 爲

① ㉮-㉯-㉰-㉱-㉲ ② ㉯-㉮-㉰-㉱-㉲
③ ㉯-㉲-㉰-㉱-㉮ ④ ㉰-㉱-㉲-㉯-㉮
⑤ ㉰-㉲-㉱-㉯-㉮

10. 대화의 내용으로 보아 ㉠에 알맞은 것은? [1점]

① 不可思議 ② 下石上臺 ③ 相扶相助
④ 朝三暮四 ⑤ 莫上莫下

11. 글에서 얻을 수 있는 교훈과 의미가 통하는 것은? [1점]

이태백이 어려서 산속에서 책을 읽다가 학업을 완성하지 못하고 중도에 산을 내려왔다. 이태백이 집으로 돌아가던 길에 냇가에서 쇠로 만든 절굿공이를 갈고 있는 할머니를 만났다. 이를 이상하게 생각한 이태백이 "할머니, 절굿공이를 왜 갈고 계십니까?"라고 묻자, 할머니는 "갈아서 바늘을 만들려고 한단다."라고 대답했다. 이 말을 들은 이태백은 그 뜻에 감동을 받아 다시 산속으로 돌아가 학업을 완성했다고 한다.

-『방여승람』-

① 敎學相長 ② 三遷之敎 ③ 不恥下問
④ 愚公移山 ⑤ 大器晩成

12. 글의 내용으로 보아 ㉠에 알맞은 것은?

死生有命, 富貴在天,
其來也不可拒, 其(㉠)也不可追.

-『삼국사기』-

① 在 ② 住 ③ 往 ④ 存 ⑤ 代

13. 글에서 얻을 수 있는 교훈이 필요한 사람은?

凡事, 量力而行, 則可久而不敗.

-『지봉집』-

① 자기에게 충고하는 친구를 멀리하는 사람
② 공적인 일보다 사적인 일을 먼저 하는 사람
③ 겉으로는 따르는 척하면서 다른 생각을 하는 사람
④ 목적 달성을 위해 수단과 방법을 가리지 않는 사람
⑤ 자신의 능력을 헤아리지 않고 무모하게 일하는 사람

14. 글의 내용으로 보아 ㉠과 ㉡에 공통으로 들어갈 것은?

> ○ 自(㉠)其身者, 人不敢輕之.
>
> -『지봉집』-
>
> ○ 若要人(㉡)我, 無過我重人.
>
> -『명심보감』-

① 重　② 輕　③ 得　④ 滿　⑤ 勝

15. 글에서 강조하고 있는 것은?

> 耳聞之, 不如目見之, 目見之, 不如足踐之, 足踐之, 不如手辨之.
>
> -『설원』-

① 聞　② 見　③ 知　④ 如　⑤ 辨

16. 광고에서 말하고자 하는 것은?

① 附耳之言, 勿聽焉.　② 敗人之言, 不可言.
③ 言工無施, 不若無言.　④ 行必先人, 言必後人.
⑤ 言勿異於行, 行勿異於言.

17. 글의 내용과 관계있는 것은?

> 子曰: "衆惡之, 必察焉, 衆好之, 必察焉."
>
> -『논어』-

① 知之者, 不如好之者.
② 寬則得衆, 信則人任焉.
③ 罰當其罪, 爲惡者戒懼.
④ 左右之言, 不可輕信, 必審其實.
⑤ 察己則可以知人, 察今則可以知古.

[18~20] 다음 시를 읽고 물음에 답하시오.

> (가) 山僧㉠貪月色, 并汲一甁中.
> 到寺方應㉡覺, 甁傾月亦㉢空.
>
> ＊并(병): 아우르다　＊汲(급): 물을 긷다　＊甁(병): 병
>
> - 이규보, 「山夕詠井中月」 -
>
> (나) 來㉣從何處來, 落向何處落.
> 姸姸㉤細如眉, 遍照天地廓.
>
> ＊姸(연): 곱다　＊廓(곽): 둘레
>
> - 정온, 「見新月」 -

18. ㉠~㉤의 풀이로 옳지 않은 것은?

① ㉠: 탐내다　② ㉡: 깨닫다　③ ㉢: 없어지다
④ ㉣: 따르다　⑤ ㉤: 가늘다

19. 위 시에 대한 설명으로 옳은 것만을 <보기>에서 있는 대로 고른 것은?

> <보 기>
>
> ㄱ. (가)의 첫째 구는 '山僧 / 貪月色'으로 띄어 읽는다.
> ㄴ. (가)의 셋째 구와 넷째 구는 대우(對偶)를 이루고 있다.
> ㄷ. (나)의 형식은 오언절구이다.
> ㄹ. (나)의 운자(韻字)는 '落', '眉'이다.

① ㄱ, ㄷ　② ㄱ, ㄹ　③ ㄴ, ㄹ
④ ㄱ, ㄴ, ㄷ　⑤ ㄴ, ㄷ, ㄹ

20. 위 시에 대한 이해로 옳지 않은 것은?

[21~22] 다음 글을 읽고 물음에 답하시오.

孟子曰: "恭者, 不侮人, 儉者, 不奪人. ㉠侮奪人之君, 惟恐不順焉, 惡得爲恭儉? 恭儉, ㉡豈可以聲音笑貌爲哉?"

-『맹자』-

21. ㉠에서 마지막으로 풀이되는 것은?

① 侮 ② 奪 ③ 人 ④ 之 ⑤ 君

22. 윗글의 내용으로 보아 ㉡의 의미로 옳은 것은?

① 행동보다 말이 앞서면 안 된다.
② 웃을 때 소리를 내서는 안 된다.
③ 가식적으로 할 수 있는 것이 아니다.
④ 겉만 보고 사람을 판단해서는 안 된다.
⑤ 노력을 통해 얻을 수 있는 것이 아니다.

[23~25] 다음 글을 읽고 물음에 답하시오.

虎求百獸而食之, 得狐, 狐曰: "子無敢食我也. 天帝使㉠我長百獸, 今子食我, 是逆天帝命也. 子以我爲不信, ㉡吾爲子先行, ㉢子隨我後, 觀百獸之見我而敢不走乎." 虎以爲然, 故遂與㉣之行, 獸見之, 皆走, 虎不知獸畏己而走也, 以爲畏狐也.

* 狐(호): 여우

-『전국책』-

23. ㉠~㉣ 중 가리키는 대상이 같은 것만을 있는 대로 고른 것은?

① ㉠, ㉡ ② ㉡, ㉢ ③ ㉢, ㉣
④ ㉠, ㉡, ㉣ ⑤ ㉠, ㉢, ㉣

24. 윗글의 내용으로 보아 알 수 있는 것은?

① 동물들이 달아난 이유
② 호랑이를 따라간 동물
③ 여우를 두려워한 동물
④ 천제가 호랑이에게 내린 명령
⑤ 호랑이가 여우를 믿지 못한 이유

25. 윗글에서 유래한 성어의 의미로 옳은 것은?

① 간사한 꾀로 남을 속여 희롱함.
② 남의 권세를 빌려 위세를 부림.
③ 윗사람을 농락하여 권세를 마음대로 함.
④ 겉으로는 훌륭하게 내세우나 속은 변변치 않음.
⑤ 말로는 친한 체하나 속으로는 해칠 마음을 가짐.

[26~27] 다음 글을 읽고 물음에 답하시오.

讀書不破費, 讀書萬倍利. …(중략)… ㉠窓前看㉡古書, ㉢燈下尋書義. 貧者因書富, ㉣富者因書貴, 愚者得書賢, 賢者因書利, 只見㉤讀書榮, 不見讀書墜.

* 墜(추): 떨어지다

-『고문진보』-

26. ㉠~㉤ 중 단어의 짜임이 다른 하나는? [1점]

① ㉠ ② ㉡ ③ ㉢ ④ ㉣ ⑤ ㉤

27. 윗글의 중심 내용으로 알맞은 것은?

① 知足 ② 勸學 ③ 立志 ④ 省心 ⑤ 克己

[28~30] 다음 글을 읽고 물음에 답하시오.

世宗十三年, 上曰: "太宗實錄㉠垂成, 予欲觀之." 右議政孟思誠曰: "實錄所㉡載, 皆當時之事, 以㉢示後世, 皆實事也. 殿下見之, 亦不得㉣爲太宗更改, 今一見之, 後世人主㉤效之, 史官疑懼, 必失其職, 何以傳(㉮)將來?" ㉯上從之.

-『국조보감』-

28. ㉠~㉤의 풀이로 옳지 않은 것은?

① ㉠: 드리우다 ② ㉡: 싣다 ③ ㉢: 보이다
④ ㉣: 위하다 ⑤ ㉤: 본받다

29. 윗글의 내용으로 보아 ㉮에 알맞은 것은?

① 心 ② 義 ③ 言 ④ 信 ⑤ 忠

30. 윗글에 나타난 ㉯의 태도로 알맞은 것은?

① 실록 편찬을 독려함.
② 인재 양성에 적극적임.
③ 합리적인 의견을 수용함.
④ 사관들의 잘못을 감싸 줌.
⑤ 백성을 위해 희생을 감수함.

* 확인 사항
○ 답안지의 해당란에 필요한 내용을 정확히 기입(표기)했는지 확인하시오.

2020학년도 대학수학능력시험 문제지

제 5 교시 제2외국어/한문 영역(한문 Ⅰ)

성명		수험 번호					—				

1. 그림과 대화의 내용으로 보아 ㉠에 들어갈 것은? [1점]

교사 : 조선 후기 화가 최북의 대표작이라고 알려진 그림을 소개합니다. 이 그림에 대해 이야기해 볼까요?

가은 : 초가 정자와 나무 두 그루는 세밀하게 묘사되었고 계곡의 숲은 짙게 그려졌네요.

민석 : 그런데 정자에 사람이 보이지 않아요. 그림 속 어디에도 사람의 모습을 찾을 수가 없어요.

교사 : 제대로 보았어요. 이 작품은 사람이 없는 빈산의 모습을 그린 것이랍니다. 그래서 이 그림을 '(㉠)山無人圖'라고 한답니다.

① 公 ② 宇 ③ 雲 ④ 高 ⑤ 空

2. 대화의 내용으로 보아 옳은 것만을 있는 대로 고른 것은?

① ㉠, ㉡ ② ㉠, ㉢ ③ ㉡, ㉣
④ ㉠, ㉢, ㉣ ⑤ ㉡, ㉢, ㉣

3. 다음 조건을 모두 만족하는 한자는? [1점]

① 凡 ② 甘 ③ 丹 ④ 井 ⑤ 干

4. 상대되는 뜻을 지닌 한자끼리 연결한 것을 <보기>에서 고른 것은? [1점]

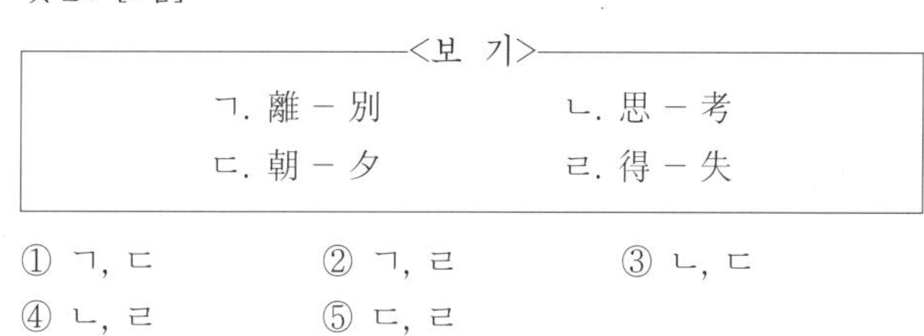

<보 기>

ㄱ. 離 – 別　　ㄴ. 思 – 考
ㄷ. 朝 – 夕　　ㄹ. 得 – 失

① ㄱ, ㄷ ② ㄱ, ㄹ ③ ㄴ, ㄷ
④ ㄴ, ㄹ ⑤ ㄷ, ㄹ

5. 단어장의 내용으로 보아 ㉠에 들어갈 것은? [1점]

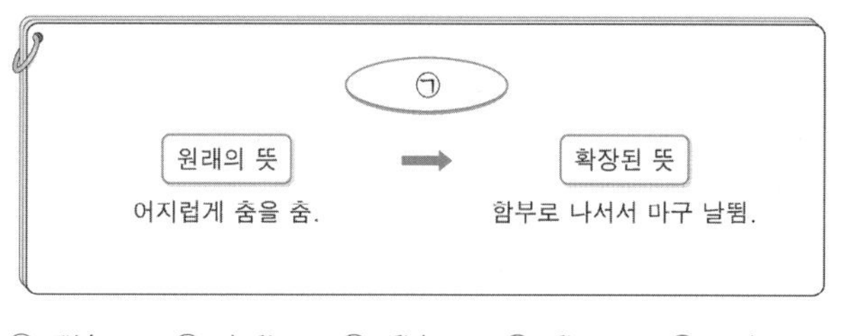

① 群舞 ② 妄動 ③ 亂舞 ④ 亂立 ⑤ 鼓舞

6. 화살표 방향으로 성어를 채울 때, ㉠에 들어갈 것은? [1점]

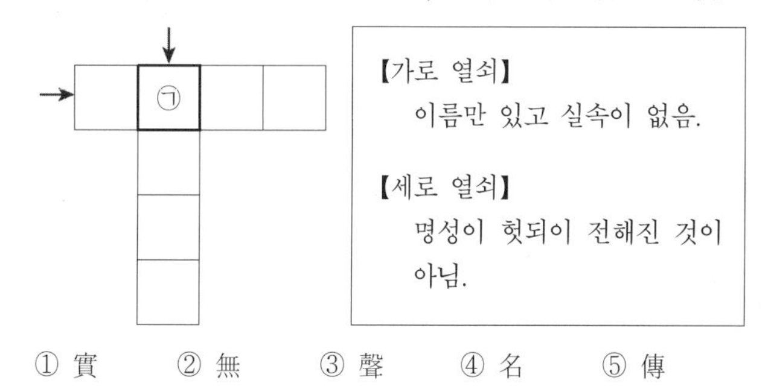

① 實 ② 無 ③ 聲 ④ 名 ⑤ 傳

7. 그림과 대화의 내용으로 보아 ㉠에 알맞은 것은? [1점]

① 除 ② 消 ③ 所 ④ 掃 ⑤ 騷

8. 글에서 말하고자 하는 것은? [1점]

> 사람들은 대부분 나이 들어 경험이 많아지면 아랫사람에게 물으려 하지 않는다. 그러므로 죽을 때까지 모른다. 또한 남에게 도의를 먼저 깨달았다고 자처하기 때문에 모르는 게 있다고 말할 수 없다. 그러므로 아랫사람에게 물으려 하지 않는다. 모르는 것을 물으려 하지 않는 데에서 온갖 단서가 생기고, 남과 자신을 속여서 죽을 때까지 모르게 된다.
>
> - 장재 -

① 不恥下問 ② 三遷之敎 ③ 塞翁之馬
④ 面從腹背 ⑤ 聞一知十

9. 그림과 대화의 내용으로 보아 ㉠에 들어갈 것은? [1점]

① 代 ② 話 ③ 華 ④ 休 ⑤ 和

10. 글의 내용으로 보아 ㉠과 ㉡에 들어갈 것은?

> 男子先生爲(㉠), 後生爲弟. 男子謂女子先生爲姊, 後生爲(㉡).
>
> -『이아』-

	㉠	㉡		㉠	㉡
①	兄	妹	②	師	婦
③	兄	婦	④	師	妹
⑤	夫	婦			

11. 글의 내용과 관계있는 것은?

> 寒又添寒, 苦而益苦.
>
> -『동언해』-

① 錦上添花 ② 同苦同樂 ③ 多多益善
④ 雪上加霜 ⑤ 脣亡齒寒

12. 그림의 한자로 만들 수 있는 사자성어의 의미와 관계있는 것은?

① 묻는 말에 엉뚱한 대답만 하네.
② 이리저리 바쁘게도 돌아다니는군.
③ 하는 말마다 한 귀로 흘려버리는군.
④ 시간이 없어서 대충 볼 수밖에 없네.
⑤ 잘잘못은 따져 보지도 않고 화부터 내네.

13. 광고의 내용과 관계있는 것은?

① 見小利, 則大事不成.
② 人無遠慮, 必有近憂.
③ 自重其身者, 人不敢輕之.
④ 患生於所忽, 禍發於細微.
⑤ 三日之程, 一日往, 十日臥.

14. 글의 내용으로 보아 ㉠과 ㉡에 공통으로 들어갈 것은?

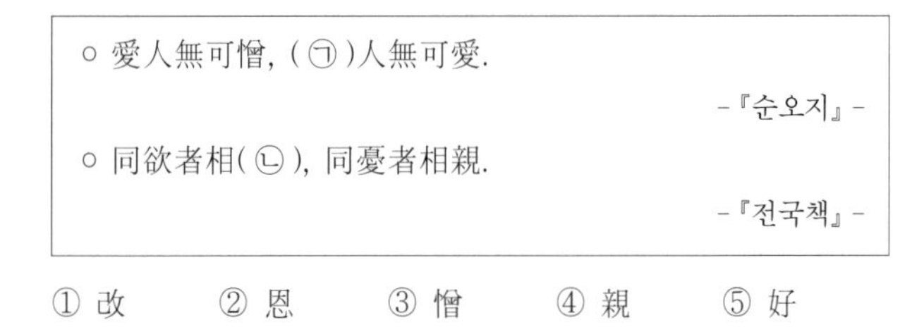
○ 愛人無可憎, (㉠)人無可愛.

-『순오지』-

○ 同欲者相(㉡), 同憂者相親.

-『전국책』-

① 改 ② 恩 ③ 憎 ④ 親 ⑤ 好

15. ㉠에 들어갈 내용을 <보기>의 카드를 활용하여 완성하고자 할 때, 순서대로 바르게 배열한 것은? [1점]

> (㉠), 無說己之長.
>
> - 최원 -

<보 기>

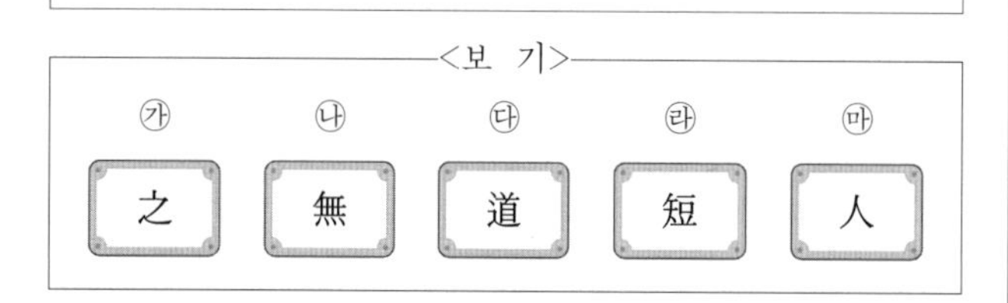

① ㉯-㉮-㉲-㉱-㉰　② ㉯-㉰-㉲-㉮-㉱
③ ㉰-㉯-㉲-㉮-㉱　④ ㉰-㉲-㉯-㉱-㉮
⑤ ㉲-㉰-㉯-㉱-㉮

16. 글의 내용과 관계있는 것은?

> 사슴을 좇으면서도 산을 보지 못하고, 돈을 움켜쥐면서도 사람을 보지 못하며, 아주 작은 것을 살피면서도 수레에 실은 나무는 보지 못하니, 이는 마음에 쏠리는 바가 있어 눈길이 다른 곳에 미칠 겨를이 없기 때문이다.
>
> - 이제현 -

① 欲識其人, 先視其友.
② 寬而見畏, 嚴而見愛.
③ 二人同心, 其利斷金.
④ 鏡不自照, 智不自料.
⑤ 心不在焉, 視而不見.

[17~18] 다음 글을 읽고 물음에 답하시오.

> 古人云: "國可滅, 史不可滅." 蓋國, 形也, 史, 神也. 今韓之形毁矣, 而神不可以獨存乎? 此痛史之所以作也. 神存而不滅, 形有時而㉠<u>復活</u>矣.
>
> -『한국통사』-

17. ㉠의 독음으로 옳은 것은?

① 복고　② 부흥　③ 복구　④ 부활　⑤ 복귀

18. 윗글의 중심 내용으로 알맞은 것은?

① 책의 분량
② 책의 구성
③ 책을 쓴 이유
④ 책을 쓴 기간
⑤ 책의 서술 방식

[19~21] 다음 시를 읽고 물음에 답하시오.

> (가) 白日㉠<u>依</u>山盡,　黃河入海流.
> 欲㉡<u>窮</u>千里目,　更㉢<u>上</u>一層樓.
>
> - 왕지환, 「등관작루(登鸛雀樓)」 -
>
> (나) 春去花猶㉣<u>在</u>,　天晴谷自陰.
> 杜鵑啼白晝,　始㉤<u>覺</u>卜居深.
>
> * 杜鵑(두견): 두견새　* 啼(제): 울다
>
> - 이인로, 「산거(山居)」 -

19. ㉠~㉤의 풀이로 옳지 <u>않은</u> 것은?

① ㉠: 기대다　② ㉡: 곤궁하다　③ ㉢: 오르다
④ ㉣: 있다　⑤ ㉤: 깨닫다

20. 위 시에 대한 설명으로 옳은 것만을 <보기>에서 있는 대로 고른 것은?

<보 기>

ㄱ. (가)의 운자(韻字)는 '盡', '流'이다.
ㄴ. (가)의 첫째 구와 둘째 구는 대우(對偶)를 이루고 있다.
ㄷ. (나)의 형식은 오언율시이다.
ㄹ. (나)의 둘째 구는 '天晴 / 谷自陰'으로 띄어 읽는다.

① ㄱ, ㄷ　② ㄱ, ㄹ　③ ㄴ, ㄹ
④ ㄱ, ㄴ, ㄷ　⑤ ㄴ, ㄷ, ㄹ

21. 위 시에 대한 이해로 옳지 <u>않은</u> 것은?

[22~24] 다음 글을 읽고 물음에 답하시오.

> 子曰："君子, ㉠易事而難說也, 說之不以道, 不說也, 及其使人也, 器之. 小人, 難事而易說也, 說之雖不以(㉡), 說也, 及其使人也, 求備焉."
>
> -『논어』-

22. ㉠과 음이 같은 것만을 <보기>에서 있는 대로 고른 것은?

<보 기>

ㄱ. 貿易　ㄴ. 簡易　ㄷ. 容易　ㄹ. 安易

① ㄱ, ㄴ　② ㄱ, ㄷ　③ ㄴ, ㄹ
④ ㄱ, ㄷ, ㄹ　⑤ ㄴ, ㄷ, ㄹ

23. 윗글의 내용으로 보아 ㉡에 알맞은 것은?

① 難　② 道　③ 求　④ 備　⑤ 使

24. 윗글의 내용과 일치하는 것은?

① 군자는 섬기기는 쉬워도 기쁘게 하기는 어렵다.
② 소인은 섬기기도 어렵고 기쁘게 하기도 어렵다.
③ 군자는 도리에 맞지 않는 말을 남에게 하지 않는다.
④ 소인은 사람을 부릴 때 모두 다 잘하도록 도와준다.
⑤ 군자는 남에게 말을 할 때 자신의 그릇에 맞게 한다.

[25~27] 다음 글을 읽고 물음에 답하시오.

> 李知事震箕, 年七十五㉠登增廣科, 誠㉡稀世之事也. 初試㉢赴洪川試所, 及篇成, 扶杖㉣携卷呈於試所曰："八十老翁, 將向黃泉, 誤㉤尋路, 到洪川, 呈卷而去." 考官相與㉮大笑曰："㉯此人不可屈."
>
> * 李震箕(이진기): 사람 이름
> * 杖(장): 지팡이　* 呈(정): 드리다
>
> -『형설기문』-

25. ㉠~㉤의 풀이로 옳지 않은 것은?

① ㉠: 합격하다　② ㉡: 드물다　③ ㉢: 나아가다
④ ㉣: 놓다　⑤ ㉤: 찾다

26. ㉮와 짜임이 같은 것은? [1점]

① 護身　② 日沒　③ 徐行　④ 大小　⑤ 下校

27. 윗글의 내용으로 보아 ㉯의 의미로 옳은 것은?

① 이분은 너무 자주 뵙네요.
② 이분은 떨어뜨릴 수가 없겠소.
③ 이분은 문제를 잘못 읽으셨네요.
④ 이분은 시험이 끝나고 오셨네요.
⑤ 이분은 장소를 잘못 찾아온 것 같소.

[28~30] 다음 글을 읽고 물음에 답하시오.

> 王密, 爲昌邑令, 謁見, 至夜, 懷金十斤, 以遺楊震. 震曰："故人知㉠君, 君不知故人, 何也?" 密曰："暮夜, 無知者." 震曰："天知, 神知, 我知, 子知, 何謂無知?" 密(㉡)而出.
>
> -『후한서』-

28. 윗글에서 ㉠과 같은 의미로 쓰인 것은?

① 天　② 神　③ 我　④ 子　⑤ 者

29. 윗글의 흐름으로 보아 ㉡에 알맞은 것은?

① 愧　② 費　③ 賀　④ 媒　⑤ 賣

30. 윗글의 내용을 이해한 그림으로 알맞은 것은?

①

②

③

④

⑤

> * 확인 사항
> ○ 답안지의 해당란에 필요한 내용을 정확히 기입(표기)했는지 확인하시오.

2021학년도 대학수학능력시험 6월 모의평가 문제지

제 5 교시

제2외국어/한문 영역(한문Ⅰ)

성명 | 수험 번호

1. 그림과 대화의 내용으로 보아 ㉠에 들어갈 것은? [1점]

교사 : 조선 후기 화가 김득신의 그림을 감상해 볼까요?
준성 : 나뭇가지에 걸려 있는 달을 보고 개가 짖고 있어요.
승권 : 덩치 큰 아이도 문밖에 나와 달을 보고 있어요. 개 짖는 소리를 듣고 무슨 일인가 싶어 나온 것 같아요.
교사 : 맞아요. 이 그림은 문밖에 나가 달을 보는 모습을 그렸다고 해서 '出門(㉠)月圖'라고 부른답니다.

① 明 ② 看 ③ 晩 ④ 歲 ⑤ 眉

2. ㉠~㉣ 중 옳은 것만을 있는 대로 고른 것은?

① ㉠, ㉢ ② ㉠, ㉣ ③ ㉡, ㉢
④ ㉠, ㉡, ㉣ ⑤ ㉡, ㉢, ㉣

3. 그림과 대화의 내용으로 보아 ㉠에 들어갈 것은? [1점]

① 顔 ② 貿 ③ 眼 ④ 願 ⑤ 關

4. 같은 뜻을 지닌 한자끼리 연결한 것만을 <보기>에서 고른 것은? [1점]

<보 기>

ㄱ. 進 － 退　　ㄴ. 古 － 今
ㄷ. 生 － 活　　ㄹ. 絶 － 斷

① ㄱ, ㄷ ② ㄱ, ㄹ ③ ㄴ, ㄷ ④ ㄴ, ㄹ ⑤ ㄷ, ㄹ

5. 단어장의 내용으로 보아 ㉠에 들어갈 것은? [1점]

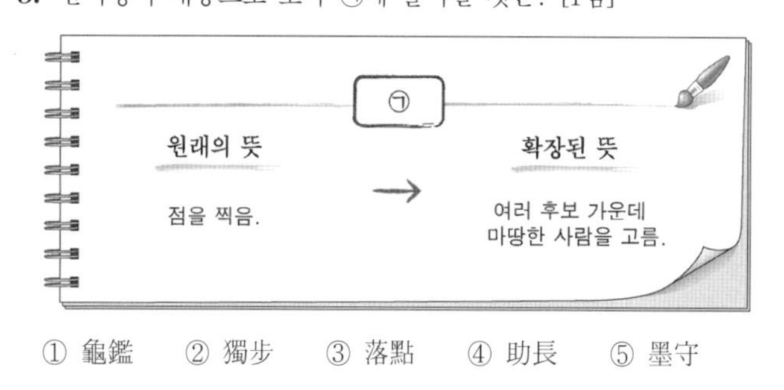

① 龜鑑 ② 獨步 ③ 落點 ④ 助長 ⑤ 墨守

6. 그림과 대화의 내용으로 보아 ㉠에 들어갈 것은? [1점]

① 思 ② 使 ③ 史 ④ 私 ⑤ 社

7. 그림과 대화의 내용으로 보아 ㉠에 들어갈 것은? [1점]

① 應　② 危　③ 早　④ 時　⑤ 特

8. 글의 내용으로 보아 ㉠에 들어갈 것은?

어떤 사람이 명주 세 필을 가지고 시장에 팔러 갔는데, 명주 값이 올라서 한 필에 엽전 아홉 꿰미나 나갔다. 그는 곧 열 꿰미로 오르겠다 싶어서, 시세가 더 오르면 팔 욕심으로 명주를 팔지 않았다. 날이 저물어 귀가하던 그는 고갯길에 접어들자 풀 위에 앉아 휴식을 취했다. 잠시 후 일어나 십 리쯤 가던 그는 소매 안에 넣어둔 명주가 없어진 것을 알게 되었다. 그는 급히 쉬던 곳으로 돌아가 명주를 찾아 봤으나 끝내 찾을 수 없었다. 상심한 채 집으로 돌아온 그는 마음속으로 후회하면서 "(㉠)이라는 말이 있더니, 내 일을 두고 하는 말인가 보다."라고 하였다.

-『일포집』-

① 錦衣夜行　② 小貪大失　③ 以心傳心
④ 隔世之感　⑤ 切齒腐心

9. 그림의 한자로 만들 수 있는 사자성어의 의미와 관계있는 것은?

① 그는 글씨를 거침없이 써 내려갔다.
② 사람은 누구나 장점도 있고 단점도 있다.
③ 사람이 한 입으로 두 말을 해서는 안 된다.
④ 그는 머뭇거리지 않고 단번에 결정을 내렸다.
⑤ 걸어 다니니 교통비도 아끼고 건강도 좋아졌다.

10. 화살표 방향으로 성어를 채울 때, ㉠에 들어갈 것은? [1점]

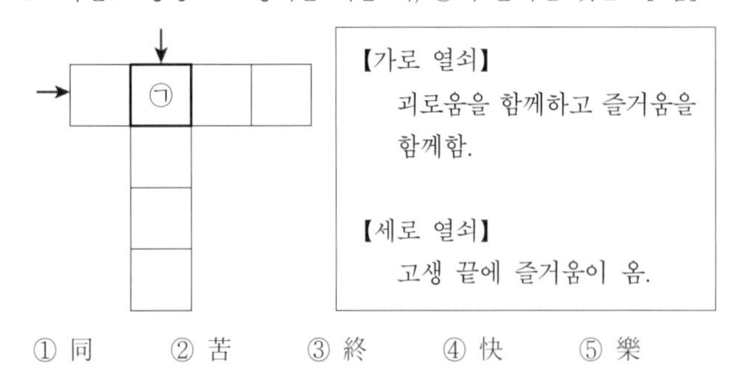

① 同　② 苦　③ 終　④ 快　⑤ 樂

11. 대화의 내용으로 보아 ㉠에 들어갈 것은? [1점]

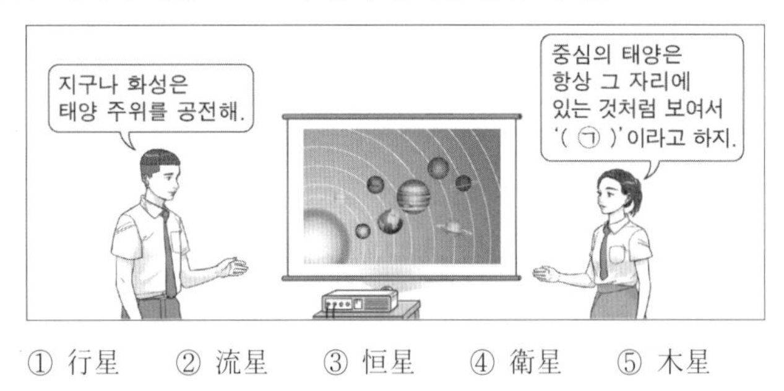

① 行星　② 流星　③ 恒星　④ 衛星　⑤ 木星

12. 글의 내용과 가장 관계있는 것은?

나무가 자라기를 오래 하면 반드시 산골에 높이 솟고, 물이 흐르기를 오래 하면 반드시 바다에 도달한다. 사람의 학문도 그러하니, 오래 하여 그치지 않으면 반드시 공을 이루는 데 이른다. 너의 이름을 '오랠 구(久)' 자로 지었으니, 너는 이름을 돌아보고 뜻을 생각하여 감히 방자하지 말며, 감히 지나치게 놀지 마라. 오늘 한 가지 사물의 이치를 연구해 알고 내일 또 한 가지 사물의 이치를 연구해 알며, 오늘 한 가지 착한 일을 행하고 내일 또 한 가지 착한 일을 행하여, 날로 더 근신하면 훌륭한 사람이 될 수 있을 것이다. 그렇지 않으면 날로 퇴보하여 반드시 소인으로 돌아가게 될 것이니, 너는 공경하고 힘쓸지어다.

-『호정집』-

① 鳥久止, 必帶矢.
② 動必三省, 言必再思.
③ 幼而不學, 老無所知.
④ 一言之益, 重於千金.
⑤ 久而不已, 則必至于有成.

13. 광고의 내용으로 보아 ㉠에 들어갈 것은?

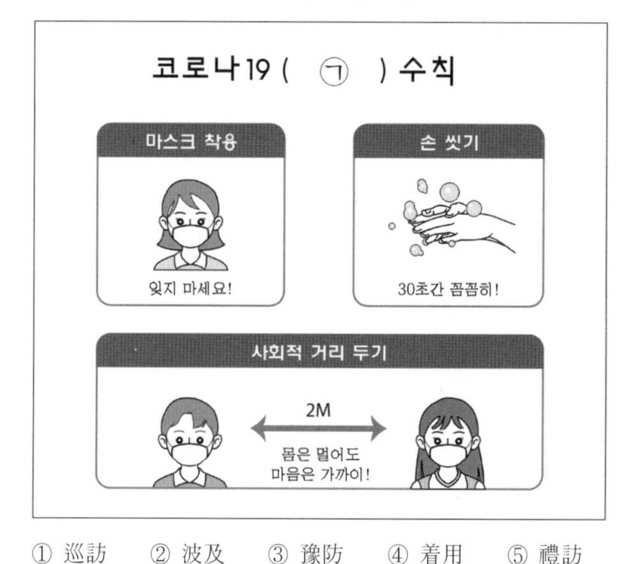

① 巡訪 ② 波及 ③ 豫防 ④ 着用 ⑤ 禮訪

14. ㉠에 들어갈 내용을 <보기>의 카드를 활용하여 완성하고자 할 때, 순서대로 바르게 배열한 것은?

愛而知其惡, (㉠).

-『예기』-

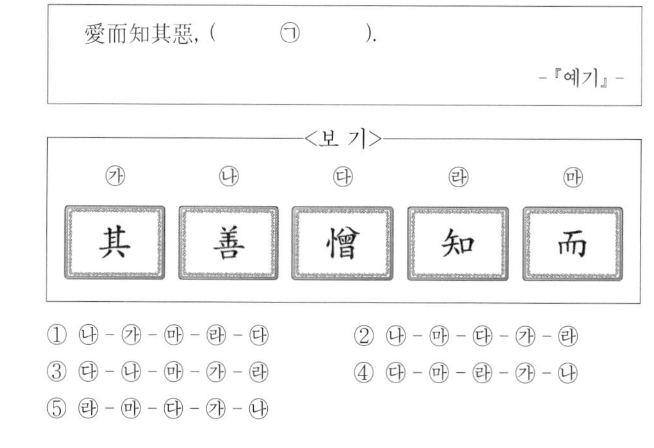

① ㉯-㉮-㉲-㉱-㉰ ② ㉯-㉲-㉰-㉮-㉱
③ ㉰-㉯-㉲-㉮-㉱ ④ ㉰-㉲-㉱-㉮-㉯
⑤ ㉱-㉲-㉰-㉮-㉯

[15~16] 다음 글을 읽고 물음에 답하시오.

同春堂宋先生, 書籍借人, 人或還之, 而㉠紙不生毛, 則必責其不讀, 更㉡與之, 其人不得不讀之.

＊宋(송): 성씨

-『사소절』-

15. ㉠의 이유로 알맞은 것은?

① 책을 돌려주지 않아서
② 책을 골라 읽지 않아서
③ 책을 빌려 주지 않아서
④ 책을 충분히 읽지 않아서
⑤ 책을 깨끗하게 읽지 않아서

16. 밑줄 친 한자가 ㉡과 다른 뜻으로 쓰인 것은?

① 貸與 ② 寄與 ③ 參與 ④ 授與 ⑤ 贈與

17. 글의 의미와 관계있는 것은?

賞當其勞, 無功者自退, 罰當其罪, 爲惡者戒懼.

-『정관정요』-

① 勞而無功 ② 近墨者黑 ③ 轉禍爲福
④ 信賞必罰 ⑤ 斷機之戒

18. 글의 내용으로 보아 ㉠과 ㉡에 공통으로 들어갈 것은?

○ 寧測十丈水深, (㉠)測一丈人心.

-『이담속찬』-

○ 凡曰某事(㉡)者, 皆不爲也, 非不能也.

-『홍재전서』-

① 觀 ② 實 ③ 難 ④ 計 ⑤ 推

[19~20] 다음 시를 읽고 물음에 답하시오.

(가) 秋草前㉠朝寺, 殘碑學士文.
千年有流水, 落㉡日見歸雲.

- 백광훈, 「弘慶寺」 -

(나) 去年今日此門中, 人面桃花相㉢映紅.
人面不知何處㉣去, 桃花㉤依舊笑春風.

- 최호, 「題都城南莊」 -

19. ㉠~㉤의 풀이로 옳지 않은 것은?

① ㉠: 왕조 ② ㉡: 해 ③ ㉢: 비추다
④ ㉣: 가다 ⑤ ㉤: 단장하다

20. 위 시에 대한 이해로 옳지 않은 것은?

제2외국어/한문 영역

[21~22] 다음 글을 읽고 물음에 답하시오.

> 蓋天下之事, 自微而至著, 自細而至大. 故不謹於㉠微細, 則終有莫大之累, (　　㉡　　), 然後足以能成天下之務, 而制無窮之變矣.
>
> -『덕계집』-

21. ㉠의 독음으로 옳은 것은? [1점]

① 상세　② 사소　③ 미세　④ 미약　⑤ 섬세

22. 윗글의 내용으로 보아 ㉡에 들어갈 것은?

① 室家和, 則百事吉
② 知足常足, 終身不辱
③ 器之小者, 不可以大受
④ 少壯不努力, 老大徒傷悲
⑤ 必防微於未然, 圖大於其細

[23~25] 다음 글을 읽고 물음에 답하시오.

> 衛國安民, 兵爲㉠最急, 無虞之世, 尤不可緩. 古之聖王, 治不㉡忘亂, 安不忘危, 克詰於㉢閑暇之日, 張皇於緩急之際, 此所謂(　　㉮　　)者也.
>
> ＊虞(우): 근심　＊詰(힐): 다스리다
>
> -『회재집』-

23. ㉠과 ㉡의 풀이가 모두 옳은 것은?

	㉠	㉡		㉠	㉡
①	가장	잊다	②	비록	잊다
③	가장	망하다	④	비록	망하다
⑤	가장	바라다			

24. ㉢과 짜임이 같은 것은? [1점]

① 有閑　② 人造　③ 巨大　④ 遵法　⑤ 卒業

25. 윗글의 흐름으로 보아 ㉮에 들어갈 내용으로 알맞은 것은?

① 미리 대비해야 근심이 없다.
② 처지를 바꾸어 생각해야 한다.
③ 이익을 보면 의리를 생각해야 한다.
④ 전투에 임하여 물러서지 않아야 한다.
⑤ 자신을 먼저 닦은 후 남을 다스려야 한다.

[26~27] 다음 글을 읽고 물음에 답하시오.

> 子張學干祿, 子曰: "多聞闕疑, 愼言其餘, 則寡㉠尤, 多見闕殆, 愼行其餘, 則寡悔. 言寡尤, 行寡悔, (㉡)在其中矣."
>
> ＊闕(궐): 빼다
>
> -『논어』-

26. 의미상 ㉠과 바꾸어 쓸 수 있는 것은?

① 信　② 過　③ 慾　④ 默　⑤ 誠

27. 윗글의 내용으로 보아 ㉡에 들어갈 것은?

① 疑　② 愼　③ 殆　④ 悔　⑤ 祿

[28~30] 다음 글을 읽고 물음에 답하시오.

> 人有亡鈇者, ㉠意其鄰之子, 視其行步, ㉡竊鈇也, 顏色, 竊鈇也, 言語, 竊鈇也, 動作態度, 無㉢爲而不竊鈇也. 相其谷而得其鈇, 他日㉣復見其鄰之子, 動作態度, ㉮無似竊鈇者. 其鄰之子, 非㉤變也, 己則變矣. 變也者無他, 有所尤也.
>
> ＊鈇(부): 도끼
>
> -『여씨춘추』-

28. ㉠~㉤의 풀이로 옳지 않은 것은?

① ㉠: 의심하다　② ㉡: 훔치다
③ ㉢: 하다　④ ㉣: 회복하다
⑤ ㉤: 변하다

29. ㉮에서 마지막으로 풀이되는 것은?

① 無　② 似　③ 竊　④ 鈇　⑤ 者

30. 윗글의 내용을 교훈으로 삼아야 할 사람은?

① 계획을 실천하지 못하는 사람
② 말과 행동이 일치하지 않는 사람
③ 자신의 장점을 과대평가하는 사람
④ 선입견을 가지고 사람을 판단하는 사람
⑤ 남이 한 일을 자신의 것으로 가로채는 사람

> ＊ 확인 사항
>
> ○ 답안지의 해당란에 필요한 내용을 정확히 기입(표기)했는지 확인하시오.

2021학년도 대학수학능력시험 9월 모의평가 문제지

제 5 교시

제2외국어/한문 영역(한문Ⅰ)

성명		수험 번호	—

1. 그림과 대화의 내용으로 보아 ㉠에 들어갈 것은? [1점]

교사 : 조선 후기 화가 김홍도의 작품을 감상해 볼까요?
정우 : 예. 어떤 사람이 바지를 걷고 연못에서 말을 씻기고 있네요.
다현 : 말의 등을 긁어 주고 있는데 말도 시원한지 고개를 숙이고 웃는 것처럼 보여요.
교사 : 그래요. 이 그림 왼쪽에는 중국의 시인이 황족에게 보낸 시구가 적혀 있어요. 부질없는 공명에 연연하지 않고 유유자적하는 황족의 삶의 자세를 칭송하는 내용인데, 이를 김홍도가 그림으로 옮긴 것입니다. 이 그림은 말을 씻기는 모습을 그렸다고 해서 '(㉠)馬圖'라고 한답니다.

① 胡 ② 洗 ③ 乘 ④ 世 ⑤ 河

2. 대화의 내용으로 보아 옳은 것만을 있는 대로 고른 것은?

① ㉠, ㉡ ② ㉠, ㉢ ③ ㉡, ㉣
④ ㉠, ㉢, ㉣ ⑤ ㉡, ㉢, ㉣

3. 그림과 대화의 내용으로 보아 ㉠에 들어갈 것은? [1점]

① 就 ② 望 ③ 進 ④ 陳 ⑤ 途

4. 상반되는 뜻을 지닌 한자끼리 연결한 것만을 <보기>에서 고른 것은? [1점]

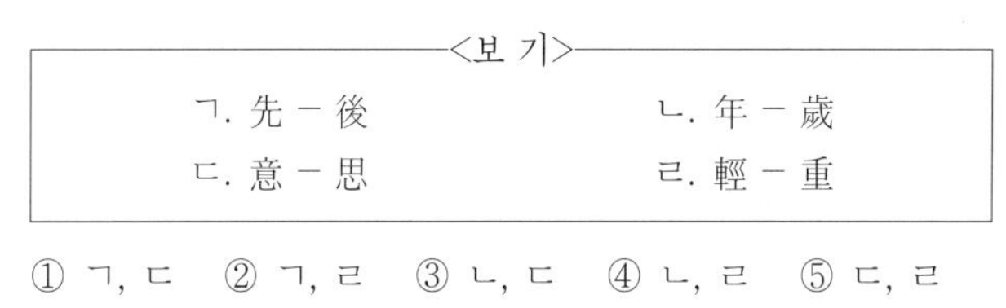

<보 기>

ㄱ. 先 – 後 ㄴ. 年 – 歲
ㄷ. 意 – 思 ㄹ. 輕 – 重

① ㄱ, ㄷ ② ㄱ, ㄹ ③ ㄴ, ㄷ ④ ㄴ, ㄹ ⑤ ㄷ, ㄹ

5. 단어장의 내용으로 보아 ㉠에 들어갈 것은? [1점]

① 本分 ② 表明 ③ 名分 ④ 名聲 ⑤ 職分

6. 화살표 방향으로 성어를 채울 때, ㉠에 들어갈 것은?

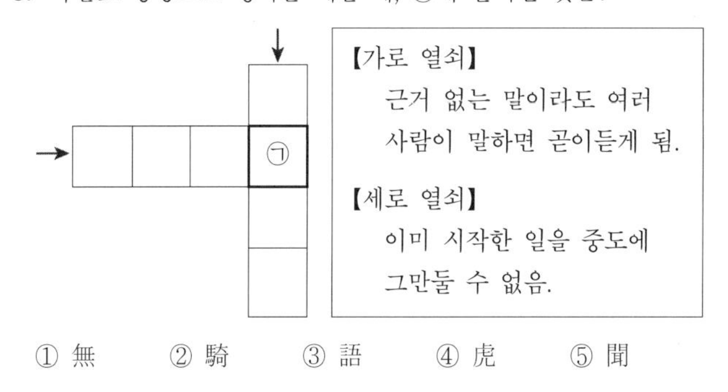

① 無 ② 騎 ③ 語 ④ 虎 ⑤ 聞

7. 광고의 내용으로 보아 ㉠에 들어갈 것은? [1점]

① 約束 ② 走行 ③ 中止 ④ 傍觀 ⑤ 流行

8. 글의 내용과 관계있는 것은?

> 전하께서 외척을 등용하셨는데 이는 그 해로움을 알지 못해서가 아닐 것입니다. 요사이 전교를 살펴보니, 외척이 권력을 마음대로 행하는 것을 몹시 미워하는 말씀이 있사옵니다. 그런데도 등용을 하셨으니, 이는 전하께서 한갓 말씀만 하고 실천은 하지 못하시는 것입니다. 잘못을 부끄러워하면서도 그 일을 행하는 것을 옛사람들은 경계하였습니다. 삼가 바라옵건대, 전하께서는 이를 생각하고 살피소서.
>
> -『정무록』-

① 昏定晨省 ② 面從腹背 ③ 切齒腐心
④ 知過必改 ⑤ 伯牙絶絃

9. 그림의 한자로 만들 수 있는 사자성어의 의미와 관계있는 것은?

① 이름을 물었는데 나이를 대답하는군.
② 그 친구는 어떤 말을 해 줘도 귀담아듣지 않아.
③ 그 사람은 어릴 때부터 같이 놀며 자란 벗이야.
④ 경험은 무시 못 한다더니 연륜이 이제 빛을 발하네.
⑤ 지금 부모님께 잘하지 않으면 나중에 후회하게 되지.

10. 그림과 대화의 내용으로 보아 ㉠에 들어갈 것은? [1점]

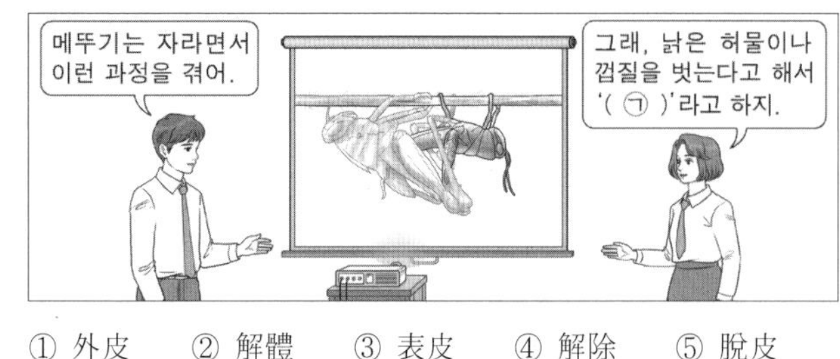

① 外皮 ② 解體 ③ 表皮 ④ 解除 ⑤ 脫皮

11. 대화의 내용으로 보아 ㉠에 들어갈 것은?

① 背水之陣 ② 卓上空論 ③ 愚公移山
④ 勞而無功 ⑤ 雪上加霜

12. 글에서 강조하고 있는 것은?

> 有志者, 事竟成也.
>
> -『후한서』-

① 鼓吹 ② 養成 ③ 育成 ④ 立志 ⑤ 建立

13. 그림과 대화의 내용으로 보아 ㉠에 들어갈 것은? [1점]

① 甘 ② 敢 ③ 感 ④ 監 ⑤ 鑑

제2외국어/한문 영역 (한문 I)

14. 글의 내용으로 보아 ㉠과 ㉡에 들어갈 것은?

> 政之所(㉠), 在順民心, 政之所廢, 在(㉡)民心.
>
> -『관자』-

	㉠	㉡		㉠	㉡
①	興	逆	②	逆	興
③	興	順	④	逆	逆
⑤	順	順			

15. ㉠에 들어갈 내용을 <보기>의 카드를 활용하여 완성하고자 할 때, 순서대로 바르게 배열한 것은?

> (㉠   ), 破心中賊難.
>
> -『왕문성전서』-

<보 기>

① ㉯-㉮-㉲-㉱-㉰　② ㉯-㉲-㉰-㉮-㉱
③ ㉰-㉯-㉲-㉮-㉱　④ ㉰-㉲-㉱-㉮-㉯
⑤ ㉱-㉲-㉰-㉮-㉯

16. 다음 시조에서 말하고자 하는 것은?

> 태산이 높다 하되 하늘 아래 뫼이로다.
> 오르고 또 오르면 못 오를 리 없건마는
> 사람이 제 아니 오르고 뫼를 높다 하더라.
>
> - 양사언 -

① 窮則變, 變則通.
② 愛人無可憎, 憎人無可愛.
③ 得其術則功成, 失其術則事廢.
④ 凡用人, 惟其賢才, 勿論其門地.
⑤ 凡曰某事難者, 皆不爲也, 非不能也.

17. 글의 내용으로 보아 ㉠과 ㉡에 공통으로 들어갈 것은?

> ○ 知(㉠)不辱, 知止不殆.
>
> -『노자』-
>
> ○ 有餘者, 常譽人, 不(㉡)者, 常毁人.
>
> -『청성잡기』-

① 願　② 急　③ 足　④ 言　⑤ 動

[18~19] 다음 글을 읽고 물음에 답하시오.

> 不能㉠舍己從人, 學者之大病. 天下之義理無窮, 豈可是己而非人?
>
> -『퇴계전서』-

18. 의미상 ㉠과 바꾸어 쓸 수 있는 것은?

① 似　② 舌　③ 合　④ 捨　⑤ 利

19. 윗글의 내용을 교훈으로 삼아야 할 사람은?

① 자신의 일을 남에게 미루는 사람
② 자기의 생각만 옳다고 우기는 사람
③ 일을 순서대로 처리하지 않는 사람
④ 실패가 두려워 시도조차 하지 않는 사람
⑤ 꾸준히 하지 못하고 중도에 그만두는 사람

[20~21] 다음 시를 읽고 물음에 답하시오.

> (가) 採藥忽㉠迷路, 千峯秋葉裏.
> 山僧汲水歸, 林末㉡茶煙起.
>
> ＊汲(급): 긷다
>
> - 이이, 「山中」-
>
> (나) 遠上寒山㉢石徑斜, 白雲生處有人家.
> ㉣停車坐愛楓林晩, ㉤霜葉紅於二月花.
>
> ＊楓(풍): 단풍나무
>
> - 두목, 「山行」-

20. ㉠~㉤의 풀이로 옳지 않은 것은?

① ㉠: 갈림길　② ㉡: 차를 달이는 연기
③ ㉢: 돌길　④ ㉣: 수레를 멈추다
⑤ ㉤: 서리를 맞은 잎

21. 위 시에 대한 이해로 옳은 것은?

(한문 I) 제2외국어/한문 영역

[22~23] 다음 글을 읽고 물음에 답하시오.

天下無無一能之人, ㉠若聚十百人, 而各用其長, ㉡便爲通才, 如此則世無棄人, ㉢人無棄才矣.

* 聚(취): 모으다

-『홍재전서』-

22. ㉠과 ㉡의 풀이가 모두 옳은 것은?

	㉠	㉡		㉠	㉡
①	만약	편하다	②	같다	편하다
③	만약	곧	④	같다	곧
⑤	만약	부리다			

23. 윗글의 내용으로 보아 ㉢의 의미로 옳은 것은?

① 재능이 하나도 없는 사람은 없을 것이다.
② 재능이 쓰이지 못하는 사람은 없을 것이다.
③ 여러 가지 재능을 가진 사람은 없을 것이다.
④ 재능을 알아볼 수 있는 사람이 없을 것이다.
⑤ 재능을 발휘할 수 있는 사람이 없을 것이다.

[24~25] 다음 글을 읽고 물음에 답하시오.

子貢問曰: "有㉠一言而可以終身行之者乎?" 子曰: "其恕乎. ㉡己所不欲, 勿施於人."

-『논어』-

24. ㉠과 짜임이 같은 것은? [1점]

① 日月 ② 休務 ③ 父母 ④ 出沒 ⑤ 靑山

25. ㉡의 의미와 관계있는 것은?

① 非一非再 ② 後生可畏 ③ 欲速不達
④ 推己及人 ⑤ 反求諸己

[26~27] 다음 글을 읽고 물음에 답하시오.

今我韓, 處在列強之間, ㉠交際則可, 而依附則不可也, 藝術則可學, 而勢力則不可借也. 若以依附爲得計, 以勢力爲可借, 則是委其國於他人也.

-『겸곡문고』-

26. ㉠의 독음으로 옳은 것은? [1점]

① 교역 ② 진찰 ③ 교제 ④ 고찰 ⑤ 교류

27. 윗글에서 지은이가 비판하고 있는 것은?

① 內政干涉 ② 附和雷同 ③ 骨肉相爭
④ 外勢依存 ⑤ 門戶開放

[28~30] 다음 글을 읽고 물음에 답하시오.

今臣戰船, ㉠尙有十二, 出死力㉡拒戰, 則猶可爲也. 今若全廢舟師, 則是賊之所以爲幸, 而由湖右㉢達於漢水, 此臣之所㉣恐也. 戰船雖㉤寡, 微臣不死, 則賊不敢(㉮)我矣.

-『이충무공전서』-

28. ㉠~㉤의 풀이로 옳지 않은 것은? [1점]

① ㉠: 숭상하다 ② ㉡: 막다
③ ㉢: 이르다 ④ ㉣: 두려워하다
⑤ ㉤: 적다

29. 윗글의 흐름으로 보아 ㉮에 알맞은 것은?

① 敬 ② 稱 ③ 助 ④ 叛 ⑤ 侮

30. 윗글에 대한 이해로 옳은 것은?

* 확인 사항
○ 답안지의 해당란에 필요한 내용을 정확히 기입(표기)했는지 확인하시오.

2021학년도 대학수학능력시험 문제지

제 5 교시

제2외국어/한문 영역(한문Ⅰ)

성명 | 수험 번호 —

1. 그림과 대화의 내용으로 보아 ㉠에 해당하는 것은? [1점]

교사: 조선 후기에 그려진 그림을 감상해 볼까요? 왼쪽은 박제가, 오른쪽은 최북의 작품입니다.
채준: 두 그림 모두 같은 동물을 소재로 하고 있어요.
윤서: 동물의 등 위에 소년이 올라앉아 있는 점도 같아요.
채준: 박제가의 그림에서는 한가로움이 느껴져요.
윤서: 최북은 물을 건너는 동물을 역동적으로 그렸네요.
교사: 그래요. ㉠같은 동물을 소재로 취했으면서도 작가의 관점에 따라 이렇게 다르게 표현되었답니다.

① 干 ② 半 ③ 牛 ④ 于 ⑤ 午

2. 상반되는 뜻을 지닌 한자끼리 연결한 것만을 <보기>에서 고른 것은?

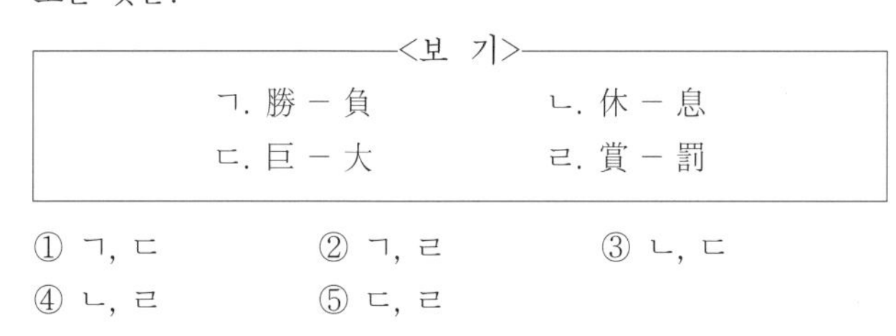

<보 기>

ㄱ. 勝 – 負　　ㄴ. 休 – 息
ㄷ. 巨 – 大　　ㄹ. 賞 – 罰

① ㄱ, ㄷ ② ㄱ, ㄹ ③ ㄴ, ㄷ
④ ㄴ, ㄹ ⑤ ㄷ, ㄹ

3. ㉠~㉣ 중 옳은 것만을 있는 대로 고른 것은?

① ㉠, ㉡ ② ㉠, ㉢ ③ ㉢, ㉣
④ ㉠, ㉡, ㉣ ⑤ ㉡, ㉢, ㉣

4. 그림과 대화의 내용으로 보아 ㉠에 들어갈 것은? [1점]

① 兆 ② 初 ③ 早 ④ 助 ⑤ 肖

5. 단어장의 내용으로 보아 ㉠에 들어갈 것은? [1점]

① 上席 ② 席次 ③ 末席 ④ 席卷 ⑤ 坐席

6. 화살표 방향으로 성어를 채울 때, ㉠에 들어갈 것은? [1점]

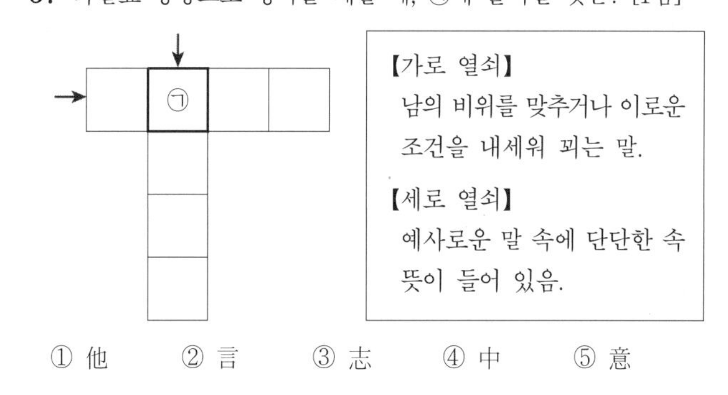

① 他 ② 言 ③ 志 ④ 中 ⑤ 意

7. 그림과 대화의 내용으로 보아 ㉠에 들어갈 것은? [1점]

① 同 ② 合 ③ 便 ④ 換 ⑤ 還

8. 글의 내용과 관계있는 것은? [1점]

> 송나라 호전(胡銓)이 학자 양시(楊時)를 뵈었는데, 양시가 자신의 두 팔꿈치를 들어 보이면서 "내가 이 팔꿈치를 책상에서 떼지 않고 공부한 지가 30년이나 되었는데, 그런 뒤에야 도에 진전이 있었다네."라고 말했다.
>
> -『학림옥로』-

① 手不釋卷 ② 朝三暮四 ③ 刻骨銘心
④ 教學相長 ⑤ 龍頭蛇尾

9. 그림과 대화의 내용으로 보아 ㉠에 들어갈 것은? [1점]

① 祈 ② 絶 ③ 切 ④ 所 ⑤ 折

10. ㉠에 해당하는 한자로 옳은 것은? [1점]

① 密 ② 宇 ③ 守 ④ 完 ⑤ 窓

11. 글의 내용과 관계있는 것은?

> 二人同心, 其利斷金, 同心之言, 其臭如蘭.
>
> -『역경』-

① 見物生心 ② 同床異夢 ③ 金蘭之交
④ 見利思義 ⑤ 斷機之戒

12. 글에서 강조하는 것은?

> 知過非難, 改過爲難, 言善非難, 行善爲難.
>
> -『자치통감』-

① 知性 ② 實踐 ③ 非難 ④ 改定 ⑤ 僞善

13. 그림의 한자로 만들 수 있는 사자성어의 의미와 관계있는 것은?

① 아군은 거침없는 기세로 적군을 물리쳤어.
② 우리 할아버지는 남다른 안목을 지니셨어.
③ 시간이 없다고 대충대충 보고 넘어가더군.
④ 좋은 말로 타일렀지만 귓등으로도 듣지 않더군.
⑤ 그 사람은 나와 어릴 때부터 함께 자란 친구야.

14. 글의 내용으로 보아 ㉠과 ㉡에 공통으로 들어갈 것은?

> ○ 無道人之短, 無說己之(㉠).
>
> -『문선』-
>
> ○ 吉人喜聞人(㉡), 庸人喜聞人短.
>
> -『청성잡기』-

① 失 ② 誤 ③ 惡 ④ 弱 ⑤ 長

15. ㉠에 들어갈 내용을 <보기>의 카드를 활용하여 완성하고자 할 때, 순서대로 바르게 배열한 것은? [1점]

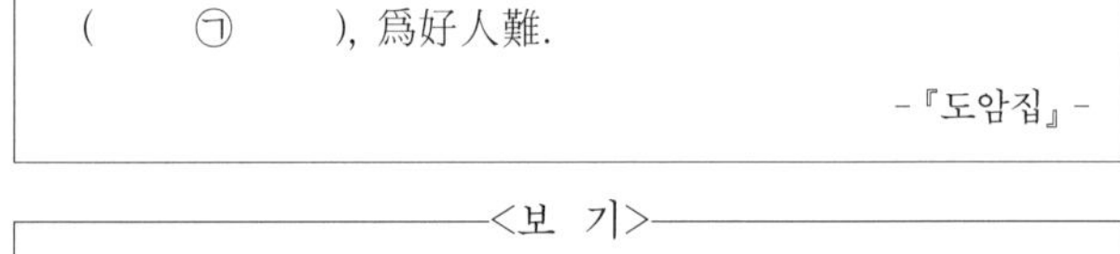
(㉠), 爲好人難.

-『도암집』-

<보 기>

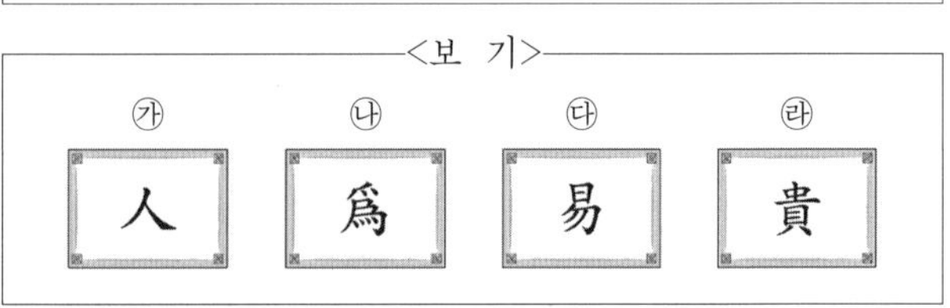

① ㉮-㉯-㉰-㉱ ② ㉯-㉮-㉱-㉰
③ ㉯-㉱-㉮-㉰ ④ ㉰-㉯-㉮-㉱
⑤ ㉱-㉰-㉯-㉮

16. 그림과 대화의 내용으로 보아 ㉠에 들어갈 것은? [1점]

① 主　② 周　③ 舟　④ 柱　⑤ 珠

17. 글의 내용과 관계있는 것은?

> 주변의 신하들이 모두 어떤 사람을 어질다고 말하더라도 허락하지 말고, 대부들이 모두 어질다고 말하더라도 허락하지 말며, 나라 사람들이 모두 어질다고 말한 뒤에, 직접 살펴보아서 그 사람의 훌륭한 점을 발견한 뒤에 등용하셔야 하옵니다.
> 주변의 신하들이 모두 어떤 사람을 안 된다고 말하더라도 듣지 말고, 대부들이 모두 안 된다고 말하더라도 듣지 말며, 나라 사람들이 모두 안 된다고 말한 뒤에, 직접 살펴보아서 그 사람의 안 되는 점을 발견한 뒤에 등용하지 마셔야 하옵니다.
>
> -『맹자』-

① 禍莫大於不知足.
② 愼終如始, 則無敗事.
③ 物有本末, 事有終始.
④ 施恩, 勿求報, 與人, 勿追悔.
⑤ 衆惡之, 必察焉, 衆好之, 必察焉.

[18~19] 다음 글을 읽고 물음에 답하시오.

> 人之有道也, 飽食煖衣, 逸居而無敎, 則近於㉠禽獸.
>
> ＊煖(난): 따뜻하다
>
> -『맹자』-

18. ㉠과 짜임이 같은 것은?

① 河海　② 天賦　③ 黃土　④ 讀書　⑤ 登校

19. 윗글에서 강조하고 있는 것은?

① 人情　② 飮食　③ 衣冠　④ 住居　⑤ 敎育

20. 글에 대한 이해로 옳은 것은?

> 非弓, 何以往矢, 非矢, 何以中的.
>
> -『태평어람』-

① 남의 말을 경청하는 태도가 필요해.
② 뜻을 이루려면 끊임없이 노력할 필요가 있어.
③ 모든 문제의 원인은 자기 자신에게서 찾아야 해.
④ 무슨 일이든 다른 사람과 협력하려는 자세가 중요해.
⑤ 남이 보지 않는 곳에서도 열심히 노력할 필요가 있어.

[21~22] 다음 글을 읽고 물음에 답하시오.

> 歲時, 作打白餠, 切以爲湯, 能不傷寒暖而耐久, 取其㉠淨潔. 俗謂不食此餠, 不得歲云, 余强名爲添歲餠.
>
> ＊餠(병): 떡
>
> -『청장관전서』-

21. ㉠의 독음으로 옳은 것은?

① 간결　② 담박　③ 정결　④ 담백　⑤ 청결

22. 윗글의 내용과 관계있는 것은?

① 元日　② 七夕　③ 淸明　④ 秋夕　⑤ 夏至

[23~24] 다음 글을 읽고 물음에 답하시오.

> 伐木, 不自其本, 必復生, ㉠塞水, 不自其源, 必復流, 滅禍, 不自其基, 必㉡復亂.
>
> -『국어』-

23. ㉠과 ㉡의 독음으로 옳은 것은?

	㉠	㉡
①	새	복
②	새	부
③	색	복
④	색	부
⑤	삭	복

24. 윗글의 중심 내용과 관계있는 속담은?

① 흐르는 물은 썩지 않는다.
② 풀을 베면 뿌리를 없이하라.
③ 오르지 못할 나무는 쳐다보지도 마라.
④ 열 번 찍어 아니 넘어가는 나무 없다.
⑤ 하늘이 무너져도 솟아날 구멍이 있다.

[25~26] 다음 글을 읽고 물음에 답하시오.

王祥性孝. …(중략)… 母嘗欲生魚, 時天寒氷凍. 祥㉠<u>解</u>衣, 將剖氷求之, 氷忽自解, 雙鯉躍出, 持之而歸.

＊剖(부): 쪼개다　＊鯉(리): 잉어

-『소학』-

25. 의미상 ㉠과 바꾸어 쓸 수 있는 것은?

① 防　② 服　③ 結　④ 脫　⑤ 着

26. 윗글의 내용과 관계있는 것은?

① 欲速不達　② 緣木求魚　③ 坐井觀天
④ 事必歸正　⑤ 至誠感天

[27~28] 다음 글을 읽고 물음에 답하시오.

李公遂, 還㉠<u>自</u>北京, 中路, 馬㉡<u>困</u>, 粟積于無人之野, 從者, 取之而㉢<u>食</u>馬. 公遂, 以其時價, 留布㉣<u>粟</u>積中. 從者曰: "人必取去, 何益?" 公遂曰: "吾固知之, 然必㉤<u>如</u>是, 吾心得安."

-『고려사』-

27. ㉠~㉤의 풀이로 옳은 것은?

① ㉠: 스스로　② ㉡: 지치다　③ ㉢: 먹다
④ ㉣: 밤　⑤ ㉤: 만약

28. 윗글의 내용을 이해한 그림으로 알맞은 것은?

①

②

③

④

⑤

[29~30] 다음 시를 읽고 물음에 답하시오.

(가) 昨日入城市, 歸來淚㉠<u>滿</u>巾.
徧身羅綺者, 不是㉡<u>養</u>蠶人.

＊巾(건): 수건　＊徧(편): 두루
＊綺(기): 비단　＊蠶(잠): 누에

- 장유, 「蠶婦」 -

(나) 雨歇長堤草色多, ㉢<u>送</u>君南浦動悲歌.
大同江水何時㉣<u>盡</u>, 別淚年年㉤<u>添</u>綠波.

＊歇(헐): 그치다

- 정지상, 「送人」 -

29. ㉠~㉤의 풀이로 옳지 <u>않은</u> 것은?

① ㉠: 가득하다　② ㉡: 기르다　③ ㉢: 보내다
④ ㉣: 다하다　⑤ ㉤: 덜다

30. 위 시에 대한 이해로 옳지 <u>않은</u> 것은?

＊ 확인 사항
○ 답안지의 해당란에 필요한 내용을 정확히 기입(표기)했는지 확인하시오.

2022학년도 대학수학능력시험 6월 모의평가 문제지

제 5 교시

제2외국어/한문 영역(한문Ⅰ)

성명		수험 번호	-

1. 그림과 대화의 내용으로 보아 ㉠에 들어갈 것은? [1점]

교사: 조선 후기 화가 임득명이 대보름날 달구경하는 풍경을 그린 그림이에요. 구도가 독특하지요?
건호: 네, 그렇네요. 그런데 사람들이 다리 위에 옹기종기 모여 있어요.
고은: '답교놀이' 풍속을 묘사한 건가 봐요.
교사: 네. 대보름 밤에 다리를 밟으면 다릿병을 앓지 않는다고 생각했답니다. 임득명과 함께 활동했던 천수경은 이날의 풍경을 '달빛이 대낮처럼 밝으니 봄놀이 시작되네.'라고 읊었어요. 이 그림의 제목은 '街橋(㉠)月'인데, '거리를 잇는 다리에서 달밤에 거닐다.'라는 뜻이지요.

① 步 ② 蜜 ③ 吟 ④ 詠 ⑤ 歲

2. 상반되는 뜻을 지닌 한자끼리 연결한 것만을 <보기>에서 고른 것은? [1점]

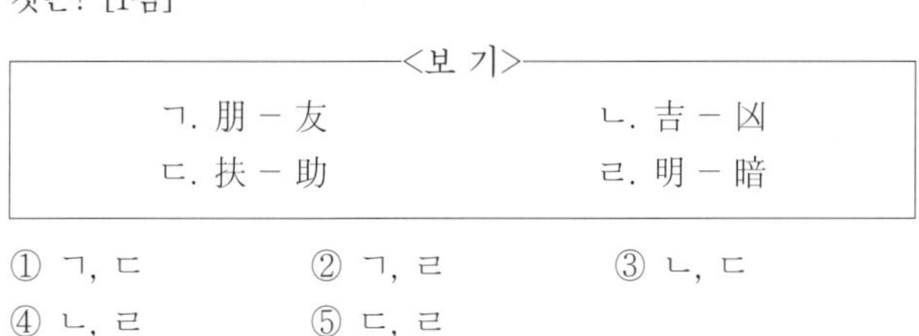

<보 기>

ㄱ. 朋 - 友 ㄴ. 吉 - 凶
ㄷ. 扶 - 助 ㄹ. 明 - 暗

① ㄱ, ㄷ ② ㄱ, ㄹ ③ ㄴ, ㄷ
④ ㄴ, ㄹ ⑤ ㄷ, ㄹ

3. 그림과 대화의 내용으로 보아 ㉠에 들어갈 것은? [1점]

① 敏 ② 産 ③ 散 ④ 算 ⑤ 敢

4. 단어장의 내용으로 보아 ㉠에 들어갈 것은? [1점]

① 端緖 ② 經緯 ③ 統合 ④ 綱領 ⑤ 始終

5. 화살표 방향으로 성어를 채울 때, ㉠에 들어갈 것은? [1점]

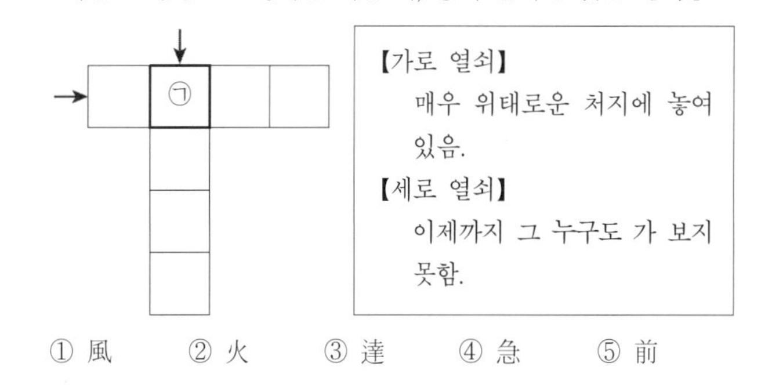

① 風 ② 火 ③ 達 ④ 急 ⑤ 前

6. 그림과 대화의 내용으로 보아 ㉠에 들어갈 것은? [1점]

① 根 ② 氣 ③ 消 ④ 素 ⑤ 所

7. ㉠~㉣ 중 옳은 것만을 있는 대로 고른 것은?

① ㉠, ㉡　② ㉠, ㉢　③ ㉡, ㉣
④ ㉠, ㉢, ㉣　⑤ ㉡, ㉢, ㉣

8. 글의 내용과 관계있는 것은?

> 선인태후의 종부(從父) 고준유가 군법을 어긴 죄로 처벌을 받았다. 그러자 재상(宰相) 채확이 태후에게 잘 보이려고 그의 관직을 회복시키기를 청하였다. 이에 태후가 "고준유가 전쟁에서 수많은 사람의 목숨을 도탄에 빠뜨렸다. 선제(先帝)가 이 때문에 근심하다가 돌아가시고 말았다. 재앙이 고준유로부터 시작되었으니, 사형을 면한 것만도 다행이라 할 것이다. 선제의 육신이 채 식지도 않았는데, 내가 어찌 감히 개인적인 은혜를 돌아보느라 천하의 공론을 어기겠는가."라고 하자, 채확이 두려워하며 물러났다.
>
> -『회재집』-

① 公平無私　② 朝變夕改　③ 忠言逆耳
④ 臨戰無退　⑤ 外柔內剛

9. 그림의 한자로 만들 수 있는 사자성어의 의미와 관계있는 것은?

① 아이들이 한목소리로 고맙다고 하는구나.
② 그는 나와 기쁨과 슬픔을 함께한 동료야.
③ 손해인 줄 알면서도 어쩔 수 없이 선택했어.
④ 약간 차이가 있지만 전체적으로는 비슷하네.
⑤ 같은 일을 하고 있지만 생각은 다른 것 같아.

10. 그림과 대화의 내용으로 보아 ㉠에 들어갈 것은? [1점]

① 貨　② 貧　③ 賀　④ 貿　⑤ 貴

11. 그림과 대화의 내용으로 보아 ㉠에 들어갈 것은? [1점]

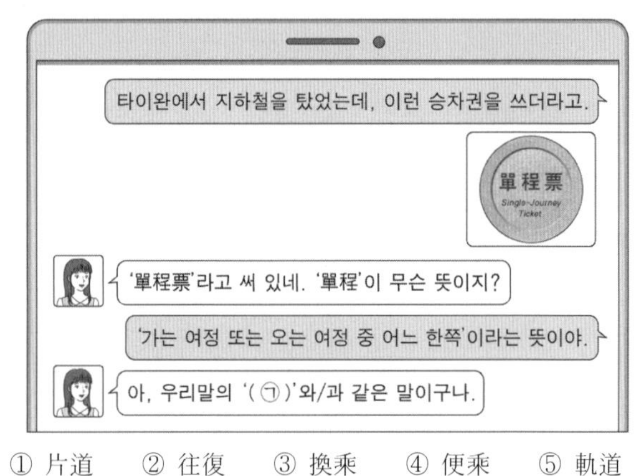

① 片道　② 往復　③ 換乘　④ 便乘　⑤ 軌道

12. 광고의 내용으로 보아 ㉠에 들어갈 것은? [1점]

① 禮節　② 秩序　③ 權利　④ 責任　⑤ 義務

13. 글의 내용과 관계있는 속담은?

> 人飢三日, 無計不出.
>
> -『이담속찬』-

① 사흘 굶으면 못할 노릇이 없다.
② 지어먹은 마음이 사흘을 못 간다.
③ 잔칫날 잘 먹으려고 사흘 굶을까.
④ 사흘 길에 하루쯤 가서 열흘씩 눕는다.
⑤ 사흘 책을 안 읽으면 머리에 곰팡이가 슨다.

14. 글의 내용으로 보아 ㉠과 ㉡에 공통으로 들어갈 것은?

> ○ 一日不念(㉠), 諸惡皆自起.
> -『명심보감』-
>
> ○ 行(㉡)者獲福, 爲惡者得禍.
> -『중론』-

① 辱 ② 善 ③ 憎 ④ 欺 ⑤ 慾

15. ㉠에 들어갈 내용을 <보기>의 카드를 활용하여 완성하고자 할 때, 순서대로 바르게 배열한 것은?

> 安而不忘危, (㉠), 治而不忘亂.
> -『주역』-

① ㉮-㉯-㉱-㉰-㉲ ② ㉮-㉱-㉲-㉯-㉰
③ ㉰-㉯-㉱-㉮-㉲ ④ ㉰-㉱-㉮-㉲-㉯
⑤ ㉲-㉯-㉱-㉮-㉰

16. 글에 대한 이해로 옳은 것은?

> 行百里者, 半於九十.
> -『전국책』-

① 끝까지 방심하지 말고 최선을 다하자.
② 무슨 일을 하든지 시작이 가장 중요해.
③ 때로는 쉬었다 가는 것이 도움이 되기도 해.
④ 실패하더라도 다시 도전하는 자세가 필요하지.
⑤ 큰일을 하려면 어느 정도 손해는 감수해야 해.

17. 글의 내용과 관계있는 것은?

> 옛 사람들은 허물을 뉘우치고 스스로를 꾸짖는 것을 귀하게 여겼습니다. 그렇지만 지나치게 자책해서는 안 되니, 자괴감에 사로잡혀 의기소침해지기 때문입니다. 연평 선생이 "가슴 속에 응어리를 쌓아 놓는다."라고 한 말이 바로 이것이니, 반드시 경계해야 할 것입니다. … (중략) … 단지 전전긍긍하면서 허물만 생각한다면 늘 근심 걱정에 휩싸여 끝내 이루는 바가 없을 것입니다.
> -『퇴계집』-

① 言工無施, 不若無言.
② 聞人之過, 切勿發諸口外.
③ 有餘者常譽人, 不足者常毁人.
④ 有過不可不悔, 悔不可留着胸中.
⑤ 與其遂欲而失人, 寧可敗事而得人.

[18~20] 다음 글을 읽고 물음에 답하시오.

> 黃相國喜, 微時, ㉠行役, 憩于路上, ㉡見田父駕二牛耕者, 問曰: "二牛何者爲勝?" 田父不對, 輟耕而㉢至, ㉮附耳細語曰: "此牛勝." 公怪之曰: "何以附耳相語?" 田父曰: "雖畜物, 其心與人同也. 此(㉯)則彼劣, 使牛聞之, 寧無不平之心乎." 公大悟, 遂不復㉣言人長短.
>
> * 憩(게): 쉬다 * 駕(가): 멍에를 메우다 * 輟(철): 그치다
>
> -『지봉유설』-

18. ㉠~㉣ 중 행위의 주체가 같은 것만을 있는 대로 고른 것은?

① ㉠, ㉡ ② ㉠, ㉢ ③ ㉢, ㉣
④ ㉠, ㉡, ㉣ ⑤ ㉡, ㉢, ㉣

19. ㉮와 같이 행동한 이유로 알맞은 것은?

① 주변이 소란스러웠기 때문에
② 밭일에 지쳐서 힘이 빠졌기 때문에
③ 소가 들을 수 있다고 생각했기 때문에
④ 상대방의 위엄에 주눅이 들었기 때문에
⑤ 대답하지 않은 것이 마음에 걸렸기 때문에

20. 윗글의 흐름으로 보아 ㉯에 들어갈 것은?

① 劣 ② 負 ③ 耕 ④ 勝 ⑤ 短

[21~22] 다음 글을 읽고 물음에 답하시오.

> 生亦我所欲也, 義亦我所欲也, 二者, 不可得兼, 舍生而取義者也. 生亦我所欲, 所欲, 有甚㉠於生者. 故, 不爲苟得也. 死亦我所惡, 所惡, 有甚於死者. 故, 患有所不辟也.
>
> * 辟(피): 피하다
>
> -『맹자』-

21. ㉠과 쓰임이 같은 것은?

① 揚名於後世. ② 富莫富於不欲.
③ 合抱之木, 生於毫末. ④ 己所不欲, 勿施於人.
⑤ 勞心者治人, 勞力者治於人.

22. 윗글의 중심 내용으로 알맞은 것은?

① 생명의 존엄성 ② 선악의 판단 기준
③ 의리의 중요성 ④ 금욕적 삶의 가치
⑤ 진실의 양면성

[23~24] 다음 글을 읽고 물음에 답하시오.

人有畜野鵝者, 多與煙火之食, 鵝便體重, 不能飛. 後, 忽不食, 人以爲病, 益與之食而不食. ㉠旬日而體輕, 凌空而去. 翁聞之, 曰: "智哉! 善自保也."

* 鵝(아): 거위 * 凌(릉): 오르다

-『성호전서』-

23. ㉠에서 마지막으로 풀이되는 것은?

① 旬 ② 日 ③ 而 ④ 體 ⑤ 輕

24. 윗글에 대한 설명으로 옳은 것만을 <보기>에서 있는 대로 고른 것은?

<보 기>

ㄱ. '煙火之食'은 '불에 익힌 음식'이라는 뜻이다.
ㄴ. '益'은 '收益'의 '益'과 쓰임이 같다.
ㄷ. '스스로를 지키는 지혜'에 관한 글이다.

① ㄱ ② ㄴ ③ ㄱ, ㄷ
④ ㄴ, ㄷ ⑤ ㄱ, ㄴ, ㄷ

[25~26] 다음 시를 읽고 물음에 답하시오.

(가) 萬樹江邊杏, 新㉠開一夜風.
㉡滿園深淺色, 照在綠波中.

* 杏(행): 살구나무

- 왕애, 「春遊曲」 -

(나) 欲作家書㉢說苦辛, 恐敎愁殺白頭親.
陰山㉣積雪深千丈, 却㉤報今冬暖似春.

- 이안눌, 「寄家書」 -

25. ㉠~㉤의 풀이로 옳지 않은 것은?

① ㉠: 피다 ② ㉡: 가득하다 ③ ㉢: 말하다
④ ㉣: 쌓이다 ⑤ ㉤: 갚다

26. 위 시에 대한 이해로 옳지 않은 것은?

[27~28] 다음 글을 읽고 물음에 답하시오.

人性本善, 無㉠古今智愚之殊. 聖人何故獨爲聖人, 我則何故獨爲㉡衆人耶? 良由志不立, 知不明, 行不篤耳. 志之立, 知之明, 行之篤, 皆在我耳, 豈可他求哉?

-『격몽요결』-

27. ㉠과 짜임이 같은 것은? [1점]

① 東海 ② 視聽 ③ 登山 ④ 建國 ⑤ 黃金

28. 윗글의 내용으로 보아 ㉡에 대한 이해로 옳지 않은 것은?

① 성인과 마찬가지로 본성은 선하다고 했어.
② 성인의 말씀을 들으려 하지 않는다고 했어.
③ 성인이 되기 위해서는 뜻을 세워야 한다고 했지.
④ 성인이 되려면 실천을 돈독히 해야 한다고 했지.
⑤ 성인이 되기 위한 열쇠는 그 자신에게 있다고 했지.

[29~30] 다음 글을 읽고 물음에 답하시오.

楚人, 有㉠涉江者, 其劍, 自舟中墜於水. 遽契其舟, 曰: "是, 吾劍之所從墜." 舟止, 從其所契者, 入水求之.

* 楚(초): 나라 이름 * 墜(추): 떨어지다 * 遽(거): 재빨리

-『여씨춘추』-

29. 의미상 ㉠과 바꾸어 쓸 수 있는 것은?

① 渡 ② 添 ③ 汚 ④ 漁 ⑤ 活

30. 윗글의 전개에 따라 <보기>의 그림을 순서대로 바르게 배열한 것은?

<보 기>

① ㉮-㉯-㉰-㉱ ② ㉮-㉯-㉱-㉰
③ ㉯-㉮-㉰-㉱ ④ ㉯-㉮-㉱-㉰
⑤ ㉯-㉱-㉮-㉰

* 확인 사항

○ 답안지의 해당란에 필요한 내용을 정확히 기입(표기)했는지 확인하시오.

2022학년도 대학수학능력시험 9월 모의평가 문제지

제 5 교시

제2외국어/한문 영역(한문Ⅰ)

성명		수험 번호	–

1. 그림과 대화의 내용으로 보아 ㉠에 들어갈 것은? [1점]

교사 : 조선 시대의 화가 조지운의 작품입니다. 뭐가 보이나요?
유현 : 대나무와 매화나무, 그리고 새가 그려져 있어요.
소영 : 새가 머리를 가슴에 푹 파묻고 자고 있는 것 같아요.
교사 : 맞아요. 이 그림은 매화나무 가지 위에서 잠든 새를 그렸다고 해서 '梅上(㉠)鳥圖'라고 해요.

① 竹 ② 宿 ③ 風 ④ 祝 ⑤ 首

2. 상반되는 뜻을 지닌 한자끼리 연결한 것만을 <보기>에서 고른 것은? [1점]

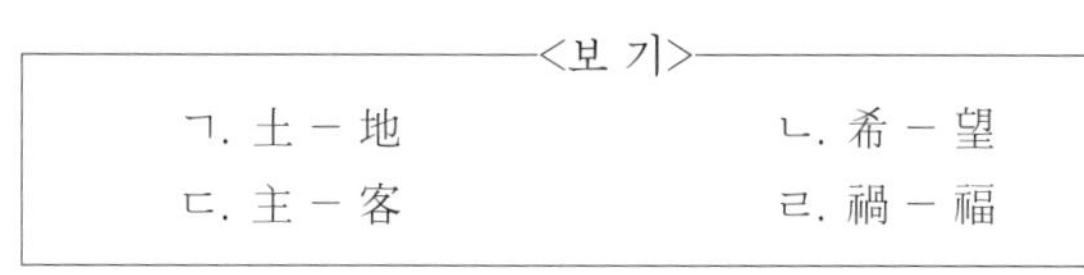

<보 기>

ㄱ. 土 – 地　　ㄴ. 希 – 望
ㄷ. 主 – 客　　ㄹ. 禍 – 福

① ㄱ, ㄷ ② ㄱ, ㄹ ③ ㄴ, ㄷ
④ ㄴ, ㄹ ⑤ ㄷ, ㄹ

3. ㉠~㉣ 중 옳은 것만을 있는 대로 고른 것은? [1점]

① ㉠, ㉢ ② ㉠, ㉣ ③ ㉡, ㉢
④ ㉠, ㉡, ㉣ ⑤ ㉡, ㉢, ㉣

4. 그림과 대화의 내용으로 보아 ㉠에 들어갈 것은?

① 監 ② 情 ③ 感 ④ 憎 ⑤ 慾

5. 단어장의 내용으로 보아 ㉠에 들어갈 것은? [1점]

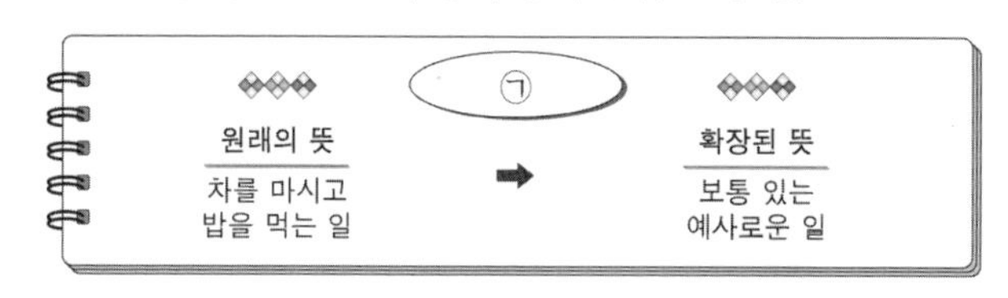

① 關心事 ② 世間事 ③ 日常事
④ 茶飯事 ⑤ 諸般事

6. 화살표 방향으로 성어를 채울 때, ㉠에 들어갈 것은?

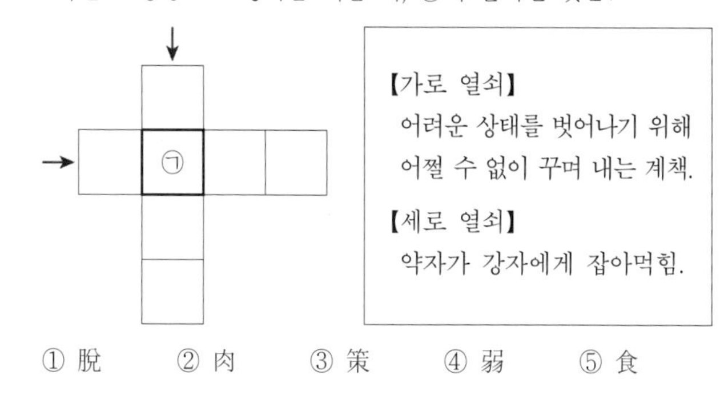

① 脫 ② 肉 ③ 策 ④ 弱 ⑤ 食

7. 글의 내용으로 보아 ㉠에 들어갈 것은?

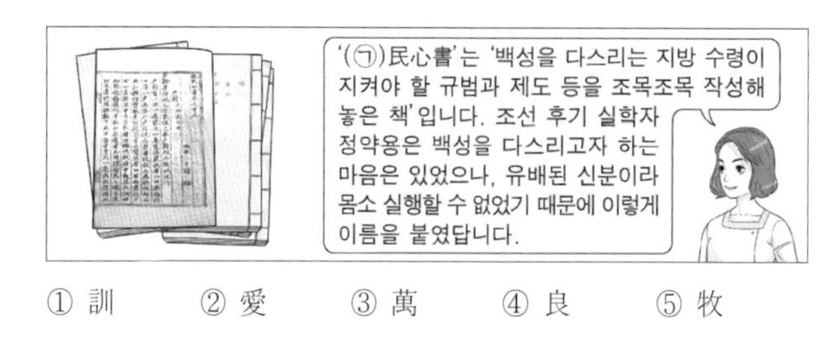

① 訓 ② 愛 ③ 萬 ④ 良 ⑤ 牧

8. 광고의 내용으로 보아 ㉠에 들어갈 것은? [1점]

① 著作權 ② 自由權 ③ 耕作權
④ 參政權 ⑤ 拒否權

9. 그림과 대화의 내용으로 보아 ㉠에 들어갈 것은? [1점]

① 受 ② 秀 ③ 修 ④ 收 ⑤ 守

10. 그림의 한자로 만들 수 있는 사자성어의 의미와 관계있는 것은?

① 이왕 살 거면 품질이 좋은 걸로 사야지.
② 어제는 놀자고 하더니 오늘은 공부한다는군.
③ 온 국민이 한마음 한뜻이 되어 국난을 극복했지.
④ 기쁜 일이든 슬픈 일이든 함께하는 것이 친구지.
⑤ 모든 사람들이 그분의 인품을 한결같이 칭찬하더군.

11. 글의 내용과 관계있는 것은?

> 강아지풀 미워함은 벼 싹을 어지럽힐까 해서이니
> 구별하는 데에 온 힘을 쏟아야 하네.
> 잡초의 뿌리를 뽑지 않으면 다시 나니
> 힘써 악을 제거함을 근본으로 삼아야 하네.
> 잡초는 싹이 틀 때에 마땅히 꺾어야 하니
> 덩굴이 뻗으면 힘쓰기 쉽지 않으리.
>
> -『금계집』-

① 拔本塞源 ② 結草報恩 ③ 寸鐵殺人
④ 枯木生花 ⑤ 類類相從

12. 그림과 대화의 내용으로 보아 ㉠에 해당하는 것은? [1점]

① 小兒 ② 神經 ③ 胸部 ④ 整形 ⑤ 心臟

13. 그림과 대화의 내용으로 보아 ㉠에 들어갈 것은? [1점]

① 活動 ② 浮動 ③ 波動 ④ 流動 ⑤ 激動

14. 글의 의미와 관계있는 것은?

> 友其邪人, 我亦自邪.
>
> -『사자소학』-

① 三省吾身 ② 破邪顯正 ③ 知彼知己
④ 自強不息 ⑤ 近墨者黑

15. ㉠에 들어갈 내용을 <보기>의 카드를 활용하여 완성하고자 할 때, 순서대로 바르게 배열한 것은?

> 物之落水也, 較水輕則浮, (㉠).
>
> -『몽학한문초계』-

<보 기>

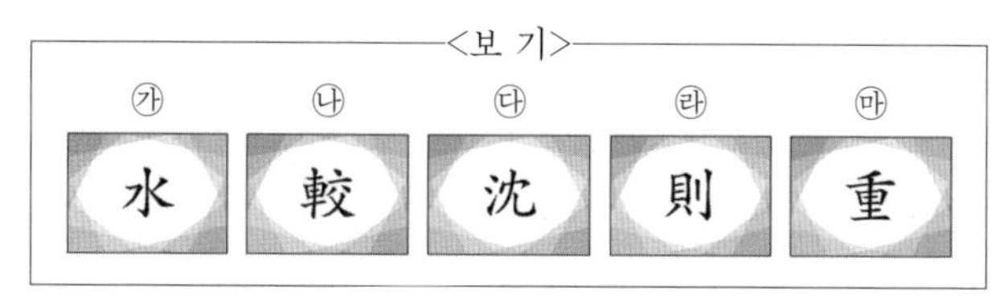

① ㉯ - ㉮ - ㉰ - ㉱ - ㉲ ② ㉯ - ㉮ - ㉲ - ㉱ - ㉰
③ ㉯ - ㉰ - ㉮ - ㉱ - ㉲ ④ ㉯ - ㉰ - ㉲ - ㉱ - ㉮
⑤ ㉯ - ㉲ - ㉮ - ㉱ - ㉰

16. 글의 내용과 관계있는 것은?

> 雷聲大, 雨點小.
>
> -『의문독서기』-

① 소문난 잔치에 먹을 것 없다.
② 가랑비에 옷 젖는 줄 모른다.
③ 모기도 모이면 천둥소리 난다.
④ 두 손뼉이 맞아야 소리가 난다.
⑤ 큰 나무 밑에 작은 나무 큰지 모른다.

17. 글의 내용과 관계있는 것은?

> 깊숙한 방 안 말없이 거처할 때
> 보고 듣는 이 없어도 신은 너를 지켜본다.
> (중략)
> 하늘을 이고 땅을 밟고 살면서
> 내가 한 일을 아는 이 없을 거라 한다면
> 장차 누구를 속이려는 것인가.
> 사람과 짐승, 길함과 흉함의 갈림길이 된다네.
> 저 깊숙한 방 안을 나는 스승으로 삼으리라.
>
> -『계곡집』-

① 室家和, 則百事吉.
② 處幽如顯, 處獨如衆.
③ 大凡天下事, 皆有其時.
④ 知是行之始, 行是知之成.
⑤ 前事之不忘, 後事之師也.

18. 글의 내용으로 보아 ㉠과 ㉡에 공통으로 들어갈 것은?

> ○ 與其遂欲而失人, 寧可敗事而(㉠)人.
>
> -『인정』-
>
> ○ 夫功者, 難成而易敗, 時者, 難(㉡)而易失也.
>
> -『사기』-

① 治 ② 待 ③ 賢 ④ 得 ⑤ 全

[19~20] 다음 글을 읽고 물음에 답하시오.

> 聞人之過, 切勿發諸口外, 見人所失, 亦勿傳說於㉠他人.
>
> -『퇴우당집』-

19. ㉠과 짜임이 같은 것은? [1점]

① 左右 ② 直線 ③ 夜深 ④ 敬老 ⑤ 歸鄕

20. 윗글의 내용을 교훈으로 삼아야 할 사람은?

① 남의 난점을 말하는 사람
② 남의 말만 믿고 행동하는 사람
③ 남이 듣기 좋은 말만 하는 사람
④ 말과 행동이 일치하지 않는 사람
⑤ 자기 말만 옳다고 고집하는 사람

[21~22] 다음 글을 읽고 물음에 답하시오.

> ㉠仁者如射, 射者正己而後發, 發而不㉡中, 不怨勝己者, 反求諸己而已矣.
>
> -『맹자』-

21. ㉠의 이유로 알맞은 것은?

① 미리 준비하면 걱정할 일이 없기 때문에
② 나의 입장에서 남을 헤아려야 하기 때문에
③ 모든 잘못을 나에게서 찾아야 하기 때문에
④ 남의 잘못도 인격 수양에 도움이 되기 때문에
⑤ 옛것을 익혀 새로운 것을 알아야 하기 때문에

22. 밑줄 친 한자가 ㉡과 같은 뜻으로 쓰인 것은?

① 的中 ② 中興 ③ 集中 ④ 中斷 ⑤ 途中

[23~24] 다음 글을 읽고 물음에 답하시오.

公嘗㉠建議, 欲養兵十萬, 以備緩急, 柳西厓成龍以爲不可. …(중략)… 壬辰之亂, 西厓常語朝堂曰: "當時無事, 吾亦以爲擾民, 今而思之, ㉡李文靖, 眞聖人也."

* 西厓(서애): 유성룡의 호 * 擾(요): 어지럽히다
* 文靖(문정): 이이의 시호

- 『백사집』 -

23. ㉠의 독음으로 옳은 것은? [1점]

① 토의 ② 건전 ③ 토론 ④ 건의 ⑤ 논의

24. 윗글의 내용으로 보아 ㉡이라고 한 이유와 관계있는 것은?

① 先見之明 ② 克己復禮 ③ 不恥下問
④ 百折不屈 ⑤ 見利思義

[25~26] 다음 시를 읽고 물음에 답하시오.

(가) 一萬二千峯, ㉠高低自不同.
君看㉡日輪上, 高處最先紅.

- 성석린, 「송승지풍악(送僧之楓岳)」 -

(나) ㉢故人西辭黃鶴樓, 煙花三月下揚州.
孤帆遠影㉣碧空盡, 惟見長江㉤天際流.

* 帆(범): 돛단배

- 이백, 「황학루송맹호연지광릉(黃鶴樓送孟浩然之廣陵)」 -

25. ㉠~㉤의 풀이로 옳지 않은 것은?

① ㉠: 높낮이 ② ㉡: 태양 ③ ㉢: 친구
④ ㉣: 푸른 하늘 ⑤ ㉤: 은하수

26. 위 시에 대한 이해로 옳은 것은?

[27~28] 다음 글을 읽고 물음에 답하시오.

金柏谷, 讀書記, 記讀諸書之數, 而史記伯夷傳, 至一億一萬三千番. …(중략)… 其少者, 不㉠減數千番. 自有㉡書契以來, 上下數千年, 縱橫三萬里, 讀書之勤且雄, 當以柏谷爲第一.

* 柏谷(백곡): 김득신의 호

- 『여유당전서』 -

27. 의미상 ㉠과 바꿔 쓸 수 있는 것은?

① 滿 ② 下 ③ 及 ④ 用 ⑤ 復

28. 윗글의 내용으로 보아 ㉡의 의미로 옳은 것은?

① 文字 ② 百姓 ③ 史官 ④ 書信 ⑤ 開國

[29~30] 다음 글을 읽고 물음에 답하시오.

安龍福㉠善倭語. 入海漁採, 漂到鬱陵島, 被拘入馬島, 乃曰: "鬱陵, 距我國, 一日㉡程, 距倭, 五日程, 非㉢屬我國者乎? ㉮朝鮮人, 自往朝鮮地, 何拘爲?"

* 倭(왜): 나라 이름 * 鬱陵(울릉): 섬 이름

- 『동사약』 -

29. ㉠~㉢의 풀이로 옳은 것만을 <보기>에서 있는 대로 고른 것은?

<보 기>

㉠: 잘하다 ㉡: 헤아리다 ㉢: 속하다

① ㉡ ② ㉢ ③ ㉠, ㉡
④ ㉠, ㉢ ⑤ ㉠, ㉡, ㉢

30. 윗글의 내용으로 보아 ㉮에 나타난 태도로 옳은 것은?

① 조급함 ② 관대함 ③ 당당함
④ 졸렬함 ⑤ 겸손함

* 확인 사항
○ 답안지의 해당란에 필요한 내용을 정확히 기입(표기)했는지 확인하시오.

2022학년도 대학수학능력시험 문제지

제 5 교시

제2외국어/한문 영역(한문 I)

성명		수험 번호	—

1. 그림과 대화의 내용으로 보아 ㉠에 들어갈 것은? [1점]

교사 : 조선 후기 화가 윤두서의 작품을 감상해 볼까요?
수민 : 두 사람이 돌을 깨는 일을 하는 모습이네요.
우림 : 망치를 휘두르는 사람의 근육이 매우 인상적입니다. 앉아서 정을 잡고 있는 사람은 돌이 튈까 봐 얼굴을 돌리고 있네요.
교사 : 그래요. 돌을 다루는 일을 직업으로 삼는 (㉠)을/를 잘 묘사한 그림이랍니다.

① 木手 ② 石工 ③ 商人 ④ 牧童 ⑤ 漁夫

2. 상반되는 뜻을 지닌 한자끼리 연결한 것만을 <보기>에서 고른 것은? [1점]

<보 기>

ㄱ. 生 – 死 ㄴ. 養 – 育
ㄷ. 貧 – 富 ㄹ. 空 – 虛

① ㄱ, ㄷ ② ㄱ, ㄹ ③ ㄴ, ㄷ
④ ㄴ, ㄹ ⑤ ㄷ, ㄹ

3. 그림과 대화의 내용으로 보아 ㉠에 들어갈 것은?

① 里 ② 作 ③ 池 ④ 至 ⑤ 地

4. 단어장의 내용으로 보아 ㉠에 들어갈 것은? [1점]

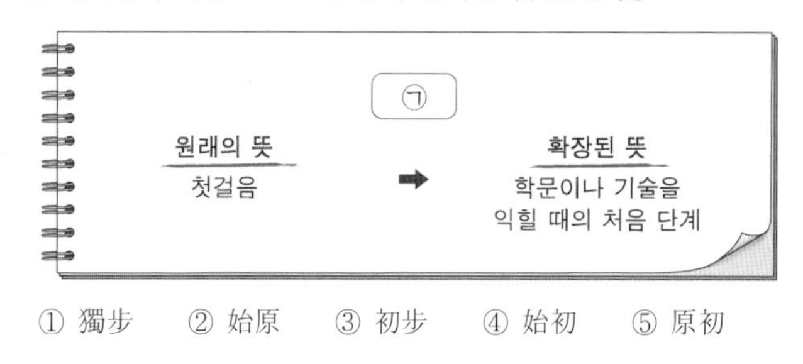

① 獨步 ② 始原 ③ 初步 ④ 始初 ⑤ 原初

5. 그림과 대화의 내용으로 보아 ㉠에 들어갈 것은?

① 接受 ② 回收 ③ 退出 ④ 返送 ⑤ 發送

6. 화살표 방향으로 성어를 채울 때, ㉠에 들어갈 것은? [1점]

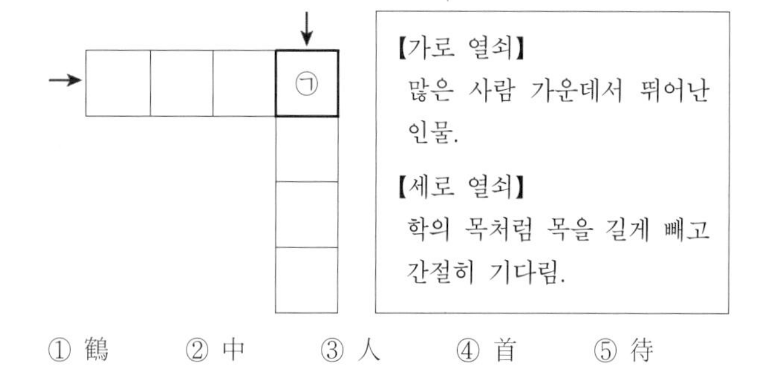

① 鶴 ② 中 ③ 人 ④ 首 ⑤ 待

제2외국어/한문 영역

7. ㉠~㉣ 중 옳은 것만을 있는 대로 고른 것은? [1점]

① ㉠, ㉡ ② ㉠, ㉣ ③ ㉡, ㉢
④ ㉠, ㉢, ㉣ ⑤ ㉡, ㉢, ㉣

8. 그림과 대화의 내용으로 보아 ㉠에 들어갈 것은? [1점]

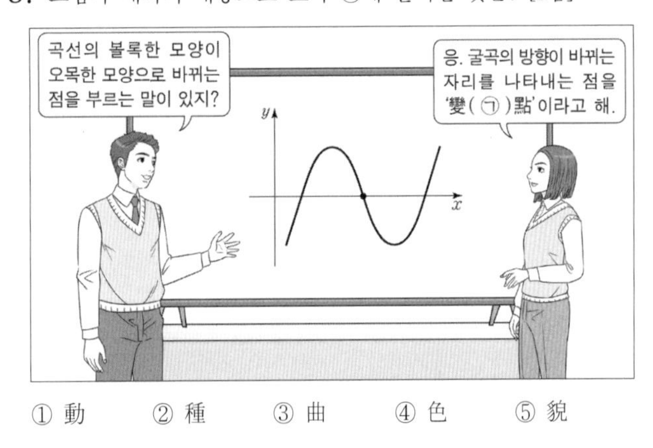

① 動 ② 種 ③ 曲 ④ 色 ⑤ 貌

9. 그림의 한자로 만들 수 있는 사자성어의 의미와 관계있는 것은?

① 만나면 언젠가는 헤어지기 마련이지.
② 네가 벌인 일이니까 네가 알아서 해결해.
③ 네가 나였다면 기분이 어땠을지 생각해 봐.
④ 그 친구에게 받은 도움은 언젠가 꼭 갚고 싶어.
⑤ 가재는 게 편이라더니 비슷한 사람들끼리 모여 있구나.

10. 광고의 내용으로 보아 ㉠에 들어갈 것은?

① 尊重 ② 放心 ③ 競爭 ④ 節約 ⑤ 正直

11. 글의 내용과 관계있는 것은?

> 여름에 날이 갑자기 추워졌을 때 비록 불씨가 있더라도 불붙일 솜과 땔감이 없으면 아무 소용이 없다. 반드시 나무를 쌓아 놓고 평소에 잘 마련해 둔 뒤에야, 불을 계속 지펴 갑작스러운 여름 추위를 면할 수 있다.
>
> -『부휴자담론』-

① 溫故知新 ② 炎涼世態 ③ 脣亡齒寒
④ 有備無患 ⑤ 識字憂患

12. 그림과 대화의 내용으로 보아 ㉠에 들어갈 것은? [1점]

① 治 ② 切 ③ 致 ④ 別 ⑤ 置

13. 글의 내용과 관계있는 것은?

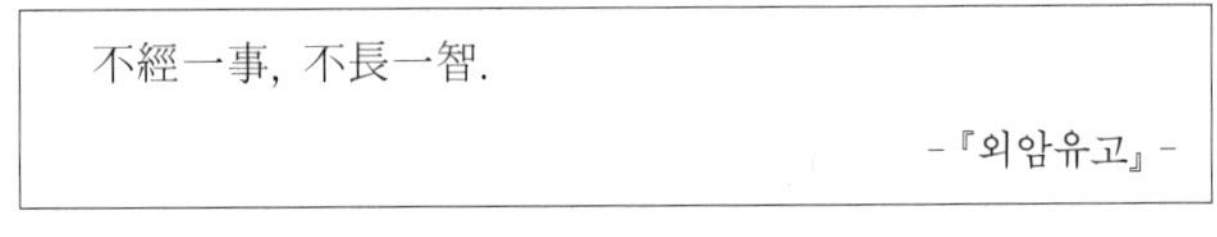

不經一事, 不長一智.

-『외암유고』-

① 不屈 ② 經驗 ③ 長壽 ④ 成事 ⑤ 一貫

14. 글의 내용을 교훈으로 삼아야 할 사람은?

> 有而不知足, 失其所以有.
>
> -『사기』-

① 계획을 실천하지 못하는 사람
② 모르는 것을 아는 척하는 사람
③ 자신의 실수를 합리화하는 사람
④ 만족할 줄 모르고 욕심만 부리는 사람
⑤ 다른 사람의 처지를 이해하지 못하는 사람

15. 글의 내용으로 보아 ㉠과 ㉡에 공통으로 들어갈 것은?

> ○ 人無(㉠)慮, 必有近憂.
>
> -『논어』-
>
> ○ (㉡)親, 不如近鄰.
>
> -『명심보감』-

① 園 ② 家 ③ 再 ④ 道 ⑤ 遠

16. ㉠에 들어갈 내용을 <보기>의 카드를 활용하여 완성하고자 할 때, 순서대로 바르게 배열한 것은? [1점]

> 記人之功, (㉠).
>
> -『전한서』-

<보 기>

① ㉮-㉯-㉰-㉱ ② ㉯-㉮-㉱-㉰
③ ㉯-㉱-㉮-㉰ ④ ㉰-㉱-㉯-㉮
⑤ ㉱-㉰-㉯-㉮

17. ㉠, ㉡의 내용과 관계있는 것은?

> ㉠해와 달이 사람을 버리고 흘러가니
> 원대함을 이룸은 별안간에 되는 게 아니지.
> ㉡제때 마땅히 힘쓰고 힘써야 하니
> 쉬운 것부터 배워 오묘한 이치에까지 이른다네.
>
> -『매산집』-

① 表端則影直, 源潔則流淸.
② 前事之不忘, 後事之師也.
③ 破山中賊易, 破心中賊難.
④ 及時當勉勵, 歲月不待人.
⑤ 行善者獲福, 爲惡者得禍.

18. 글에서 강조하고 있는 것은?

> 苟非其義, 雖千金之利, 不動心焉.
>
> -『삼국사기』-

① 貴 ② 義 ③ 金 ④ 利 ⑤ 和

[19~20] 다음 글을 읽고 물음에 답하시오.

> 物之生長, ㉠無卒成暴起, 皆有浸漸.
>
> -『논형』-

19. ㉠에서 마지막으로 풀이되는 것은?

① 無 ② 卒 ③ 成 ④ 暴 ⑤ 起

20. 윗글에 대한 이해로 옳은 것은?

① 남이 잘할 수 있도록 도와주어야 해.
② 남의 단점을 경솔하게 말해서는 안 돼.
③ 자신의 장점을 함부로 자랑해서는 안 돼.
④ 올바른 성장을 하려면 좋은 환경이 중요해.
⑤ 무엇이든 차츰차츰 해 나아가는 것이 중요해.

[21~22] 다음 글을 읽고 물음에 답하시오.

> ㉠上好禮, 則民莫敢不㉡敬, 上好義, 則民莫敢不㉢服, 上好㉣信, 則民莫敢不用情, 夫㉤如是, 則㉮四方之民, 襁負其子而至矣.
>
> * 襁(강): 포대기
>
> -『논어』-

21. ㉠~㉤의 풀이로 옳지 않은 것은?

① ㉠: 윗사람 ② ㉡: 공경하다 ③ ㉢: 복종하다
④ ㉣: 믿음 ⑤ ㉤: 만약

22. 윗글의 내용으로 보아 ㉮의 의미로 옳은 것은?

① 자식이 부모를 진심으로 봉양하게 될 것이다.
② 천하의 백성들이 가족을 데리고 찾아올 것이다.
③ 부모는 부모답게 자식은 자식답게 처신할 것이다.
④ 백성들이 가족을 부양하는 데 걱정이 없을 것이다.
⑤ 천하의 젊은이들을 내 자식처럼 사랑하게 될 것이다.

제2외국어/한문 영역

[23~24] 다음 글을 읽고 물음에 답하시오.

> 不求同年同月同日生, ㉠只願同年同月同日死, 皇天后土, 以鑑此心, 背義忘恩, 天人共戮.
>
> * 后土(후토): 땅의 신 * 戮(륙): 죽이다
>
> -『삼국지통속연의』-

23. 의미상 ㉠과 바꾸어 쓸 수 있는 것은?

① 非 ② 勿 ③ 但 ④ 豈 ⑤ 支

24. 윗글의 내용에 대한 설명으로 알맞은 것은?

① 생일을 축하하고 있다.
② 결의를 맹세하고 있다.
③ 죽은 이를 애도하고 있다.
④ 전쟁의 참상을 말하고 있다.
⑤ 떠나는 사람을 송별하고 있다.

[25~26] 다음 시를 읽고 물음에 답하시오.

> (가) ㉠白髮三千丈, 緣愁似箇長.
> 不知㉡明鏡裏, ㉢何處得秋霜.
>
> * 箇(개): 이것
>
> - 이백, 「秋浦歌」 -
>
> (나) 近來㉣安否問如何, 月白紗窓妾恨多.
> 若使夢魂行有跡, ㉤門前石路已成沙.
>
> * 紗(사): 비단
>
> - 이옥봉, 「自述」 -

25. ㉠~㉤의 풀이로 옳지 않은 것은?

① ㉠: 흰머리 ② ㉡: 밝은 거울 ③ ㉢: 어디
④ ㉣: 사는 곳 ⑤ ㉤: 문 앞

26. 위 시에 대한 이해로 옳지 않은 것은?

[27~28] 다음 글을 읽고 물음에 답하시오.

> 公, 覲省溫陽, ㉠往來之時, 不入官家, 常簡僕從, 時或騎牛.
>
> * 覲(근): 뵙다 * 僕(복): 하인
>
> -『연려실기술』-

27. ㉠의 독음으로 옳은 것은? [1점]

① 왕복 ② 주거 ③ 왕래 ④ 주택 ⑤ 거래

28. 윗글의 내용과 관계있는 것은?

① 溫順 ② 榮辱 ③ 反省 ④ 時急 ⑤ 淸廉

[29~30] 다음 글을 읽고 물음에 답하시오.

> 李掌令命殷, 癖於書. 雖在路上, 常執木枝以行, 曰: "不可一刻忘㉠執筆之法也." 竟以筆名世.
>
> * 命殷(명은): 사람 이름 * 癖(벽): 버릇
>
> -『형설기문』-

29. ㉠과 짜임이 같은 것은? [1점]

① 開業 ② 萬年 ③ 日出 ④ 人造 ⑤ 本末

30. 윗글의 내용을 이해한 그림으로 알맞은 것은?

① 
②  
③ 
④  
⑤ 

* 확인 사항
○ 답안지의 해당란에 필요한 내용을 정확히 기입(표기)했는지 확인하시오.

정답과 해설

2018학년도 6월 모의평가

1	②	7	①	13	③	19	②	25	①
2	④	8	②	14	①	20	⑤	26	④
3	②	9	①	15	③	21	③	27	⑤
4	③	10	⑤	16	⑤	22	②	28	⑤
5	④	11	②	17	④	23	⑤	29	③
6	⑤	12	④	18	①	24	①	30	②

1. 그림 문제

'소나무 아래에서 차를 마시는 모습'에서 '松'(소나무 송), '下'(아래 하), '茶'(차 다), '圖'(그림 도)가 있으므로 ㉠에는 '마시다'라는 뜻의 한자가 들어가야 한다.

① 飢(굶주릴 기) ② 飮(마실 음) ③ 飽(배부를 포)
④ 飯(밥 반) ⑤ 飾(꾸밀 식)

답: ②

2. 조건을 만족하는 한자 문제

조건을 만족하는 한자를 찾는 문제이다. 문제에서는 음, 갑골문의 모양, 총획, 결합할 수 있는 한자를 알려 주고 있다. 보통은 음으로 찾는 게 가장 빠르므로 음이 '廣'(넓을 광)과 같은 한자를 먼저 찾아보자.

① 充(찰 충) ② 尖(뾰족할 첨) ③ 共(함께 공)
④ 光(빛 광) ⑤ 示(보일 시)

여기에서 음이 '광'인 것은 '光'뿐이다.

답: ④

3. 합자 문제

㉠은 水+兄=況(하물며 황), ㉡은 手+員=損(덜 손)이다.

답: ②

4. 의미 관계 문제

ㄱ. 屈(굽을 굴) – 伸(펼 신)
ㄴ. 增(더할 증) – 加(더할 가)
ㄷ. 補(도울 보) – 助(도울 조)
ㄹ. 緩(느릴 완) – 急(급할 급)

답: ③

5. 한자어 문제

알아보려는 한자어는 '着手'(착수)이다.

㉠ '禽獸'의 독음은 '금수'이다.
㉡ 글자 그대로 풀이하면 '손을 붙임'이다.
㉢ '終結'(종결)은 유의어가 아니라 반의어이다.
㉣ 당연하다.

답: ④

6. 한자어 문제

① 豫想(예상) ② 騷動(소동) ③ 疏通(소통)
④ 傾聽(경청) ⑤ 靜肅(정숙)

답: ⑤

7. 십자말풀이 문제

가로 열쇠는 '孤掌難鳴'(고장난명), 세로 열쇠는 '鷄鳴狗盜'(계명구도)이다. '鷄鳴狗盜'는 처음 등장한 사자성어라 찾지 못했을 수도 있다. 그러나 '孤掌難鳴'만 알고 있어도 답을 찾는 데에는 아무런 지장이 없다.

① 鳴(울 명) ② 成(이룰 성) ③ 獨(홀로 독)
④ 達(이를 달) ⑤ 才(재주 재)

답: ①

8. 한자어 문제

원래의 뜻이 '가지와 잎'이므로 '가지'와 '잎'이 들어가는 한자어를 찾으면 된다.

① 指定(지정) ② 枝葉(지엽) ③ 基礎(기초)
④ 溫床(온상) ⑤ 根幹(근간)

답: ②

9. 한자어 문제

'돌(石)로 만든 얼음(氷) 창고(庫)'라는 것에서 답을 찾을 수 있다.

답: ①

10. 한중일 한자어 문제

'打折'에는 신경 쓰지 않아도 된다. 물건값을 깎아 준다는 뜻의 한자어를 찾으면 된다.

① 割當(할당) ② 削減(삭감) ③ 割賦(할부)
④ 削除(삭제) ⑤ 割引(할인)

답: ⑤

11. 사자성어 문제

지금까지 등장하지 않던 사자성어인 '隔世之感'(격세지감), '看雲步月'(간운보월), '日暮途遠'(일모도원)이 포함되었다.

① 隔世之感(격세지감): 세대를 거른 느낌. 다른 세대를 만난 것처럼 몹시 달라진 느낌.
② 看雲步月(간운보월): 구름을 보고 달을 밟음. 객지에서 가족을 생각함.
③ 同病相憐(동병상련): 같은 병을 앓는 사람끼리 서로 가엾게 여김. 어려운 처지에 있는 사람끼리 서로 동정하고 도움.
④ 日暮途遠(일모도원): 해는 지고 길은 멂. 늙고 쇠약해서 앞날이 얼마 남지 않음.
⑤ 風樹之歎(풍수지탄): 바람과 나무의 탄식. 효도하고자 할 때 이미 부모를 여의고 효행을 다하지 못하는 자식의 슬픔.

답: ②

12. 카드 문제

① 내가 잘못한 것이 분명해서 변명할 말도 없어.
☞ 有口無言(유구무언)

② 솜씨가 얼마나 좋은지 다른 사람들과 비교가 안 돼.
☞ 群鷄一鶴(군계일학)

③ 모처럼 좋은 일 생기나 했더니 하필 그런 일이 터지다니.
☞ 鷄卵有骨(계란유골)

④ 그 일을 시작한 지 얼마나 되었다고 벌써 효과를 바라니.
☞ 見卵求鷄(견란구계)
처음 등장한 사자성어로 찾기 쉽지 않았을 것이다. 그러나 나머지 답을 소거하는 방법으로 답을 찾을 수 있다.

⑤ 말에 가시가 있는 것이 그냥 해 보는 말은 아닌 것 같구나.
☞ 言中有骨(언중유골)

답: ④

13. 시나리오 문제

① 落花流水(낙화유수): 떨어지는 꽃과 흐르는 물.
② 水魚之交(수어지교): 물과 고기의 사귐.
③ 覆水難收(복수난수): 엎어진 물은 거두기 어려움.
④ 上善若水(상선약수): 최고의 선은 물과 같음.
⑤ 流水不腐(유수불부): 흐르는 물은 썩지 않음.

답: ③

14. 대구 문제

滄浪之水, (㉠)兮, 可以濯吾纓.
창 랑 지 수 혜 가 이 탁 오 영
창랑의 물이 ㉠하면 내 갓끈을 씻을 수 있다.
滄浪之水, 濁兮, 可以濯吾足.
창 랑 지 수 탁 혜 가 이 탁 오 족
창랑의 물이 흐리면 내 발을 씻을 수 있다.

대구 문제는 윗글을 해석해서 푸는 문제가 아니다. 한문의 대구를 이용해서 빈칸에 알맞은 한자를 찾는 문제이다. '(㉠)兮'와 '濁兮'가 대구를 이루고 있으므로 ㉠에는 '濁'(흐릴 탁)과 비슷하거나 반대되는 뜻의 한자가 들어가야 한다.

① 淸(맑을 청) ② 波(물결 파) ③ 浸(잠길 침)
④ 涉(건널 섭) ⑤ 決(터질 결)

'濁'과 비슷하거나 반대되는 뜻의 한자는 '淸'뿐이다.

답: ①

15. 단문 문제

① 二人同心, 其利斷金.
이 인 동 심 기 리 단 금
두 사람이 마음을 함께하면 그 날카로움이 쇠를 끊는다.

② 予所憎兒, 先抱之懷.
여 소 증 아 선 포 지 회
내가 미워하는 바의 아이는 먼저 그것을 품에 안으라.

③ 患生于所忽, 禍起于細微.
환 생 우 소 홀 화 기 우 세 미
근심은 소홀히 하는 바에서 생기고, 화는 가늘고 작은 것에서 일어난다.

④ 右手畫圓, 左手畫方, 不能兩成.
우 수 화 원 좌 수 화 방 불 능 량 성
오른손은 동그라미를 그리고 왼손은 네모를 그리면 둘 다 이루어질 수 없다.

⑤ 雖危亂之際, 人心固結則國安, 人心離散則國危.
수 위 란 지 제 인 심 고 결 즉 국 안 인 심 리 산 즉 국 위
비록 위태롭고 어지러운 사이에서도 사람의 마음이 굳게 맺히면 나라가 평안하고, 사람의 마음이 떨어져 흩어지면 나라가 위태롭다.

답: ③

16. 단문 문제

① 無義之朋, 不可交.
무 의 지 붕 불 가 교
의리가 없는 벗은 사귀어서는 안 된다.

② 欲識其人, 先視其友.
욕 식 기 인 선 시 기 우
그 사람을 알고자 하면 먼저 그 벗을 보라.

③ 君子, 必愼其所與處者焉.
군 자 필 신 기 소 여 처 자 언
군자는 반드시 그 더불어 처하는 바의 것에 신중해야 한다.

④ 取友必端人, 擇友必勝己.
취 우 필 단 인 택 우 필 승 기
벗을 취함에는 반드시 남을 바로잡아야 하고 벗을 고름에는 반드시 자기보다 나아야 한다.

⑤ 玉不自出, 人自採之, 鏡不自見, 人自照之.
옥 부 자 출 인 자 채 지 경 부 자 현 인 자 조 지
옥은 스스로 나오지 않지만 사람이 스스로 그것을 캐고, 거울은 스스로 드러내지 않지만 사람이 스스로 그것을 비춘다.

답: ⑤

17. 빈칸 문제

君非民, 孰與爲國.
군 비 민 숙 여 위 국
임금이 백성을 배반하면 누구와 더불어 나라를 위하겠는가.
故曰君人者以(㉠)爲天.
고 왈 군 인 자 이 위 천
그러므로 임금 된 자는 ㉠으로써 하늘을 삼는다고 하였다.

① 宗廟(종묘) ② 官吏(관리) ③ 先祖(선조)
④ 百姓(백성) ⑤ 諸侯(제후)

답: ④

18. 단문 문제

前事之不忘, 後事之師也.
전 사 지 불 망 후 사 지 사 야
앞일의 잊지 않음은 뒷일의 스승이다.

① 前車覆, 後車戒.
전 거 복 후 거 계
앞 수레가 뒤집히면 뒷 수레가 경계한다.

② 盜以後捉, 不以前捉.
도 이 후 착 불 이 전 착
도둑맞고 뒤에 잡고 앞서 잡지 말라.

③ 精思力行, 何憂不至.
정 사 력 행 하 우 부 지
정밀히 생각하고 힘써 행해도 어찌 근심이 이르지 않겠는가.

④ 先卽制人, 後則爲人所制.
선 즉 제 인 후 즉 위 인 소 제
앞서면 곧 남을 다스리고, 뒤지면 곧 남에게 다스려지는 바가 된다.

⑤ 治病於未起之前, 不治於旣成之後.
치 병 어 미 기 지 전 불 치 어 기 성 지 후
아직 일어나기 전에 병을 치료하고, 이미 이루어진 뒤에 치료하지 말라.

답: ①

[19~20] 화랑(花郞)

其後, 更取㉠美貌男子, 粧飾之, ㉡名花郞而奉之, 徒衆雲集.
기 후 갱 취 미 모 남 자 장 식 지 명 화 랑 이 봉 지 도 중 운 집
그 뒤에 다시 아름다운 모습의 남자를 취하여 그를 장식하고 화랑이라고 이름하고 그를 받드니 따르는 무리가 구름처럼 모여들었다.

或相磨以道義, 或相悅以歌樂, 遊娛山水, 無遠不至.
혹 상 마 이 도 의 혹 상 열 이 가 악 유 오 산 수 무 원 부 지
혹은 서로 도의로써 갈고, 혹은 서로 노래와 음악으로써 즐거워하며, 산과 물에서 놀고 즐기니, 멀어 이르지 않음이 없었다.

因此, 知其人邪正, 擇其善者, 薦之於朝.
인 차 지 기 인 사 정 택 기 선 자 천 지 어 조
이로 인하여 그 사람의 사악함과 바름을 알아 그 착한 자를 골라 그를 조정에 천거하였다.

19. 짜임 문제

㉠은 '아름다운 모습'으로 해석되므로 그 짜임은 '수식'이다.

① 登山(등산): 산에 오르다. (술보)
② 夕陽(석양): 저녁의 햇빛. (수식)
③ 浮沈(부침): 뜨고 가라앉음. (병렬)
④ 背反(배반): 등지고 돌아섬. (병렬)
⑤ 日出(일출): 해가 나오다. (주술)

답: ②

20. 해석 문제

㉡은 '화랑이라고 이름하고 그를 받들다'로 해석되므로 풀이 순서는 '花郞 → 名 → 以 → 之 → 奉'이다.

답: ⑤

[21~22] 맹자(孟子)

生亦我所㉠欲也, 義亦我所欲也, 二者, 不可得兼, 舍生而取義者也.
생 역 아 소 욕 야 의 역 아 소 욕 야 이 자 불 가 득 겸 사 생 이 취 의 자 야
삶 또한 내가 바라는 바이고, 의 또한 내가 바라는 바이지만, 두 가지 것이 같이 얻을 수 없다면 삶을 버리고 의를 취하는 것이다.

生亦我所欲, 所欲, 有甚於生者.
생 역 아 소 욕 소 욕 유 심 어 생 자
삶 또한 내가 바라는 바이지만, 바라는 바에는 삶이라는 것보다 심한 것이 있다.

故, 不爲㉡苟得也, 死亦我所惡, 所惡, 有甚於死者.
고 불 위 구 득 야 사 역 아 소 오 소 오 유 심 어 사 자
그러므로 구차하게 얻으려 하지 않는 것이고 죽음 또한 내가 싫어하는 바이지만 싫어하는 바에는 죽는 것보다 심한 것이 있다.

故, 患有所不辟也.
고 환 유 소 불 피 야
그러므로 근심이 피하지 않는 바에 있다.

㉢如使人之所欲, 莫甚於生, 則凡可以得生者, 何不用也. <하략>
여 사 인 지 소 욕 막 심 어 생 즉 범 가 이 득 생 자 하 불 용 야
만약 사람이 바라는 바가 삶보다 심함이 없으면 무릇 삶을 얻을 수 있는 것이면 어찌 쓰지 않겠는가.

21. 해석 문제

㉡은 '진실로'가 아니라 '구차하게'로 해석된다.

답: ③

22. 해석 문제

② '惡'은 '미워하다'로 해석되므로 독음은 '오'이다. 한편, '惡漢'의 독음은 '악한'이므로 독음이 같지 않다.

답: ②

[23~24] 황희(黃喜)

厖村, 年至九十, ㉠聰明不少衰, 朝廷典章經史子書, 若燭照算數.
방 촌 년 지 구 십 총 명 불 소 쇠 조 정 전 장 경 사 자 서 약 촉 조 산 수
황희는 나이가 90에 이르러도 총명함이 조금도 쇠하지 않아 조정의 전장, 경서와 사서, 공자의 책이 촛불로 비추어 수를 세는 것과 같았다.

常宴坐一室, 終日無言, 互開兩眼看書而已, 雖壯年強記者, 亦不敢㉡企.
상 연 좌 일 실 종 일 무 언 호 개 양 안 간 서 이 이 수 장 년 강 기 자 역 불 감 기
늘 잔치하면 한 방에 앉아 날을 다하도록 말이 없고 서로 두 눈을 열어 책을 볼 뿐이었으니 비록 장년의 기억에 강한 자 또한 감히 바라지 못하였다.

23. 독음 문제

㉠의 독음은 '총명'이다.

답: ⑤

24. 바꾸어 쓸 수 있는 한자 문제

㉡은 '바랄 기'이므로 바꾸어 쓸 수 있는 한자는 '望'(바랄 망)이다.

답: ①

[25~27] 전론(錢論)

天下至廣, 而産財各異, ㈎ 其勢, 不能不轉移
천 하 지 광 이 산 재 각 이 기 세 불 능 부 전 이
流通, ㈏ 此錢所以作.
류 통 차 전 소 이 작
천하는 지극히 넓어 나는 재물이 각각 달라 그 형세가 구르고 옮겨 흘러 통하게 하지 않을 수 없으니 이는 돈이 만들어진 까닭이다.
錢無用之器, ㈐ 特㉠權而㉡宜之, 欲財之盡乎
전 무 용 지 기 특 권 이 의 지 욕 재 지 진 호
用也.
용 야
돈은 쓸데없는 도구로 다만 저울질하여 그것을 마땅히 하고 재물이 쓰임에 다하고자 하는 것이다.
然歷代因㉢革, 辯論各明, 廢之則有濕粟㉣薄
연 력 대 인 혁 변 론 각 명 폐 지 즉 유 습 속 박
絹之患, 行之則有重利㉤逐末之尤.
견 지 환 행 지 즉 유 중 리 축 말 지 우
그러나 역대의 연혁(因革)은 (돈의 사용을 찬성하거나 반대하는) 변론이 각각 분명한데 그것을 폐하면 곡식이 축축해지고 비단이 얇아지는 근심이 있고, 그것을 행하면 이익을 중시하고 말업을 쫓는 근심이 있다.
二者皆可惡, ㈑ 惡之而不可兩廢, ㈒ 苟其可
이 자 개 가 오 오 지 이 불 가 량 폐 구 기 가
存, 弊又不足惡也.
존 폐 우 부 족 오 야
두 가지 것이 모두 미워할 만하지만 그것을 미워한다고 둘 다 폐할 수는 없으니 만약 그것이 남길 만하다면 폐단이 되더라도 또한 미워하기에 충분하지 않다.

25. 해석 문제

㉠은 '권세'가 아니라 '저울질하다'로 해석된다. '權'은 원래 '저울 추'라는 뜻이었는데 나중에 주로 '권세'라는 뜻으로 쓰이게 되었다. 맞히기 매우 어려운 문제였다.
㉡은 '마땅하다'로 해석된다. '베풀다'는 뜻의 한자는 '宜'(마땅할 의)가 아니라 '宣'(베풀 선)이다.
㉣은 '얇다'로 해석된다. '넓다'는 뜻의 한자는 '薄'(얇을 박)이 아니라 '博'(넓을 박)이다.
㉤은 '쫓다'로 해석된다. '이루다'는 뜻의 한자는 '逐'(쫓을 축)이 아니라 '遂'(이룰 수)이다.

답: ①

26. 해석 문제

돈의 유래와 기능, 폐해를 알 수 있으나 단위는 알 수 없다.

답: ④

27. 문장 삽입 문제

則甚者可去, 輕者可存.
즉 심 자 가 거 경 자 가 존
심한 것은 없앨 만하고 가벼운 것은 남길 만하다.

'甚者'와 '輕者'에서 이 문장은 '二者'가 언급된 뒤에 들어가야 한다는 것을 알 수 있다. 그리고 두 가지 것이 모두 미워할 만하지만 둘 다 폐할 수 없다는 사실이 언급되어야 심한 것은 없애고 가벼운 것은 남겨야 한다는 주장이 타당성이 생긴다.

답: ⑤

[28~30] 이달, 「산사(山寺)」
권근, 「춘일성남즉사(春日城南卽事)」

(가) 寺在白雲中, 白雲僧不㉠掃.
사 재 백 운 중 백 운 승 불 조
절이 흰 구름 속에 있는데, 흰 구름은 스님이 쓸지 않는다.
客來門始㉡開, 萬壑松花老.
객 래 문 시 개 만 학 송 화 로
손님이 오자 문이 열리기 시작하고 온 골짜기 소나무 꽃가루가 휘날리네.

(나) 春風忽已㉢近淸明, 細雨霏霏晩未㉣晴.
춘 풍 홀 이 근 청 명 세 우 비 비 만 미 청
봄바람 문득 그치고 청명이 가까운데, 가는 비 주룩주룩 저물도록 아직까지 개지 않았네.
屋角杏花開欲遍, 數枝㉤含露向人傾.
옥 각 행 화 개 욕 편 수 지 함 로 향 인 경
지붕 모서리 살구꽃 피어 퍼지려 하고, 여러 나뭇가지 이슬 머금고 사람 향해 기우네.

28. 해석 문제

㉤은 '탐하다'가 아니라 '머금다'로 해석된다. '탐하다'라는 뜻의 한자는 '含'이 아니라 '貪'이다.

답: ⑤

29. 한시 문제

ㄱ. (가)는 다섯 글자씩 네 구이므로 오언절구이다.
ㄴ. (가)의 넷째 구의 소나무 꽃가루가 휘날리는 모습에서 계절적 배경을 알 수 있다.
ㄷ. 두 구가 문법적 기능이 동일한 글자의 배열로 이루어져 있을 때 대우를 이룬다고 한다. (나)의 첫째 구와 둘째 구는 문법적 기능이 동일한 글자의 배열로 이루어져 있지 않다. 단적으로 '忽已'는 '문득 그치다'이지만 '霏霏'는 비가 내리는 모양을 나타낸 의태어이다.
ㄹ. 칠언시는 네 자, 세 자로 끊어 읽는다. 이는 칠언시를 읽는 대원칙이다.

답: ③

30. 이해와 감상 문제

① '客'(손님)도 시적 화자의 신분이라고 할 수 있지만 끝까지 읽어 보자. 확실한 답이 있을 수 있다.
② '한적한 산사의 모습을 그리고 있다'라니! 이보다 더 옳은 설명이 있을 수가 없다. 답이다.
③ 인생의 덧없음을 느낄 만한 부분이 없다.
④ 급변하는 인심은 도대체 어디 있는 걸까?
⑤ (가)와 (나) 모두 작자의 감정이 드러난 부분은 없다.

답: ②

2018학년도 9월 모의평가

1	②	7	③	13	③	19	⑤	25	④
2	⑤	8	④	14	②	20	④	26	②
3	①	9	②	15	②	21	③	27	⑤
4	⑤	10	③	16	④	22	①	28	②
5	③	11	①	17	④	23	④	29	④
6	⑤	12	①	18	①	24	⑤	30	⑤

1. 그림 문제

① 力量(역량) ② 職分(직분) ③ 兼業(겸업)
④ 妥協(타협) ⑤ 激務(격무)

답: ②

2. 조건을 만족하는 한자 문제

조건을 만족하는 한자를 찾는 문제이다. 문제에서는 음, 갑골문의 모양, 총획, 결합할 수 있는 한자를 알려 주고 있다. 보통은 음으로 찾는 게 가장 빠르므로 음이 '眉'(눈썹 미)와 같은 한자를 먼저 찾아보자.

① 米(쌀 미) ② 奏(아뢸 주) ③ 笑(웃을 소)
④ 柔(부드러울 유) ⑤ 美(아름다울 미)

여기에서 음이 '미'인 것은 '米', '美'이다. 이 중에서 글자 뒤에 '名'(이름 명)을 결합하여 '그럴듯하게 내세운 명목'이 되는 것은 '美'이다.

답: ⑤

3. 의미 관계 문제

ㄱ. 返(돌아올 반) – 還(돌아올 환)
ㄴ. 開(열 개) – 閉(닫을 폐)
ㄷ. 繼(이을 계) – 續(이을 속)
ㄹ. 乾(하늘 건) – 坤(땅 곤)

같은 뜻을 지닌 한자끼리 연결된 것은 ㄱ, ㄷ이다.

답: ①

4. 합자 문제

㉠은 日＋音＝暗(어두울 암), ㉡은 日＋干＝旱(가물 한)이다.

답: ⑤

5. 한자어 문제

알아보려는 한자어는 '鼓舞'(고무)이다.
㉠ 독음은 '고취'가 아니라 '고무'이다.
㉡ '鼓舞'를 읽을 수만 있었다면⋯⋯ 당연하다.
㉢ '援助'(원조)는 '돕다'라는 뜻으로 유의어가 아니다.
㉣ '鼓舞'를 읽을 수만 있었다면⋯⋯ 당연하다.

답: ③

6. 한자어 문제

원래의 뜻이 '그림자와 메아리'이므로 '그림자'와 '메아리'를 뜻하는 한자가 있는 한자어를 찾으면 된다.

① 反響(반향) ② 波及(파급) ③ 餘波(여파)
④ 餘韻(여운) ⑤ 影響(영향)

답: ⑤

7. 빈칸 문제

① 刊(펴낼 간) ② 知(알 지) ③ 省(살필 성)
④ 新(새로울 신) ⑤ 課(매길 과)

글에 단서가 전부 있다. '날마다(日) 자신을 반성하고(㉠) 그것을 일기 형식으로 기록(錄)'한 책이어서 '日(㉠)錄'이다. 들어갈 만한 것은 '省'밖에 없다.

답: ③

8. 한중일 한자어 문제

'禁止超速'에는 신경 쓰지 않아도 된다. ㉠에 넣어 '규정 속도를 넘지 마라'라는 의미의 한자어를 찾으면 된다.

① 快(빠를 쾌) ② 急(급할 급) ③ 等(같을 등)
④ 過(지나칠 과) ⑤ 減(덜 감)

답: ④

9. 성어 문제

① 白眼視(백안시): 흰자위로 봄. 남을 업신여기거나 냉대하여 흘겨봄.
② 伯仲勢(백중세): 맏이와 둘째의 형세. 재주나 실력, 기술 따위가 서로 비슷하여 우열을 가리기 힘든 형세.
③ 如反掌(여반장): 손바닥을 뒤집는 것과 같음. 매우 쉬움.
④ 破天荒(파천황): 천황을 깨뜨림. 이전에 아무도 하지 못한 일을 해냄.
⑤ 無盡藏(무진장): 다함이 없도록 간직함. 한없이 많이 있음.

답: ②

10. 십자말풀이 문제

가로 열쇠는 '無爲徒食'(무위도식), 세로 열쇠는 '發憤忘食'(발분망식)이다.

① 功(공 공) ② 忘(잊을 망) ③ 食(먹을 식)
④ 事(일 사) ⑤ 遊(놀 유)

답: ③

11. 한자어 문제

'萬世師表'(만세사표)를 알면 좋지만 몰라도 답을 찾을 수 있다.

① 師表(사표) ② 敎師(교사) ③ 師弟(사제)
④ 恩師(은사) ⑤ 師事(사사)

먼저 '師弟', '恩師', '師事'는 각각 '스승과 제자', '가르침을 받은 선생님', '스승으로 삼고 가르침을 받음'이라는 뜻이므로 ㉠에 들어가 '영원한 스승의 본보기'라는 뜻이 될 수 없다. 그러면 '師表'와 '敎師'가 남는데 '敎師'는 단순히 '학술·기예를 가르치는 스승'이라는 뜻이지 '스승의 본보기'라는 뜻은 없으므로 '師表'가 답임을 알 수 있다.

답: ①

12. 카드 문제

① 썩 좋진 못해도 이 방법밖에 없잖아.
☞ 苦肉之策(고육지책)

② 그런 일로 가족끼리 다투어서야 되겠니.
☞ 骨肉相爭(골육상쟁)

③ 그 고통은 이루 말할 수 없이 처참했어.
☞ 塗炭之苦(도탄지고)

④ 힘들어도 참고 견디면 좋은 날이 올 거야.
☞ 苦盡甘來(고진감래)

⑤ 그 둘은 어떻게 해도 화합할 수 없는 사이야.
☞ 氷炭不相容(빙탄불상용)

답: ①

13. 사자성어 문제

① 他山之石(타산지석): 다른 산의 돌. 다른 사람의 하찮은 언행일지라도 자신의 지덕을 연마하는 데 도움이 됨.
② 明若觀火(명약관화): 밝음이 불을 보는 것과 같음. 불 보듯 뻔함.
③ 殺身成仁(살신성인): 몸을 죽여 인을 이룸. 옳은 일을 위해 목숨을 버림.
④ 拔本塞源(발본색원): 뿌리를 뽑고 원천을 막음. 나쁜 일의 근원을 아주 없애 버려서 다시 그런 일이 생기지 않도록 함.
⑤ 隱忍自重(은인자중): 감추어 참고 스스로 (몸가짐을) 무겁게 함.

답: ③

14. 단문 문제

① 時習一汚, 百濯而不去.
시 습 일 오 　백 탁 이 불 거
그 시대의 풍속이 한 번 더럽히면 백 번 씻어도 없어지지 않는다.

② 百練絲能白, 千磨鏡始明.
백 련 사 능 백 　천 마 경 시 명
실을 백 번 표백하면 희어질 수 있고 거울을 천 번 갈면 밝아지기 시작한다.

③ 守口則無妄言, 守身則無妄行.
수 구 즉 무 망 언 　수 신 즉 무 망 행
입을 지키면 망령된 말이 없고, 몸을 지키면 망령된 행동이 없다.

④ 謂學不暇者, 雖暇, 亦不能學矣.
위 학 불 가 자 　수 가 　역 불 능 학 의
배우려는데 겨를이 없다고 이르는 사람은 비록 겨를이 있어도 또한 배울 수 없다.

⑤ 人之過誤宜恕, 而在己則不可恕.
인 지 과 오 의 서 　이 재 기 즉 불 가 서
남의 잘못은 마땅히 용서하되, 자기에게 있으면 용서해서는 안 된다.

답: ②

15. 시나리오 문제

① 隨友適江南.
수 우 적 강 남
친구 따라 강남 간다.

② 天雖崩, 牛出有穴.
천 수 붕 　우 출 유 혈
하늘이 비록 무너지더라도 소가 나올(솟아날) 구멍이 있다.

③ 窮人之事, 飜亦破鼻.
궁 인 지 사 　번 역 파 비
궁한 사람의 일은 뒤로 넘어져도 또한 코가 깨진다.

④ 佐祭者嘗, 佐鬪者傷.
좌 제 자 상 　좌 투 자 상
제사를 돕는 사람은 맛을 보고, 싸움을 돕는 사람은 다친다.

⑤ 蔬之將善, 兩葉可辨.
소 지 장 선 　양 엽 가 변
채소가 장차 잘한다면(될성부르다면) 두 잎(떡잎)부터 분별할 수 있다.

답: ②

16. 단문 문제

> 有而不知足, 失其所以有.
> 유 이 부 지 족 　실 기 소 이 유
> 있어도 만족함을 알지 못하면 그 있는 바를 잃는다.

① 不患人之不己知.
불 환 인 지 부 기 지
남이 자기를 알아주지 않음을 근심하지 말라.

② 有志者, 事竟成也.
유 지 자 　사 경 성 야
뜻이 있는 사람은 일이 끝내 이루어진다.

③ 才或不足, 非所患也.
재 혹 부 족 　비 소 환 야
재주가 혹 부족하더라도 근심할 바가 아니다.

④ 欲貪彼, 而反失此也.
욕 탐 피 　이 반 실 차 야
저것을 욕심내고 탐하면 도리어 이것을 잃는다.

⑤ 求則得之, 舍則失之.
구 즉 득 지 　사 즉 실 지
구하면 그것을 얻고, 버리면 그것을 잃는다.

답: ④

[17~18] 논어(論語)

> 富㉠與貴, 是人之所欲也, ㉮不以其道得之, 不處也.
> 부 　여 귀 　시 인 지 소 욕 야 　불 이 기 도 득 지 　불 처 야
> 부유함과 귀함, 이는 사람이 하고자 하는 바의 것이나 그 도로써 그것을 얻지 않았으면 처하지 말라.
> 貧與賤, 是人之所㉡惡也, 不以其道得之, 不去也.
> 빈 여 천 　시 인 지 소 　오 야 　불 이 기 도 득 지 　불 거 야
> 가난함과 천함, 이는 사람이 싫어하는 바의 것이나 그 도로써 그것을 얻지 않았으면 떠나지 말라.
> 君子㉢去仁, 惡乎成名?
> 군 자 　거 인 　오 호 성 명
> 군자가 인을 떠나면 어디에서 이름을 이루겠는가?

17. 해석 문제

㉠은 '~와', ㉡은 '싫어하다', ㉢은 '떠나다'로 해석된다.

답: ④

18. 해석 문제

① 非其義, 終不取.
비 기 의 종 불 취
그 의로움이 아니면 끝내 취하지 않는다.

② 屈己者, 能處重.
굴 기 자 능 처 중
자기를 굽히는 사람은 중한 곳에 처할 수 있다.

③ 滿招損, 謙受益.
만 초 손 겸 수 익
교만함은 손해를 부르고 겸손함은 이익을 받는다.

④ 不勞身, 不成功也.
불 로 신 불 성 공 야
몸을 힘쓰지 않으면 공을 이루지 못한다.

⑤ 聖人之道, 責己不責人.
성 인 지 도 책 기 불 책 인
성인의 도는 자기를 꾸짖고 남은 꾸짖지 않는 것이다.

답: ①

19. 빈칸 문제

賞而當其功, 則爲善者(㉠), 刑而當其罪, 則爲惡者懲矣.
상 이 당 기 공 즉 위 선 자 형 이 당 기 죄 즉 위 악 자 징 의
상주되 그 공에 마땅하게 하면 선을 행하는 사람이 ㉠될 것이고 형벌을 주되 그 죄에 마땅하게 하면 악을 행하는 사람이 징벌될 것이다.

① 拒(막을 거) ② 怨(원망할 원) ③ 逃(달아날 도)
④ 罰(죄 벌) ⑤ 勸(권할 권)

'勸'이 ㉠에 들어가기에 적절하다. 여기에서 '勸'은 '장려되다'로 해석하면 자연스럽다.

답: ⑤

20. 단문 문제

① 喜揚人惡, 顯殃必至.
희 양 인 악 현 앙 필 지
남의 나쁨을 들추기 좋아하면 뚜렷한 재앙이 반드시 이른다.

② 智者千慮, 必有一失.
지 자 천 려 필 유 일 실
지혜로운 사람이 천 번 생각하여도 반드시 한 번 실수가 있다.

③ 君子防未然, 不處嫌疑間.
군 자 방 미 연 불 처 혐 의 간
군자는 아직 일어나기 전에 막고, 의심을 받을 사이에 처하지 않는다.

④ 行高者, 名自高, 人所重, 非貌高.
행 고 자 명 자 고 인 소 중 비 모 고
고결하게 행동하는 사람은 이름이 저절로 높아지니 사람들이 중하게 여기는 바는 모습의 고결함이 아니다.

⑤ 薄施厚望者不報, 貴而忘賤者不久.
박 시 후 망 자 불 보 귀 이 망 천 자 불 구
얇게 베풀고 두텁게 바라는 사람은 보답받지 못하고, 귀하게 되어 천함을 잊은 사람은 오래 가지 못한다.

답: ④

[21~22] 안경(眼境)

不能視遠物者, 爲近視, 此因目中之水晶體, 太凸故也.
불 능 시 원 물 자 위 근 시 차 인 목 중 지 수 정 체 태 철 고 야
먼 물체를 볼 수 없는 사람은 근시라 하고 이는 눈 속의 수정체가 너무 볼록한 까닭으로 인한 것이다.

不能視近物者, 爲遠視, 此因目中之水晶體, 太平故也.
불 능 시 근 물 자 위 원 시 차 인 목 중 지 수 정 체 태 평 고 야
가까운 물체를 볼 수 없는 사람은 원시라 하고 이는 눈 속의 수정체가 너무 평평한 까닭으로 인한 것이다.

今以凹鏡, (㉠)近視, 凸鏡, (㉡)遠視, 其目力之遠近, 可齊而爲一矣.
금 이 요 경 근 시 철 경 원 시 기 목 력 지 원 근 가 제 이 위 일 의
지금 오목 렌즈로써 근시에 ㉠하고 볼록 렌즈로써 원시에 ㉡하니 그 시력의 멀고 가까움이 가지런해져 하나가 될 수 있다.

21. 빈칸 문제

① 昏(어두울 혼) ② 染(물들 염) ③ 配(짝 배)
④ 探(찾을 탐) ⑤ 誤(그릇될 오)

해석은 어렵지 않은데 ㉠, ㉡에 공통으로 들어갈 한자가 보이지 않았을 수 있다. '配'를 '짝지워 주다', '배치해 주다'로 해석하면 어느 정도 자연스럽다.

답: ③

22. 해석 문제

윗글에서 설명하고 있는 물건은 '안경'이다.

답: ①

[23~24] 통상혜공(通商惠工)

我國, 國小而民貧, 今耕田㉠疾作, 用其賢才, 通商惠工, 盡國中之利, ㉡猶患不足.
아 국 국 소 이 민 빈 금 경 전 질 작 용 기 현 재 통 상 혜 공 진 국 중 지 리 유 환 부 족
우리나라는 나라가 작고 백성은 가난해 지금 밭을 갈고 서둘러 농사짓고 그 현명한 인재를 쓰고 상업을 통하고 공업에 혜택을 주고 나라 안의 이익을 다해도 오히려 부족함을 근심한다.

又必通遠㉢方之物而後, 貨財殖焉, 百用生焉.
우 필 통 원 방 지 물 이 후 화 재 식 언 백 용 생 언
또한 반드시 먼 곳의 물건을 통하게 한 뒤에야 재화가 그것에서 불어나고 온갖 쓰임이 그것에서 생긴다.

夫百車之㉣載, 不及一船, 陸行千里, 不如舟行萬里之爲㉤便利也.
부 백 거 지 재 불 급 일 선 륙 행 천 리 불 여 주 행 만 리 지 위 편 리 야
무릇 백 수레의 실음은 한 배에 미치지 못하니, 육지로 천 리를 다님은 배가 만 리를 다니는 편리함만 못하다.

故通商者, 又必以水路爲貴.
고 통 상 자 우 필 이 수 로 위 귀
그러므로 상업을 통하는 자는 또한 반드시 물길로써 귀함을 삼아야 한다.

23. 해석 문제

㉠: '疾'에는 '아프다'라는 뜻 말고도 '빠르다'라는 뜻도 있다. '疾走'(질주)의 '疾'은 '疾'이 '빠르다'라는 뜻으로 쓰인 대표적인 예이다. 여기에서는 '빠르다'로 해석된다.
㉡: '猶'에 '같다'라는 뜻이 있지만 여기에서는 '오히려'로 해석된다.
㉢: '方'에 '방법'이라는 뜻이 있지만 여기에서는 '장소'로 해석된다.
㉣: '便'에 '문득'이라는 뜻이 있지만 '便利'에서 '편하다'로 해석된다는 것을 알 수 있다.

답: ④

24. 해석 문제

윗글에서 말하고자 하는 것은 '수로 통상의 효용'이다.

답: ⑤

[25~27] 허생전(許生傳)

一日, 妻甚飢, 泣曰: "子平生, 不赴擧, 讀書何爲?"
일 일 처 심 기 읍 왈 자 평 생 불 부 거 독 서 하 위
하루는 아내가 심히 굶주려 울며 말하기를, "그대는 평생 과거에 나아가지 않으니 책을 읽어 무엇을 합니까?"

許生笑曰: "吾讀書未熟."
허 생 소 왈 오 독 서 미 숙
허생이 웃으며 말하기를, "내가 책읽기가 미숙하오."

妻曰: "不有工乎?"
처 왈 불 유 공 호
아내가 말하기를, "공업이 있지 않습니까?"

生曰: "工未素學, 奈何?"
생 왈 공 미 소 학 내 하
허생이 말하기를, "공업은 본래 배우지 않았는데 어찌 하겠소?"

妻曰: "不有商乎?"
처 왈 불 유 상 호
아내가 말하기를, "장사가 있지 않습니까?"

生曰: "商無㉠本錢, 奈何?"
생 왈 상 무 본 전 내 하
허생이 말하기를, "장사는 본전이 없으니 어찌 하겠소?"

其妻恚且罵曰: "晝夜讀書, 只學奈何. 不工不商, 何不盜賊?"
기 처 에 차 매 왈 주 야 독 서 지 학 내 하 불 공 불 상 하 불 도 적
그 아내가 성나 꾸짖어 말하기를, "밤낮으로 책을 읽더니 겨우 '어찌 하겠소'만 배웠군요. 공업도 못 하고 장사도 못 한다니 도둑질은 왜 못 하나요?"

許生, 掩卷起曰: "惜乎! 吾讀書, 本期十年, 今七年矣." 出門而去, 無相識者.
허 생 엄 권 기 왈 석 호 오 독 서 본 기 십 년 금 칠 년 의 출 문 이 거 무 상 식 자
허생이 책을 덮고 일어나 말하기를, "슬프도다! 내가 책을 읽기를 본래 10년을 기약했거늘 이제 7년이구나." 문을 나서 떠나니 아는 사람이 없었다.

直之雲從街, 問市中人曰: "漢陽中, 誰最富?"
직 지 운 종 가 문 시 중 인 왈 한 양 중 수 최 부
有㉡道卞氏者, 遂訪其家.
유 도 변 씨 자 수 방 기 가
곧장 운종가로 가 저자의 사람에게 물어 말하기를, "한양 가운데서 누가 가장 부유하오?" 변씨를 말하는 사람이 있어 드디어 그 집에 방문했다.

25. 짜임 문제

㉠은 '바탕이 되는 돈'으로 해석되므로 그 짜임은 '수식'이다.
① 日沒(일몰): 해가 지다. (주술)
② 登校(등교): 학교에 오르다. (술보)
③ 勝負(승부): 이기고 짐. (병렬)
④ 晩秋(만추): 늦은 가을. (수식)
⑤ 養育(양육): 키우고 기름. (병렬)

답: ④

26. 해석 문제

'道'는 보통 '길'이라는 뜻으로 쓰이지만 ㉡에서는 '말하다'로 해석된다.

ㄱ. 無道人之短.
무 도 인 지 단
남의 단점을 말하지 말라.

ㄴ. 人不學, 不知道.
인 불 학 부 지 도
사람이 배우지 않으면 도를 알지 못한다.

ㄷ. 道吾過者, 是吾師.
도 오 과 자 시 오 사
나의 허물을 말하는 사람은 바로 나의 스승이다.

ㄹ. 古之道, 言貴乎簡.
고 지 도 언 귀 호 간
옛날의 도에서는 말이 간결함보다 귀했다.

'말하다'라는 뜻으로 쓰인 것은 ㄱ, ㄷ이다.

답: ②

27. 해석 문제

국어 시간에 「허생전」만 읽어 보았어도 풀 수 있는 문제이다. 허생은 계획했던 것보다 3년 덜 공부했다.

답: ⑤

[28~30] 소옹, 「청야음(淸夜吟)」
이곡, 「도중피우유감(途中避雨有感)」

(가) 月到天㉠心處, 風來水面時.
월 도 천 심 처 풍 래 수 면 시
달이 하늘의 중심에 이른 곳, 바람이 물의 표면에 온 때.

一般淸意味, 料得㉡少人知.
일 반 청 의 미 요 득 소 인 지
이러한 맑은 뜻, 적은 사람만이 안다는 것을 헤아려 얻었도다.

(나) 甲㉢第當街蔭綠槐, 高門應㉣爲子孫開.
갑 제 당 가 음 록 괴 고 문 응 위 자 손 개
갑제(큰 집)가 거리에 맞닿고 푸른 그늘은 홰나무이니, 높은 문은 응당 자손을 위해 열었겠지.

年來ⓜ易主無車馬, 唯有行人避雨來.
연 래 역 주 무 거 마 유 유 행 인 피 우 래

해가 지나 주인이 바뀌니 수레와 말이 없고, 오직 지나가는 사람이 있어 비를 피하러 오네.

28. 해석 문제

ⓛ은 '어리다'가 아니라 '적은'으로 해석된다.

답: ②

29. 한시 문제

ㄱ. 운자는 짝수 구의 마지막 글자에 오고, 첫째 구의 마지막 글자에 올 수 있다. '時'(시), '知'(지)가 운자이므로 '處'(처)는 운자가 아님을 알 수 있다.

ㄴ. 두 구가 문법적 기능이 동일한 글자의 배열로 이루어져 있을 때 대우를 이룬다고 한다. (나)의 첫째 구와 둘째 구는 문법적 기능이 동일한 글자의 배열로 이루어져 있으므로 대우를 이룬다.

月	到	天心	處
↕	↕	↕	↕
風	來	水面	時

ㄷ. (나)는 문답의 형식으로 구성되어 있지 않다.

ㄹ. 칠언시는 네 자, 세 자로 끊어 읽는다. 이는 칠언시를 읽는 대원칙이다.

답: ④

30. 이해와 감상 문제

① (가)의 둘째 구를 읽고 시적 화자가 풍파를 겪은 삶을 살았다는 것은 절대 추론할 수 없다.

② (나) 비가 오는 궂은 날씨가 암울한 시대를 비유한 것이라고 생각할 근거가 전혀 없다. 하지만 이 한시의 창작 배경에 암울한 시대가 있을지는 모르는 일이다. 이따금씩 창작 배경을 이유로 옳은 설명이 되는 경우가 있으니 옳지 않다고 예단할 수 없다.

③ (나)에는 신분이 다른 사람들의 모습이 대비적으로 그려져 있지 않다.

④ (가)에서는 시간이 흐르는지도 알 수 없고, 더구나 (가), (나) 모두 정서가 바뀌는 부분도 없다.

⑤ (가)는 자연에서 얻은 깨달음을, (나)는 인간사에 대한 느낌을 나타냈다. 가장 무난한 설명이다. 답이다.

답: ⑤

2018학년도 수학능력시험

1	④	7	①	13	④	19	②	25	①
2	①	8	③	14	①	20	①	26	⑤
3	②	9	⑤	15	⑤	21	④	27	②
4	①	10	①	16	③	22	③	28	⑤
5	②	11	②	17	⑤	23	⑤	29	④
6	⑤	12	④	18	③	24	③	30	④

1. 그림 문제

① 久(오랠 구) ② 靑(푸를 청) ③ 活(살 활)
④ 壽(목숨 수) ⑤ 舊(옛 구)

'오래'나 '살다'만 보고 '久'나 '活'을 답으로 고르지만 않으면 된다. 그리고 '久'와 '舊'의 뜻이 미묘하게 다르다는 것도 알아 두자.

답: ④

2. 조건을 만족하는 한자 문제

조건을 만족하는 한자를 찾는 문제이다. 문제에서는 음, 제자 원리, 총획, 결합할 수 있는 한자를 알려 주고 있다. 보통은 음으로 찾는 게 가장 빠르므로 음이 '刊'(펼 간)과 같은 한자를 먼저 찾아 보자.

① 看(볼 간) ② 突(갑자기 돌) ③ 革(가죽 혁)
④ 急(급할 급) ⑤ 倫(인륜 륜)

여기에서 음이 '간'인 것은 '看'뿐이다.

답: ①

3. 합자 문제

㉠은 木+反=板(널빤지 판), ㉡은 木+且=査(조사할 사)이다.

답: ②

4. 한자어 문제

원래의 뜻이 '상아로 장식한 깃발을 세운 대장군의 성'이므로 '상아'와 '성'을 뜻하는 한자가 들어간 한자어를 찾으면 된다.

① 牙城(아성) ② 要塞(요새) ③ 刑象(형상)
④ 軍旗(군기) ⑤ 將星(장성)

답: ①

5. 한자어 문제

알아보려는 한자어는 '聲援'(성원)이다.

㉠ '成員'의 음은 '성원'으로 '聲援'과 음이 같다.
㉡ 글자 그대로 풀이하면 '소리쳐 도와줌'이다.
㉢ 얼마나 비슷해야 유의어일까……. 일단 판단을 보류해도 좋다.
㉣ '聲援'을 읽을 수만 있다면…… 당연하다.
㉠, ㉣이 확실하니 답은 ②이다.

답: ②

6. 한중일 한자어 문제

'慢'에는 신경 쓰지 않아도 된다. ㉠에 넣어 '차량을 천천히 운행하라'라는 뜻의 한자어를 찾으면 된다.

① 走(달릴 주) ② 步(걸음 보) ③ 同(같을 동)
④ 直(곧을 직) ⑤ 徐(천천히 서)

답: ⑤

7. 빈칸 문제

'뜰을 지나가는(過) 아들에게 가르침을 주었다'라는 이야기에서 유래한 책이고, '過'(지날 과), '錄'(기록할 록)이 있으므로 ㉠에는 '뜰'이라는 뜻의 한자가 들어가야 한다.

① 庭(뜰 정) ② 業(일 업) ③ 程(과정 정)
④ 題(제목 제) ⑤ 誤(그릇될 오)

답: ①

8. 한자어 문제

① 登(오를 등) ② 地(땅 지) ③ 等(같을 등)
④ 連(잇닿을 련) ⑤ 騰(오를 등)

답: ③

9. 십자말풀이 문제

가로 열쇠는 '日暮途遠'(일모도원), 세로 열쇠는 '朝令暮改'(조령모개)이다.

① 募(모을 모) ② 墓(무덤 묘) ③ 幕(장막 막)
④ 慕(사모할 모) ⑤ 暮(저물 모)

성어를 몰라도 ㉠은 두 성어에 공통적으로 들어가는 한자이므로, 가로 열쇠의 '저물다', 세로 열쇠의 '저녁'이라는 표현에서 답을 찾을 수 있다.

답: ⑤

10. 성어 문제

① 如反掌(여반장): 손바닥을 뒤집는 것과 같음. 매우 쉬움.
② 口舌數(구설수): 구설을 듣게 되는 운수.
③ 背水陣(배수진): 물을 등진 진. 더 이상 물러설 수 없음.
④ 下馬評(하마평): 말에서 내렸을 때의 평가. 관직에 임명될 후보자에 관하여 세상에 떠도는 풍설.
⑤ 長蛇陣(장사진): 긴 뱀과 같은 진. 많은 사람이 줄을 지어 길게 늘어선 모양.

답: ①

11. 사자성어 문제

① 後生可畏(후생가외): 뒤에 난 사람은 두려워할 만함. 후진들이 선배들보다 젊고 기력이 좋아, 학문을 닦음에 따라 큰 인물이 될 수 있으므로 가히 두렵다는 말.
② 骨肉之情(골육지정): 뼈와 살의 정. 가까운 혈족 사이의 의로운 정.
③ 易地思之(역지사지): 처지를 바꾸어 그것을 생각함.
④ 我田引水(아전인수): 내 논에 물을 끌어들임.
⑤ 難兄難弟(난형난제): 형이라 하기 어렵고 아우라 하기 어려움. 두 사물이 서로 비슷하여 낫고 못함을 정하기 어려움.

답: ②

12. 카드 문제

① 그 자전거 한번 보면 갖고 싶어질 걸.
☞ 見物生心(견물생심)

② 뻔히 보고도 그렇게 쉬운 걸 모르다니.
☞ 目不識丁(목불식정)

③ 아무리 힘들어도 꿋꿋하게 버텨 주면 좋겠어.
☞ 그림의 한자를 포함하는 사자성어가 떠오르지 않는다.

④ 일은 안 하고 노는 꼴이란 참으로 가관이군.
☞ 目不忍見(목불인견)

⑤ 알량한 재주가 도리어 일을 그르치고 말았어.
☞ 그림의 한자를 포함하는 사자성어가 떠오르지 않는다.

답: ④

13. 단문 문제

① 己所不欲, 勿施於人.
기 소 불 욕 물 시 어 인
자기가 하고자 하지 않는 바를 남에게 베풀지 말라.

② 無贈弟物, 有贈盜物.
무 증 제 물 유 증 도 물
동생에게 줄 것은 없어도 도둑에게 줄 것은 있다.

③ 佐祭者嘗, 佐鬪者傷.
좌 제 자 상 좌 투 자 상
제사를 돕는 사람은 맛보고, 싸움을 돕는 사람은 다친다.

④ 當斷不斷, 反受其亂.
당 단 부 단 반 수 기 란
마땅히 끊어야 하지만 끊지 않으면 거꾸로 그 어지러움을 받는다.

⑤ 積善之家, 必有餘慶.
적 선 지 가 필 유 여 경
선을 쌓는 집안은 반드시 남는 경사가 있다.

답: ④

14. 사자성어 문제

> 勢交者近, 勢竭而亡, 財交者密, 財盡而疏.
> 세 교 자 근 세 갈 이 망 재 교 자 밀 재 진 이 소
> 권세로 사귀는 사람은 가깝다가도 세력이 다하면 없어지고, 재물로 사귀는 사람은 빽빽하다가도 재물이 다하면 듬성듬성해진다.

① 炎涼世態(염량세태): 뜨겁고 찬 세상의 모양. 세력이 있을 때는 아첨하여 따르고 세력이 없어지면 푸대접하는 세상 인심.
② 近墨者黑(근묵자흑): 먹을 가까이하는 사람은 검음. 나쁜 사람과 사귀면 물들기 쉬움.
③ 忘年之交(망년지교): 나이를 잊은 사귐. 나이에 거리끼지 않고 허물없이 사귄 벗.
④ 脣亡齒寒(순망치한): 입술이 없으면 이가 시림. 가까운 한쪽이 망하면 다른 한쪽도 온전하기 어려움.
⑤ 騎虎之勢(기호지세): 호랑이를 탄 형세. 하던 일을 중도에서 그만둘 수 없음.

답: ①

15. 대구 문제

> 政之所興, 在順民心, 政之所(㉠), 在逆民心.
> 정 지 소 흥 재 순 민 심 정 지 소 재 역 민 심
> 정치가 흥하는 바는 백성의 마음을 따르는 데 있고, 정치가 ㉠하는 바는 백성의 마음을 거스르는 데 있다.

대구 문제는 윗글을 해석해서 푸는 문제가 아니다. 한문의 대구를 이용해서 빈칸에 알맞은 한자를 찾는 문제이다. '政之所興'과 '政之所(㉠)'이 대구를 이루고 있고, '順'(따를 순)과 '逆'(거스를 역)이 반대되는 뜻의 한자이므로 ㉠에는 '興'(흥할 흥)과 반대되는 뜻의 한자가 들어가야 한다.

① 正(바를 정) ② 安(편안할 안) ③ 盛(성할 성)
④ 起(일어날 기) ⑤ 廢(폐할 폐)

답: ⑤

16. 시나리오 문제

① 助善事者, 得福.
조 선 사 자 득 복
착한 일을 도운 사람은 복을 얻는다.

② 滿招損, 謙受益.
만 초 손 겸 수 익
교만함은 손해를 부르고, 겸손함을 이익을 받는다.

③ 天不生無祿之人.
천 불 생 무 록 지 인
하늘은 복이 없는 사람을 내지 않는다.

④ 與吉相會則得福.
여 길 상 회 즉 득 복
길함과 더불어 서로 만나면 복을 얻는다.

⑤ 他山之石, 可以攻玉.
타 산 지 석 가 이 공 옥
다른 산의 돌도 구슬을 쫄 수 있다.

㉠을 인용하고 나서 바로 '복'을 언급한 것만 가지고도 충분히 답을 찾을 수 있다.

답: ③

17. 단문 문제

① 人無遠慮, 必有近憂.
인 무 원 려 필 유 근 우
사람이 먼일에 대한 고려가 없으면 반드시 가까운 근심이 있다.

② 水深可知, 人心難知.
수 심 가 지 인 심 난 지
물의 깊이는 알 수 있어도 사람 마음은 알기 어렵다.

③ 旣乘其馬, 又思牽者.
기 승 기 마 우 사 견 자
이미 그 말을 타고 또 끌 사람을 생각한다.

④ 朋友有過, 忠告善導.
붕 우 유 과 충 고 선 도
벗이 잘못이 있으면 충실히 알리고 좋게 이끌어라.

⑤ 我有良貨, 乃求善價.
아 유 량 화 내 구 선 가
내가 좋은 재물을 가졌을 때, 비로소 좋은 값을 구한다.

㉠을 인용하고 나서 바로 '물건', '제값'을 언급한 것만 가지고도 충분히 답을 찾을 수 있다.

답: ⑤

18. 단문 문제

① 鳥久止, 必帶矢.
조 구 지 필 대 시
새가 오래 머무르면 반드시 화살을 두른다(맞는다).

② 經夜無怨, 歷日無恩.
경 야 무 원 력 일 무 은
밤이 지나면 원망이 없고, 날이 지나면 은혜가 없다.

③ 盜以後捉, 不以前捉.
도 이 후 착 불 이 전 착
도둑맞고 뒤에 잡고 앞서 잡지 말라.

④ 疑人莫用, 用人莫疑.
의 인 막 용 용 인 막 의
의심스러운 사람은 쓰지 말고, 쓰는 사람은 의심하지 말라.

⑤ 好憎人者, 亦爲人所憎.
호 증 인 자 역 위 인 소 증
남을 미워하기 좋아하는 사람은 또한 남이 미워하는 바가 된다.

답: ③

19. 사자성어 문제

均薪施火, 火就燥, 平地注水, 水流濕, (㉠).
균 신 시 화 화 취 조 평 지 주 수 수 류 습
고른 땔나무에 불을 붙이면 불이 마른 쪽으로 나아가고 평평한 땅에 물을 부으면 물이 축축한 쪽으로 흐르니, ㉠.

① 先公後私(선공후사): 공을 앞세우고 사를 뒤로 함.
② 類類相從(유유상종): 비슷한 무리끼리 서로 좇음.
③ 有備無患(유비무환): 대비가 있으면 근심이 없음.
④ 苦盡甘來(고진감래): 쓴 것이 다하면 달콤함이 옴.
⑤ 殺身成仁(살신성인): 몸을 죽여 인을 이룸. 옳은 일을 위해 목숨을 버림.

답: ②

[20~21] 여유당전서(與猶堂全書)

我所不施, 以望人之先施, 是, 汝傲根, 猶未除也.
아 소 불 시 이 망 인 지 선 시 시 여 오 근 유 미 제 야
나의 것을 베풀지 않고 남이 먼저 베풀 것을 바라는 것, 이는 네 오만함의 뿌리가 아직 없어지지 않았기 때문이다.

玆後留心, 於平居無事之日, 恭睦愼忠, 務得 ㉠諸家之歡心.
자 후 류 심 어 평 거 무 사 지 일 공 목 신 충 무 득 제 가 지 환 심
이 뒤로는 마음에 두기를, 평소처럼 지내며 일이 없는 날에 공손하고 화목하며 삼가고 충성스러우며 여러 집안의 환심을 사는 것에 힘쓰라.

20. 짜임 문제

㉠은 '여러 집안'으로 해석되므로 그 짜임은 '수식'이다.
① 柔軟(유연): 부드럽고 부드러움. (병렬)
② 環境(환경): 둘러싼 장소. (수식)
③ 裏面(이면): 속의 면. (수식)
④ 微熱(미열): 작은 열. (수식)
⑤ 豫測(예측): 미리 잼. (수식)

답: ①

21. 해석 문제

① 承諾(승낙) ② 祝賀(축하) ③ 慰勞(위로)
④ 勸勉(권면) ⑤ 稱讚(칭찬)

답: ④

[22~23] 맹자(孟子)

齊宣王見孟子於雪宮, ㈎ 王曰: "賢者, 亦有此樂乎?"
제 선 왕 견 맹 자 어 설 궁 왕 왈 현 자 역 유 차 락 호
제나라 선왕이 맹자를 설궁에서 보고 왕이 말하기를, "현명한 사람도 또한 이런 즐거움이 있습니까?"

孟子對曰: "有. 人不得, 則㉠非其上矣.
맹 자 대 왈 유 인 부 득 즉 비 기 상 의
맹자가 대답하여 말하기를, "있습니다. 사람이 얻지 못하면 그 임금을 비난합니다.

㈏ 不得而非其上者, 非也, ㉡爲民上而不與民同樂者, 亦㉢非也.
부 득 이 비 기 상 자 비 야 위 민 상 이 불 여 민 동 락 자 역 비 야
얻지 못했다고 그 임금을 비난하는 것은 잘못이요, 백성의 임금이 되어 백성과 더불어 즐거움을 함께하지 않는 것 또한 잘못입니다.

㈐ 樂民之樂者, 民亦樂其樂, ㈑ 憂民之憂者, 民亦憂其憂.
락 민 지 락 자 민 역 락 기 락 우 민 지 우 자 민 역 우 기 우
백성의 즐거움을 즐거워하는 사람은 백성 또한 그의 즐거움을 즐거워하고, 백성의 근심을 근심하는 사람은 백성 또한 그의 근심을 근심합니다.

樂以天下, 憂以天下. ㈒"
락 이 천 하 우 이 천 하
천하로써 즐거워하고, 천하로써 근심하십시오."

22. 해석 문제

㉠은 '비난하다', ㉡은 '되다', ㉢은 '잘못되다'로 해석된다. 이처럼 여러 뜻으로 쓰이는 한자는 주의하여야 한다. '非'와 '爲'는 모두 여러 뜻으로 쓰이는 한자들이므로 그 용례를 잘 파악할 필요가 있다.

답: ③

23. 문장 삽입 문제

然而不王者, 未之有也.
연 이 불 왕 자 미 지 유 야
그러고도 왕되지 못한 사람, 아직까지 그것은 있지 않았습니다.

'然'(그러함)이라는 표현이 있으므로 '然'을 받을 수 있는 말이 앞에 나와야 한다.

답: ⑤

[24～25] 춘야연도리원서(春夜宴桃李園序)

夫天地者, 萬物之㉠逆旅, 光陰者, 百代之過客,
부 천 지 자 만 물 지 역 려 광 음 자 백 대 지 과 객
而浮生㉡若夢, 爲歡幾何?
이 부 생 약 몽 위 환 기 하
무릇 천지라는 것은 온갖 사물의 여관이고, 시간이라는 것은 백 대의 지나가는 손님인데, 뜬 삶이 꿈과 같으니 기뻐함이 얼마인가?

古人秉燭夜遊, ㉢良有以也.
고 인 병 촉 야 유 량 유 이 야
옛 사람이 촛불을 잡고 밤에 논 것은 진실로 이유가 있다.

況陽春, ㉣召我以煙景, 大塊, ㉤假我以文章!
황 양 춘 조 아 이 연 경 대 괴 가 아 이 문 장
하물며 따뜻한 봄이 나를 자욱한 경치로 부르고 큰 덩어리(하늘과 땅 사이의 대자연)은 나에게 문장으로써 빌려주는구나!

24. 해석 문제

㉠: '맞이하다'라는 뜻이 있는지 확실하지 않을 수 있다. 그러나 '逆旅' 전체가 '여관'이라는 뜻이므로 가능성이 전혀 없는 것은 아니다. 따라서 일단 판단을 보류하자.
㉢: '어질다'라는 뜻이 있지만 여기에서는 '진실로'로 해석된다.
㉣: '부르다'라는 뜻이니 '초대하다'라고 해서 어색할 것은 없다.

답: ③

25. 해석 문제

ㄱ. '光陰者, 百代之過客'에서 시간을 나그네에 비유하였다.
ㄴ. 밤늦도록 노는 것을 경계하는 것이 아니라 오히려 그렇게 하고자 한다.
ㄷ. '浮生若夢'에서 인생을 덧없는 것으로 생각한다는 것을 엿볼 수 있다.
ㄹ. 딱히 자연과 더불어 살고자 하는 생각이 드러나지는 않는다.

답: ①

[26～27] 말과 간결함

古之道, 言貴乎簡. 言所以宣意也, 奚取乎簡哉?
고 지 도 언 귀 호 간 언 소 이 선 의 야 해 취 호 간 재
옛날의 도에 말은 간결함보다 귀하다고 했다. 말은 뜻을 펼치는 것이니 어찌 간결함에서 취하겠는가?

言其所可言, 不言其所不可言而已.
언 기 소 가 언 불 언 기 소 불 가 언 이 이
그 말해야 할 바에 말하고, 그 말하지 않아야 할 바에 말하지 않을 뿐이다.

矜己之言, 不可言, 敗人之言, 不可言, 無實之言, 不可言, 非法之言, 不可言.
긍 기 지 언 불 가 언 패 인 지 언 불 가 언 무 실 지 언 불 가 언 비 법 지 언 불 가 언
자기를 자랑하는 말은 말하지 말고, 남을 해치는 말은 말하지 말고, 실속이 없는 말은 말하지 말고, 법도가 아닌 말은 말하지 말라.

言能戒是四者, 則㉠言不期簡而簡矣.
언 능 계 시 사 자 즉 언 불 기 간 이 간 의
말함에 이 네 가지 것을 경계할 수 있으면 말이 간결함을 기약하지 않아도 간결해진다.

故曰: "君子之言, 不得已而後言."
고 왈 군 자 지 언 부 득 이 이 후 언
그러므로 말하기를, "군자의 말은 부득이한 뒤에 말한다."

26. 해석 문제

㉠은 '말이 간결함을 기약하지 않아도 간결해진다'로 해석되므로 그 의미는 '의도하지 않아도 말이 절로 간결해진다'이다.

답: ⑤

27. 해석 문제

① '말이 간결해야 하는가'라는 논제를 제기하고 있다.
② 논쟁의 상대는 찾아볼 수 없다.
③ '矜己之言… 不可言'까지가 목표 도달을 위한 방법이다.
④ 바로 정확히 '矜己之言… 不可言'에 자수·구법이 서로 같은 표현법을 사용하였다.
⑤ '君子之言, 不得已而後言'에 결론이 제시되어 있다.

답: ②

[28～30] 위응물, 「추야기구원외(秋夜寄丘員外)」 이언적, 「동초(冬初)」

(가) 懷君㉠屬秋夜, 散步詠涼天.
회 군 촉 추 야 산 보 영 량 천
그대를 그리워하니 때마침 가을밤이고, 걸음을 흐트러뜨리며 서늘한 날씨를 읊는다.

空山松子落, 幽人㉡應未眠.
공 산 송 자 락 유 인 응 미 면
빈산에 소나무 열매가 떨어지고, 숨어 사는 사람 응당 아직까지 잠들지 못했겠지.

(나) 紅葉紛紛㉢已滿庭, 階前殘菊㉣尚含馨.
홍 엽 분 분 이 만 정 계 전 잔 국 상 함 형
붉은 잎 어수선하니 이미 뜰에 가득하고, 섬돌 앞 시든 국화 아직도 향기를 머금고 있네.

山中百物渾衰㉤謝, 獨愛寒松歲暮青.
산 중 백 물 혼 쇠 사 독 애 한 송 세 모 청
산중의 온갖 사물 모두 쇠하고 시드니, 오직 찬 소나무가 세밑까지 푸름을 사랑한다.

28. 해석 문제

㉠: '屬'에 '모으다'라는 뜻이 있지만 여기에서는 '때마침'으로 해석된다.
㉡: '應'에 '응답하다', 즉 '대답하다'라는 뜻이 있지만 여기에서는 '응당'으로 해석된다.
㉢: '已'에 '그치다'라는 뜻이 있지만 여기에서는 '이미'로 해석된다.
㉣: '尚'에 '높이다'라는 뜻이 있지만 여기에서는 '아직도'로 해석된다.
㉤: '謝'는 '시들다'로 해석된다. '謝'에 '감사하다'라는 뜻 말고 '시들다'라는 뜻도 있다는 것을 알아야 풀 수 있는 문제이다.

답: ⑤

29. 한시 문제

ㄱ. 운자는 짝수 구의 마지막 글자에 오고, 첫째 구의 마지막 글자에 올 수 있다. '天'(천), '眠'(면)이 운자이므로 '夜'(야)는 운자가 아니다.

ㄴ. 오언시는 두 자, 세 자로 끊어 읽는다. 이는 오언시를 읽는 대원칙이다.

ㄷ. 두 구가 문법적 기능이 동일한 글자의 배열로 이루어져 있을 때 대우를 이룬다고 한다. (나)의 첫째 구와 둘째 구는 문법적 기능이 동일한 글자의 배열로 이루어져 있지 않으므로 대우를 이루지 않는다.

ㄹ. '紅葉'(붉은 잎), '青'(푸를 청)에 시각적 심상이 나타나 있다.

답: ④

30. 이해와 감상 문제

① (가)의 넷째 구에 시적 화자의 추측이 담겨 있다.
② (가)에는 그리움의 정서가 잘 표현되어 있다.
③ (나)의 '寒松'(찬 소나무)이 변치 않는 기상을 상징하는 시어이다.
④ 나라를 걱정하는 마음은 (가), (나) 모두에 드러나 있지 않다.
⑤ (가)는 계절의 변화로 느끼는 시간의 흐름에서, (나)는 계절의 변화에도 변하지 않는 소나무가 시상을 촉발시켰다.

답: ④

2019학년도 6월 모의평가

1	⑤	7	③	13	⑤	19	⑤	25	①
2	①	8	①	14	④	20	④	26	④
3	③	9	②	15	①	21	④	27	⑤
4	②	10	④	16	②	22	⑤	28	②
5	④	11	③	17	①	23	③	29	①
6	②	12	①	18	④	24	②	30	③

1. 그림 문제

'눈바람 몰아치는 밤에 돌아가는 사람들'에서 '風'(바람), '雪'(눈), '夜'(밤), '人'(사람)이 있으므로 ㉠에는 '돌아가다'라는 뜻의 한자가 들어가야 한다.

① 婦(지어미 부) ② 慢(게으를 만) ③ 掃(쓸 소)
④ 停(머무를 정) ⑤ 歸(돌아갈 귀)

답: ⑤

2. 조건을 만족하는 한자 문제

조건을 만족하는 한자를 찾는 문제이다. 문제에서는 음, 제자 원리, 총획, 결합할 수 있는 한자를 알려 주고 있다. 보통은 음으로 찾는 게 가장 빠르므로 음이 '奔'(달릴 분)과 같은 한자를 먼저 찾아보자.

① 分(나눌 분) ② 立(설 립) ③ 今(이제 금)
④ 介(끼일 개) ⑤ 化(될 화)

여기에서 음이 '분'인 것은 '分'뿐이다. 이 문제는 이 글자 뒤에 '業'(일 업)을 결합하면 '일을 나누어 함'을 뜻하는 말로 쓰인다는 것에서 '分'을 찾는 것도 좋은 방법이다.

답: ①

3. 의미 관계 문제

ㄱ. 安(편안할 안) – 危(위태로울 위)
ㄴ. 到(이를 도) – 達(이를 달)
ㄷ. 省(살필 성) – 察(살필 찰)
ㄹ. 深(깊을 심) – 淺(얕을 천)

답: ③

4. 합자 문제

㉠은 女+子=好(좋을 호), ㉡은 禾+子=季(끝 계)이다.

답: ②

5. 한자어 문제

원래의 뜻이 '머리에 난 뿔'이므로 '머리'와 '뿔'을 뜻하는 한자가 들어가는 한자어를 찾으면 된다.

① 角逐(각축) ② 頭緖(두서) ③ 首相(수상)
④ 頭角(두각) ⑤ 優越(우월)

답: ④

6. 성어 문제

① 特(특별할 특) ② 待(기다릴 대) ③ 時(때 시)
④ 得(얻을 득) ⑤ 代(대신할 대)

잘못 쓸 만한 글자이므로 '侍'(모실 시)와 비슷한 모양의 한자를 찾으면 '待'를 답으로 고를 수 있다.

답: ②

7. 한자어 문제

㉠: '輿論'은 '여론'이라고 읽는다.
㉡: '輿論'은 '사회 대중의 공통된 의견'을 의미한다.
㉢: '空論'은 '空'(빌 공)에서 눈치챘겠지만 '실속이 없는 빈 논의'이다. 요즈음 들을 수 있는 '공론화'의 '공론'은 '公論'이다.
㉣: "여론 조사 결과를 보고 신중하게 결정합시다."라고 활용할 수 있다.

답: ③

8. 십자말풀이 문제

가로 열쇠는 '大器晩成'(대기만성), 세로 열쇠는 '晩時之歎'(만시지탄)이다.

① 晩(늦을 만) ② 期(기약할 기) ③ 失(잃을 실)
④ 滿(찰 만) ⑤ 歎(탄식할 탄)

성어를 몰라도 ㉠은 두 성어에 공통적으로 들어가는 한자이므로, 가로 열쇠의 '늦게', 세로 열쇠의 '늦어'라는 표현에서 답을 찾을 수 있다.

답: ①

9. 카드 문제

① 작년 한 해는 정말 어려움이 많았지.
☞ 多事多難(다사다난)
② 그분의 도움을 지금껏 잊을 수 없어.
☞ 刻骨難忘(각골난망)
③ 친척끼리 어쩜 저렇게 다툴 수 있을까?
☞ 骨肉相爭(골육상쟁)
④ 저 두 사람은 정말 우열을 가릴 수가 없네.
☞ 難兄難弟(난형난제)
⑤ 많은 희생이 따랐지만 어쩔 수 없는 선택이었어.
☞ 苦肉之策(고육지책)

답: ②

10. 사자성어 문제

作其始者, 當任其終.
작 기 시 자 당 임 기 종
그 처음을 지은 사람이 마땅히 그 끝을 맡아야 한다.

① 首丘初心(수구초심): 언덕으로 머리를 향하는 처음의 마음. 고향을 그리워하는 마음.
② 日就月將(일취월장): 날마다 나아가고 달마다 나아감. 나날이 다달이 자라거나 발전함.

③ 一騎當千(일기당천): 기병 하나가 천을 당해냄. 싸우는 능력이 아주 뛰어남.
④ 結者解之(결자해지): 맺은 사람이 그것을 풀어야 함. 자기가 저지른 일은 자기가 해결하여야 함.
⑤ 自初至終(자초지종): 처음부터 끝까지.

답: ④

11. 단문 문제

① 鳥久止, 必帶矢.
조 구 지 필 대 시
새가 오래 머무르면 반드시 화살을 두른다(맞는다).

② 人飢三日, 無計不出.
인 기 삼 일 무 계 불 출
사람이 사흘을 굶으면 나오지 않는 꾀가 없다.

③ 久而不已, 則必至于有成.
구 이 불 이 즉 필 지 우 유 성
오래지만 멈추지 않으면 반드시 이룸이 있음에 이른다.

④ 官怠於有成, 病加於小愈.
관 태 어 유 성 병 가 어 소 유
관리는 이룸이 있음에 게을러지고, 병은 작은 낫는 것에서 더해진다.

⑤ 三日之程, 一日往, 十日臥.
삼 일 지 정 일 일 왕 십 일 와
사흘의 일정을 하루에 가면 열흘을 몸져눕는다.

답: ③

12. 단문 문제

① 陰地轉, 陽地變.
음 지 전 양 지 변
음지도 구르고, 양지도 변한다. (음지가 양지 되고, 양지가 음지 된다.)

② 患生於所忽, 禍發於細微.
환 생 어 소 홀 화 발 어 세 미
근심은 소홀히 한 바에서 생기고, 화는 가늘고 작은 것에서 피어난다.

③ 記人之功, 忘人之過.
기 인 지 공 망 인 지 과
남의 공은 기억하고, 남의 허물은 잊어라.

④ 夫人必自侮然後, 人侮之.
부 인 필 자 모 연 후 인 모 지
무릇 사람은 반드시 스스로를 업신여기고 그러한 뒤에야 남들이 그를 업신여긴다.

⑤ 鏡不自照, 智不自料.
경 부 자 조 지 부 자 료
거울은 스스로 비추지 못하고 지혜는 스스로 헤아리지 못한다.

답: ①

13. 빈칸 문제

> 父母, 養其子而不教, 是不愛其子也, 雖(㉠)而不嚴, 是亦不愛其子也.
> 부 모 양 기 자 이 불 교 시 불 애 기 자 야 수 이 불 엄 시 역 불 애 기 자 야
> 어버이가 그 자식을 기르지만 가르치지 않으면 이는 그 자식을 사랑하는 것이 아니고, 비록 ㉠하더라도 엄하지 않으면 이 또한 그 자식을 사랑하는 것이 아니다.

'雖'(비록 수)가 나왔으므로 앞의 내용을 받아야 한다. 따라서 답은 '敎'(가르칠 교)이다.

① 效(본받을 효) ② 憎(미워할 증) ③ 修(닦을 수)
④ 勞(힘쓸 로) ⑤ 教(가르칠 교)

답: ⑤

14. 대구 문제

> (㉠) 家和萬事成.
> 가 화 만 사 성
> ㉠, 집안이 화목하면 모든 일이 이루어진다.

대구 문제는 윗글을 암기해서 푸는 문제가 아니다. 한문의 대구를 이용해서 빈칸에 알맞은 한자를 찾는 문제이다. ㉠과 '家和萬事成'이 대구를 이루고 있으므로 ㉠에 들어갈 것을 순서대로 바르게 배열하면 '子孝雙親樂'(자식이 효도하면 양친이 즐겁다)이다.

답: ④

15. 단문 문제

> 合抱之木, 生於毫末, 九層之臺, 起於累土.
> 합 포 지 목 생 어 호 말 구 층 지 대 기 어 누 토
> 안아 맞는(아름드리) 나무도 털끝에서 생겨났고 구층의 돈대도 흙을 쌓는 데에서 일어났다.

① 千里之行, 始於足下.
천 리 지 행 시 어 족 하
천 리의 다님도 발아래에서 시작한다.

② 不幸由己, 何不自反.
불 행 유 기 하 부 자 반
불행은 자기로부터 말미암으니 어찌 스스로를 반성하지 않을까.

③ 寬而見畏, 嚴而見愛.
관 이 견 외 엄 이 견 애
너그럽되 두려워하게 하고, 엄하되 사랑하게 하라.

④ 知是行之始, 行是知之成.
지 시 행 지 시 행 시 지 지 성
앎은 실천의 시작이고, 실천은 앎의 완성이다.

⑤ 陷之死地而後生, 置之亡地而後存.
함 지 사 지 이 후 생 치 지 망 지 이 후 존
그들을 사지에 빠뜨려 뒤에 살았고, 그들을 망지에 두어 뒤에 (살아)남았다.

답: ①

[16~17] 논어(論語)

> 子曰: "飯疏食飮水, 曲肱而枕之, 樂亦在其中矣, 不義而富且貴, 於我如㉠浮雲."
> 자 왈 반 소 사 음 수 곡 굉 이 침 지 락 역 재 기 중 의 불 의 이 부 차 귀 어 아 여 부 운
> 공자가 말하기를, "거친 밥을 먹고 물을 마시며 팔뚝을 구부려 그것을 베니 즐거움 또한 그 안에 있고, 옳지 않게 부유하고 귀한 것은 내게 뜬구름과 같다."

16. 짜임 문제

㉠은 '뜬 구름'으로 해석되므로 그 짜임은 '수식'이다.
① 霜降(상강): 서리가 내리다. (주술)
② 貴賓(귀빈): 귀한 손님. (수식)
③ 登頂(등정): 꼭대기에 오르다. (술보)

④ 遵法(준법): 법을 지키다. (술목)
⑤ 希望(희망): 바람. (병렬)

답: ②

17. 해석 문제

① 安貧樂道(안빈낙도): 가난함에 편안해하고 도에 즐거워함. 가난한 생활을 하면서도 편안한 마음으로 도를 즐겨 지킴.
② 自強不息(자강불식): 스스로 힘쓰며 쉬지 않음.
③ 先見之明(선견지명): 앞을 내다보는 현명함.
④ 上善若水(상선약수): 최고의 선은 물과 같음.
⑤ 望雲之情(망운지정): 구름을 바라보는 마음. 고향을 그리는 마음.

답: ①

[18~20] 주몽 신화

王之諸子, 與諸臣, 將謀害之.
왕 지 제 자 여 제 신 장 모 해 지
왕의 여러 아들이 여러 신하와 더불어 장차 그를 해칠 것을 꾀하였다.

蒙母知之, 告曰: "國人將害汝, 以汝㉠才略, 何往不可? 宜速圖之."
몽 모 지 지 고 왈 국 인 장 해 여 이 여 재 략 하 왕 불 가 의 속 도 지
주몽의 어머니가 그것을 알고 일러 말하기를, "나라 사람들이 장차 너를 해치고자 하니 너의 재략으로 어디를 간들 불가하겠는가? 마땅히 빨리 그것을 도모하라."

於是, 蒙與烏伊等三人爲友, 行至淹水, 告水曰: "我是天帝子, 河伯孫. 今日逃遁, 追者垂及, 奈何?"
어 시 몽 여 오 이 등 삼 인 위 우 행 지 엄 수 고 수 왈 아 시 천 제 자 하 백 손 금 일 도 둔 추 자 수 급 내 하
이에 주몽과 오이 등 세 사람이 벗이 되어 가 엄수에 이르니 물에 일러 말하기를, "나는 천제의 아들이자 하백의 손자이다. 오늘 도망하여 달아나는데 쫓는 자들이 거의 이르렀으니 어찌하여야 하겠는가?"

於是, 魚鼈成橋, ㉡得渡而橋解, 追騎不得渡.
어 시 어 별 성 교 득 도 이 교 해 추 기 부 득 도
이에 물고기와 자라가 다리를 이루어 건넘을 얻자 다리가 풀어져 쫓던 기병이 건너지 못하였다.

至卒本州, 遂都焉.
지 졸 본 주 수 도 언
졸본 땅에 이르러 드디어 거기에 도읍하였다.

18. 독음 문제

㉠의 독음은 '재략'이다.

답: ④

19. 해석 문제

㉡은 '건넘을 얻자 다리가 풀어지다'로 해석되므로 마지막으로 풀이되는 것은 '解'(풀 해)이다.

답: ⑤

20. 해석 문제

주인공이 민심을 얻는 과정은 나타나 있지 않다.

답: ④

[21~22] 근정전 · 근정문의 유래

命判三司事鄭道傳, 名新宮諸殿.
명 판 삼 사 사 정 도 전 명 신 궁 제 전
판삼사사 정도전에게 새로운 궁궐과 여러 전각을 이름할 것을 명하였다.

道傳撰名, 并㉠書所撰之義以進. …(중략)…
도 전 찬 명 병 서 소 찬 지 의 이 진
정도전이 이름을 짓고 아울러 이름을 지은 뜻을 써 나아갔다.

其勤政殿勤政門, 曰: "天下之事, 勤則治, 不勤則廢, 必然之㉡理也.
기 근 정 전 근 정 문 왈 천 하 지 사 근 즉 치 불 근 즉 폐 필 연 지 리 야
그 근정전, 근정문에 대하여 말하기를, "천하의 일은 부지런하면 다스려지고 부지런하지 않으면 폐하게 되는 것이 반드시 그러한 이치입니다.

小事㉢尚然, 況政事之大者乎? …(중략)…
소 사 상 연 황 정 사 지 대 자 호
작은 일이 오히려 그러할진대 하물며 정사의 큰 것이야 (어떠하겠습니까)?

先儒曰: '㉣朝以聽政, 晝以訪問, 夕以修令, 夜以安身.' 此人君之勤也.
선 유 왈 조 이 청 정 주 이 방 문 석 이 수 령 야 이 안 신 차 인 군 지 근 야
선대의 유학자들이 말하기를, '아침에는 정사를 듣고, 낮에는 찾아 묻고, 저녁에는 영을 닦고 밤에는 몸을 편안하게 하라.'라고 하였으니, 이는 임금의 부지런함입니다.

又曰: '勤於求㉤賢, 逸於任賢.' 臣請以是爲獻."
우 왈 근 어 구 현 일 어 임 현 신 청 이 시 위 헌
또한 말하기를, '현인을 구하는 데 부지런하고, 현인에게 맡기는 데 재빨라야 한다.'라고 하였으니, 신이 이로써 바침을 삼을 것을 청합니다."

21. 해석 문제

㉣은 '조정'이 아니라 '아침'으로 풀이된다. '朝'의 뒤를 이어 '晝'(낮 주), '夕'(저녁 석), '夜'(밤 야)라는 시간을 나타내는 한자가 나오는 것에서 확실히 알 수 있다.

답: ④

22. 해석 문제

윗글의 중심 내용은 '전각 이름(근정전, 근정문)에 담긴 의미'이다.

답: ⑤

23. 시구 문제

① 風雨當年不盡吹(풍우당년부진취): 바람과 비가 올해를 맞아 붊이 그치지 않다.
② 獨愛寒松歲暮青(독애한송세모청): 오직 찬 소나무가 세밑까지 푸름을 사랑한다.
③ 朝如青絲暮成雪(조여청사모성설): 아침에는 푸른 실 같더니 저녁에는 눈을 이루다.
④ 夜半鐘聲到客船(야반종성도객선): 한밤중 종소리가 객선에 이르다.

⑤ 月白風淸興有餘(월백풍청흥유여): 달은 희고 바람은 맑으니 흥이 남음이 있다.
'무정한 게 세월'이라는 표현과 앞 행의 '검은 머리 백발 되니'라는 표현에서 '朝如靑絲暮成雪'이 들어가야 함을 알 수 있다.

답: ③

[24~25] 두보, 「절구(絶句)」

江碧鳥逾白, 山靑花欲㉠然.
강 벽 조 유 백 산 청 화 욕 연
강이 푸르니 새는 더욱 희고, 산이 푸르니 꽃은 불타고자 한다.
今春看又過, (㉡).
금 춘 간 우 과
이번 봄, 또 지나가는 것을 보니 ㉡.

24. 해석 문제
㉠을 번역한 부분은 '불이 붙네'이다.
① 煙(연기 연) ② 燃(불탈 연) ③ 燕(제비 연)
④ 熟(익힐 숙) ⑤ 煩(괴로워할 번)

답: ②

25. 시구 문제
㉡을 번역한 부분은 '돌아 언제 갈거나'이다. '언제', '돌아가다'와 같은 표현이 있는 시구는 '何日是歸年'(어느 날이 돌아가는 해일까)이다.

답: ①

[26~28] 공론(公論)

一國之事, 當與一國人, 共治, 不可㉮與一二私人, 從欲而治.
일 국 지 사 당 여 일 국 인 공 치 불 가 여 일 이 사 인 종 욕 이 치
한 나라의 일은 마땅히 한 나라 사람과 더불어 함께 다스려야 하고, 한두 사사로운 사람과 더불어 하고자 하는 것을 좇아 다스려서는 안 됩니다.
取一國公論所㉠指望之人, 任官㉡責成, 卽與國人共治也.
취 일 국 공 론 소 지 망 지 인 임 관 책 성 즉 여 국 인 공 치 야
한 나라의 공론이 가리키고 바라는 바의 사람을 취하여 벼슬을 주고 책임을 지우면 곧 나라 사람과 더불어 함께 다스리는 것입니다.
公論, 乃國人共㉢推之論, 非公論, 何以會合國人之心也?
공 론 내 국 인 공 추 지 론 비 공 론 하 이 회 합 국 인 지 심 야
공론은 곧 나라 사람들이 함께 미는 논의이니, 공론이 아니면 무엇으로써 나라 사람들의 마음을 모아 합하겠습니까?
國人之所願, 必從, 所不願, 亦從, 所欲, 必㉣從, 所不欲, 亦從, 雖欲不㉤治, 得乎?
국 인 지 소 원 필 종 소 불 원 역 종 소 욕 필 종 소 불 욕 역 종 수 욕 불 치 득 호
나라 사람들의 원하는 바는 반드시 따르고, 원하지 않는 바 또한 따르며, 하고자 하는 바는 반드시 따르고, 하고자 하지 않는 바 또한 따르면 비록 다스려지지 않고자 하여도 얻겠습니까?

26. 해석 문제
㉮는 '더불어'로 해석된다.
ㄱ. 施恩勿求報, 與人勿追悔.
시 은 물 구 보 여 인 물 추 회
은혜를 베풀고 갚음을 구하지 말고, 남에게 주고 후회를 쫓지 말라.
ㄴ. 可與言而不與之言, 失人.
가 여 언 이 불 여 지 언 실 인
더불어 말할 수 있음에도 그와 더불어 말하지 않으면 사람을 잃는다.
ㄷ. 與損者處, 則名自卑, 而身自賤.
여 손 자 처 즉 명 자 비 이 신 자 천
잃은 사람과 더불어 처하면 이름이 저절로 낮아지고 몸이 저절로 천해진다.

답: ④

27. 해석 문제
㉠, ㉡, ㉢, ㉣은 각각 '가리키다', '책임을 지우다', '밀다', '좇다'로 해석된다.

답: ⑤

28. 해석 문제
① 放心(방심) ② 獨斷(독단) ③ 寡慾(과욕)
④ 論爭(논쟁) ⑤ 盲從(맹종)

답: ②

[29~30] 임억령, 「송백광훈환향(送白光勳還鄕)」

江月圓還缺, 庭梅落又開.
강 월 원 환 결 정 매 락 우 개
강의 달은 둥글다가 이지러짐으로 돌아가고, 뜰의 매화는 떨어지고 또 피어나네.
逢春歸未得, ㉠獨上望鄕臺.
봉 춘 귀 미 득 독 상 망 향 대
봄을 만났는데 돌아감은 아직 얻지 못하고, 홀로 망향대에 오르네.

29. 한시 문제
ㄱ. 다섯 글자씩 네 구이므로 오언절구이다.
ㄴ. 운자는 짝수 구의 마지막 글자에 오고, 첫째 구의 마지막 글자에 올 수 있다. '開'(개), '臺'(대)가 운자이므로 '缺'(결)은 운자가 아니다.
ㄷ. 과장된 표현은 사용되지 않았다.
ㄹ. 오언시는 두 자, 세 자로 끊어 읽는다. 이는 오언시를 읽는 대원칙이다.

답: ①

30. 이해와 감상 문제
시적 화자가 ㉠과 같이 행동한 이유는 '돌아가지 못하는 고향이 그리워서'이다.

답: ③

2019학년도 9월 모의평가

1	②	7	①	13	⑤	19	②	25	①
2	③	8	③	14	②	20	⑤	26	④
3	①	9	②	15	④	21	④	27	⑤
4	③	10	①	16	②	22	⑤	28	①
5	④	11	④	17	③	23	①	29	④
6	⑤	12	⑤	18	①	24	③	30	②

1. 그림 문제
'눈 속에 친구를 방문한 모습'에서 '雪'(눈), '中'(속), '友'(친구)가 있으므로 ㉠에는 '방문하다'라는 뜻의 한자가 들어가야 한다.
① 邦(나라 방) ② 訪(찾을 방) ③ 畏(두려워할 외)
④ 益(더할 익) ⑤ 送(보낼 송)

답: ②

2. 한자어 문제
원래의 뜻이 '검은 장막'이므로 '검다'와 '장막'이라는 뜻의 한자가 포함된 한자어를 찾으면 된다.
① 開幕(개막) ② 序幕(서막) ③ 黑幕(흑막)
④ 銀幕(은막) ⑤ 閉幕(폐막)

답: ③

3. 십자말풀이 문제
가로 열쇠는 '結草報恩'(결초보은), 세로 열쇠는 '背恩忘德'(배은망덕)이다.
① 恩(은혜 은) ② 後(뒤 후) ③ 報(갚을 보)
④ 意(뜻 의) ⑤ 念(생각할 념)
성어를 몰라도 ㉠은 두 성어에 공통적으로 들어가는 한자이므로, 가로 열쇠의 '은혜', 세로 열쇠의 '은덕'이라는 표현에서 답을 찾을 수 있다.

답: ①

4. 조건을 만족하는 한자 문제
조건을 만족하는 한자를 찾는 문제이다. 문제에서는 음, 총획, 갑골문의 모양, 결합할 수 있는 한자를 알려 주고 있다. 보통은 음으로 찾는 게 가장 빠르므로 음이 '丹'(붉을 단)과 같은 한자를 먼저 찾아보자.
① 留(머무를 류) ② 短(짧을 단) ③ 單(홑 단)
④ 周(두루 주) ⑤ 早(이를 조)
여기에서 음이 '단'인 것은 '短', '單'뿐이다. 여기에 '一'(일)과 결합하면 '단 하나'의 뜻으로 쓰이는 것은 '單'이다.

답: ③

5. 한자어 문제
알아보려는 한자어는 '知音'(지음)이다. '知音'은 '소리를 알아줌'이라는 뜻이 확장되어 '마음이 서로 통하는 친한 벗'을 가리킨다.
㉠ '心琴'(심금)은 누가 보아도 유의어가 아니다.
㉡을 알면 ㉢도 옳음은 바로 알 수 있다.

답: ④

6. 카드 문제
① 이번 일의 결과는 보나 마나 뻔해.
☞ 明若觀火(명약관화)
② 이유는 묻지도 않고 몰아세우는군.
☞ 不問曲直(불문곡직)
③ 이렇게 가까이 두고도 한참을 찾았네.
☞ 燈下不明(등하불명)
④ 서늘한 가을밤이라 책 읽기에 참 좋구나.
☞ 燈火可親(등화가친)
⑤ 아랫사람에게 묻는다고 자존심 상할 일은 아니야.
☞ 不恥下問(불치하문)

답: ⑤

7. 사자성어 문제
① 姑息之計(고식지계): 당장 편한 것만 택하는 꾀나 방법.
② 我田引水(아전인수): 제 논에 물 대기. 자기에게만 이롭게 함.
③ 千慮一失(천려일실): 천 번 생각에 한 번 실수. 지혜로운 사람도 많은 생각 가운데에는 실수가 있을 수 있음.
④ 牽強附會(견강부회): 억지로 끌어 붙여 만나게 함. 이치에 맞지 않는 말을 억지로 끌어 붙여 자기에게 유리하게 함.
⑤ 優柔不斷(우유부단): 어물어물하며 결단을 내리지 못함.

답: ①

8. 한중일 한자어 문제
'自食其果'에는 신경 쓰지 않아도 된다. '자기가 저지른 일의 결과를 자기가 받는다'라는 뜻의 사자성어를 찾으면 된다.
① 自畫自讚(자화자찬): 자기가 그리고 자기가 칭찬함. 자기가 한 일을 스스로 자랑함.
② 泰然自若(태연자약): 마음에 어떠한 충동을 받아도 움직임이 없이 천연스러움.
③ 自業自得(자업자득): 자기가 저지른 일의 결과를 자기가 받음.
④ 毛遂自薦(모수자천): 모수가 스스로를 추천함. 자기가 자기를 추천함.
⑤ 悠悠自適(유유자적): 속세를 떠나 아무 속박 없이 조용하고 편안하게 삶.

답: ③

9. 단문 문제

守口則無妄言, 守身則無妄行, 守心則無妄動.
수 구 즉 무 망 언 수 신 즉 무 망 행 수 심 즉 무 망 동
입을 지키면 망령된 말이 없고, 몸을 지키면 망령된 행동이 없고, 마음을 지키면 망령된 움직임이 없다.

① 正直(정직) ② 愼重(신중) ③ 守則(수칙)
④ 包容(포용) ⑤ 忠言(충언)

답: ②

10. 사자성어 문제

'처지(地)를 바꾸어(易) 생각하여(思) 본다'라는 뜻이므로 두 번째 글자는 '地'(땅 지)로 써야 한다.

① 地(땅 지) ② 志(뜻 지) ③ 支(지탱할 지)
④ 持(가질 지) ⑤ 至(이를 지)

답: ①

11. 단문 문제

○ 下之事上也, 不從其所令, 從其所行.
하 지 사 상 야 부 종 기 소 령 종 기 소 행
아랫사람이 윗사람을 섬기는 것은, 그 명령하는 바를 따르는 것이 아니라 그 행하는 바를 따르는 것이다.

○ 其身正, 不令而行, 其身不正, 雖令不從.
기 신 정 불 령 이 행 기 신 부 정 수 령 부 종
그 몸이 바르면 명령하지 않아도 행하고, 그 몸이 바르지 않으면 비록 명령해도 따르지 않는다.

답: ④

12. 단문 문제

① 與人語美惡, 皆言好.
여 인 어 미 오 개 언 호
남과 더불어 아름다움과 미움을 말할 때에는 모두 좋은 것만 말한다.

② 若要人重我, 無過我重人.
약 요 인 중 아 무 과 아 중 인
만약 남이 나를 중하게 여기기를 요구하면 내가 남을 중하게 여기는 것을 지나쳐서는 안 된다.

③ 同欲者相憎, 同憂者相親.
동 욕 자 상 증 동 우 자 상 친
같은 욕심을 가진 사람은 서로 미워하고, 같은 근심을 가진 사람은 서로 친해진다.

④ 愛人無可憎, 憎人無可愛.
애 인 무 가 증 증 인 무 가 애
남을 사랑하면 미워할 수 없고, 남을 미워하면 사랑할 수 없다.

⑤ 與其病後能服藥, 不若病前能自防.
여 기 병 후 능 복 약 불 약 병 전 능 자 방
그 병난 뒤에 약을 먹을 수 있는 것은 병나기 전에 스스로 막을 수 있는 것만 못하다.

답: ⑤

[13~14] 논어(論語)

子謂顔淵曰: "用之則行, 舍之則藏, 惟我與爾, 有是夫."
자 위 안 연 왈 용 지 즉 행 사 지 즉 장 유 아 여 이 유 시 부
공자가 안연에게 일러 말하기를, "그것을 쓰면 나아가고 그것을 버리면 감춤은 오직 나와 네가 이러함이 있구나."

㉮子路曰: "子行三軍, 則㉠誰與?"
자 로 왈 자 행 삼 군 즉 수 여
자로가 말하기를, "선생님께서 삼군을 움직이면 누구와 함께하시겠습니까?"

子曰: "暴虎馮河, 死而無悔者, 吾不與也, 必也臨事而懼, 好謀而成者也."
자 왈 포 호 빙 하 사 이 무 회 자 오 불 여 야 필 야 림 사 이 구 호 모 이 성 자 야
공자가 말하기를, "호랑이를 때려잡고 강을 맨몸으로 건너다가 죽어도 후회가 없는 사람과는 내가 함께하지 않을 것이고 반드시 일에 임함에 두려워하여 잘 꾀하고 이루는 사람이어야 한다."

13. 해석 문제

㉠은 '누구(誰)와 함께하겠습니까(與)?'로 해석된다.

답: ⑤

14. 해석 문제

글의 내용으로 보아 ㉮가 얻을 수 있는 삶의 자세는 '조심성'과 '계획성'이다.

답: ②

15. 대구 문제

公事先於人, (㉠   ).
공 사 선 어 인
공적인 일은 남보다 앞서고, ㉠.

대구 문제는 윗글을 암기해서 푸는 문제가 아니다. 한문의 대구를 이용해서 빈칸에 알맞은 한자를 찾는 문제이다. '公事先於人'과 ㉠이 대구를 이루고 있으므로 ㉠에 들어갈 내용을 순서대로 바르게 배열하면 '私事後於人'(사사로운 일은 남보다 뒤져라)이다.

답: ④

[16~17] 윤결, 「차충주망경루운(次忠州望京樓韻)」

遠客思歸切, 登樓北望京.
원 객 사 귀 절 등 루 북 망 경
먼 손님은 돌아감을 생각함이 절절해 누각에 올라 북쪽으로 서울을 바라보네.

還同江上雁, 秋盡更南征.
환 동 강 상 안 추 진 갱 남 정
도리어 강 위의 기러기와 같구나, 가을이 다하니 다시 남쪽으로 가는구나.

16. 한시 문제

ㄱ. 다섯 글자씩 네 구이므로 오언절구이다.

ㄴ. 운자는 짝수 구의 마지막 글자에 오고, 첫째 구의 마지막 글자에 올 수 있다. '京'(경), '征'(정)이 운자이므로 '切'(절)은 운자가 아니다.

ㄷ. 오언시는 두 자, 세 자로 끊어 읽는다. 이는 오언시를 읽는 대원칙이다.

ㄹ. 시의 앞부분과 뒷부분이 각각 경치와 정서로 칼로 무 자르듯 나누어지지는 않는다. ㄹ은 판단을 보류해도 좋다. 어차피 ㄱ, ㄷ을 포함하면서 ㄴ을 포함하지 않는 것은 ②밖에 없다.

답: ②

17. 이해와 감상 문제

① 이 정도이면 그리움의 정서를 '직설적으로' 드러낸 것인지 분명하지 않다. 판단을 보류하자.

② 누각을 오른 이유는 북쪽으로 서울을 보기 위해서이다.

③ 청각적 심상이라고 할 만한 것이 없고, 대비는 더욱 없다.

④ 돌아갈 생각을 하는 것으로 보아 객지에 있음을 알 수 있다.

⑤ '기러기'를 뜻하는 한자만 있으면 대부분 옳은 무난한 설명이다.

답: ③

[18~19] 이백, 「산중여유인대작(山中與幽人對酌)」

兩人對酌山花開, 一杯一杯㉠復一杯.
양 인 대 작 산 화 개 일 배 일 배 부 일 배

두 사람이 마주 술을 마시는데 산에 꽃이 피었구나. 한 잔, 한 잔, 다시 한 잔.

(㉡), 明朝有意抱琴來.
명 조 유 의 포 금 래

㉡, 내일 아침 뜻이 있으면 거문고 안고 오게나.

18. 해석 문제

'復'은 '돌아오다'의 뜻일 때에는 '복'으로 읽고, '다시'의 뜻일 때에는 '부'로 읽는다. 시조 형식으로 번역했을 때 '다시'이므로 ㉠은 '부'로 읽는다.

① 復活(부활) ② 復古(복고) ③ 復舊(복구)
④ 復權(복권) ⑤ 復歸(복귀)

㉠을 해석하지 않아도 답으로 제시된 한자어 가운데 '復活'만 '復'의 음이 '부'이므로 답을 찾을 수 있다.

답: ①

19. 해석 문제

㉡을 번역한 부분은 '나는 취해 자겠으니 그대 역시 갔다가'이다. '자다', '가다'와 같은 표현이 있는 시구는 '我醉欲眠卿且去'(아취욕면경차거: 나는 취해 자고자 하니 그대 또한 갔다가)이다.

답: ②

[20~22] 공자가어(孔子家語)

曾子㉮弊衣而耕於魯, 魯君聞之而致邑焉, 曾子㉯固辭不受.
증 자 폐 의 이 경 어 로 로 군 문 지 이 치 읍 언 증 자 고 사 불 수

증자가 해진 옷을 입고 노나라에서 밭갈자 노나라 임금이 그것을 듣고 고을을 그에게 주었는데 증자가 굳게 사양하고 받지 않았다.

或曰: "非㉠子之求, ㉡君自致之, 奚固辭也?"
혹 왈 비 자 지 구 군 자 치 지 해 고 사 야

누군가가 말하기를, "그대가 구하는 것이 아니더라도 임금이 스스로 그것을 주었는데 어찌 굳게 사양하였는가?"

曾子曰: "㉢吾聞受人施者常畏人, 與人者常驕人. 縱君有賜, 不㉣我驕也, (㉰)"
증 자 왈 오 문 수 인 시 자 상 외 인 여 인 자 상 교 인 종 군 유 사 불 아 교 야

증자가 말하기를, "내가 듣기로 남의 베풂을 받은 사람은 늘 남을 두려워하고, 남에게 준 사람은 늘 남에게 교만해진다. 설령 임금이 하사한 것이 있어 내게 교만해지지는 않더라도 ㉰."

20. 독음 문제

㉮의 독음은 '폐의'이고 ㉯의 독음은 '고사'이다.

답: ⑤

21. 해석 문제

㉠, ㉢, ㉣은 '曾子'(증자), ㉡은 '魯君'(노나라 임금)을 가리킨다.

답: ④

22. 해석 문제

'縱'(종)이 '설령'의 뜻이고 '縱'부터 '也'까지가 '설령 ~하더라도'로 해석된다는 것이 핵심이다. 따라서 ㉰에는 임금(준 사람)이 교만해지지는 않더라도 증자(받는 사람)는 두려워할 수 있다는 말이 들어가야 한다.

답: ⑤

[23~25] 격몽요결(擊蒙要訣)

㉠日月如流, 事親不可久也.
일 월 여 류 사 친 불 가 구 야

세월은 흐름과 같으니 어버이를 섬기는 것은 길 수 없다.

故爲子者, 須盡誠竭力, 如恐㉡不及, 可也.
고 위 자 자 수 진 성 갈 력 여 공 불 급 가 야

그러므로 자식된 사람은 모름지기 정성을 다하고 힘을 다하여 미치지 못할 것을 두려워하는 것과 같이 하여야 마땅하다.

古人詩曰: "㉢古人一日養, 不以三公換."
고 인 시 왈 고 인 일 일 양 불 이 삼 공 환

옛사람이 시로 말하기를, "옛사람은 하루 봉양하는 것을 삼정승과도 바꾸지 않았다."

所謂愛日者如此.
소 위 애 일 자 여 차

이른바 날을 사랑하는 사람은 이와 같았다.

23. 해석 문제

㉠은 비유적으로 ‘세월’을 이르기도 한다.

① 時間(시간) ② 天下(천하) ③ 空間(공간)
④ 世上(세상) ⑤ 人間(인간)

답: ①

24. 해석 문제

㉡은 ‘미치지 못하다’로 해석된다. 윗글의 내용으로 보아 미치지 못한다는 의미는 ‘제때에 봉양하지 못하다’이다.

답: ③

25. 짜임 문제

㉢은 ‘옛 사람’으로 해석되므로 그 짜임은 ‘수식’이다.

① 黃土(황토): 누런 흙. (수식)
② 道路(도로): 길과 길. (병렬)
③ 登校(등교): 학교에 오르다. (술보)
④ 日沒(일몰): 해가 가라앉다. (주술)
⑤ 高低(고저): 높고 낮음. (병렬)

답: ①

[26~28] 동국이상국집(東國李相國集)

世多㉠說東明王神異之事, ㉡雖愚夫騃婦, 亦頗
세 다 설 동 명 왕 신 이 지 사 수 우 부 애 부 역 파
能說其事. …(중략)…
능 설 기 사
세상이 동명왕의 신이한 일을 많이 말하여 비록 어리석은 사내와 어리석은 아낙네 또한 자못 그 일을 말할 수 있다.

東明之事, 非以變化神異眩惑衆目, 乃㉢實創國
동 명 지 사 비 이 변 화 신 이 현 혹 중 목 내 실 창 국
之神迹, 則此而不㉣述, 後㉤將何觀?
지 신 적 즉 차 이 불 술 후 장 하 관
동명왕의 일은 변화와 신이함으로써 뭇 사람의 눈을 현혹시키는 것이 아니고 진실로 나라를 연 신성한 자취이니, 이를 기록하지 않으면 뒤에 장차 무엇을 보겠는가?

是用作詩以記之, 欲使夫天下, (㉮)我國本聖
시 용 작 시 이 기 지 욕 사 부 천 하 아 국 본 성
人之都耳.
인 지 도 이
이 까닭으로 시를 지음으로써 그것을 기록하니 저 천하가 우리나라가 성인의 도읍에 근본하였음을 ㉮하게 하고자 할 뿐이다.

26. 해석 문제

㉣은 ‘쓰다’, ‘기록하다’로 해석된다.

답: ④

27. 빈칸 문제

① 無(없을 무) ② 只(다만 지) ③ 亦(또 역)
④ 改(고칠 개) ⑤ 知(알 지)

답: ⑤

28. 해석 문제

윗글의 중심 내용은 ‘집필의 목적’이다.

답: ①

[29~30] 어우야담(於于野談)

蔡壽有孫, 曰無逸.
채 수 유 손 왈 무 일
채수에게 손자가 있었는데 무일이라고 하였다.

年纔五六歲, 壽夜抱無逸而臥, 先作一句曰:
연 재 오 륙 세 수 야 포 무 일 이 와 선 작 일 구 왈
“孫子夜夜讀書不.”
손 자 야 야 독 서 불
나이가 겨우 대여섯 살에 채수가 밤에 무일을 안고 누워 먼저 한 구를 지어 말하기를, “손자는 밤마다 책을 읽지 않는구나.”

使無逸對之, 對曰: “祖父朝朝飮酒猛.”
사 무 일 대 지 대 왈 조 부 조 조 음 주 맹
무일이 그것에 대답하게 하자 대답하여 말하기를, “할아버지는 아침마다 술을 마심이 지나치십니다.”

壽又於雪中, 負無逸而行, 作一句曰: “犬走梅
수 우 어 설 중 부 무 일 이 행 작 일 구 왈 견 주 매
花落.”
화 락
채수가 또 눈 속에서 무일을 업고 다니면서 한 구를 지어 말하기를, “개가 달리니 매화꽃이 떨어지는구나.”

語卒, 無逸對曰: “鷄行竹葉成.”
어 졸 무 일 대 왈 계 행 죽 엽 성
말이 끝나자 무일이 대답하여 말하기를, “닭이 다니니 댓잎이 이루어지는구나.”

29. 해석 문제

등장인물의 청빈한 삶은 다루고 있지 않다.

답: ④

30. 해석 문제

시구의 내용과 일치하는 것은 ②이다.

답: ②

2019학년도 수학능력시험

1	③	7	②	13	④	19	⑤	25	①
2	④	8	④	14	①	20	③	26	⑤
3	③	9	②	15	⑤	21	①	27	④
4	②	10	③	16	④	22	③	28	①
5	①	11	①	17	③	23	④	29	②
6	⑤	12	②	18	②	24	⑤	30	①

1. 그림 문제

'달빛 아래 연인들의 모습'에서 '月'(달), '下'(아래), '人'(사람)이 있으므로 ㉠에는 '연인'을 뜻하는 한자가 들어가야 한다.

① 淨(깨끗할 정) ② 貞(곧을 정) ③ 情(뜻 정)
④ 晴(맑을 청) ⑤ 頂(정수리 정)

답: ③

2. 한자어 문제

'白眼視'(백안시)는 남을 업신여기거나 무시하는 태도로 흘겨본다는 뜻이다.

답: ④

3. 조건을 만족하는 한자 문제

조건을 만족하는 한자를 찾는 문제이다. 문제에서는 음, 총획, 갑골문의 모양, 결합할 수 있는 한자를 알려 주고 있다. 보통은 음으로 찾는 게 가장 빠르므로 음이 '走'(달릴 주)과 같은 한자를 먼저 찾아보자.

① 州(고을 주) ② 典(법 전) ③ 周(두루 주)
④ 宙(집 주) ⑤ 界(지경 계)

여기에서 음이 '주'인 것은 '州', '周', '宙'이다. 이 중에서 '知'(지)와 결합하면 '여러 사람이 두루 앎'의 뜻으로 쓰이는 것은 '周'이다.

답: ③

4. 의미 관계 문제

ㄱ. 選(고를 선) – 擇(고를 택)
ㄴ. 問(물을 문) – 答(답할 답)
ㄷ. 前(앞 전) – 後(뒤 후)
ㄹ. 製(지을 제) – 造(만들 조)

답: ②

5. 십자말풀이 문제

가로 열쇠는 '小貪大失'(소탐대실), 세로 열쇠는 '大同小異'(대동소이)이다.

① 大(큰 대) ② 小(작을 소) ③ 代(대신할 대)
④ 失(잃을 실) ⑤ 異(다를 이)

성어를 몰라도 ㉠은 두 성어에 공통적으로 들어가는 한자이므로, 가로 열쇠와 세로 열쇠에 공통적으로 '큰'이라는 표현이 있는 것에서 답을 찾을 수 있다.

답: ①

6. 사자성어 문제

① 堂狗風月(당구풍월): 서당개의 풍월. 그 분야에 경험과 지식이 전혀 없는 사람이라도 오래 있으면 얼마간의 경험과 지식을 가짐.
② 甘言利說(감언이설): 달콤한 말과 이로운 말. 귀가 솔깃하도록 남의 비위를 맞추거나 이로운 조건을 내세워 꾀는 말.
③ 漸入佳境(점입가경): 점점 들어갈수록 아름다운 경치가 나옴. 시간이 지날수록 하는 짓이나 몰골이 더욱 꼴불견임.
④ 骨肉相爭(골육상쟁): 뼈와 살이 서로 다툼. 가까운 혈족끼리 서로 싸움.
⑤ 表裏不同(표리부동): 겉과 속이 같지 않음. 겉으로 드러나는 언행과 속으로 가지는 생각이 다름.

답: ⑤

7. 한자어 문제

원래의 뜻이 '대롱 구멍으로 사물을 봄'이므로 '대롱'과 '보다'를 뜻하는 한자가 포함된 한자어를 찾으면 된다.

① 盲目(맹목) ② 管見(관견) ③ 私見(사견)
④ 可觀(가관) ⑤ 主觀(주관)

답: ②

8. 단문 문제

> ㉠轉禍而爲福, 因敗而成功.
> 전 화 이 위 복 인 패 이 성 공
> 화가 굴러 복이 되고, 실패로 인하여 성공한다.

㉠은 '화가 굴러 복이 되다'로 해석되므로 마지막으로 풀이되는 것은 '爲'(될 위)이다.

답: ④

9. 사자성어 문제

나날이 다달이 발전하자는 의미라는 것만으로는 답을 찾기 조금 어렵게 느껴질 수 있다. 아예 '일취월장'이 한자로 '日就月將'이라는 것을 외워 두기를 권장한다.

① 場(마당 장) ② 將(나아갈 장) ③ 張(펼 장)
④ 壯(씩씩할 장) ⑤ 丈(어른 장)

답: ②

10. 대구 문제

> 君子, 貴人而賤己, (㉠), 則民作讓.
> 군 자 귀 인 이 천 기 즉 민 작 양
> 군자가 남을 귀하게 여기고 자기를 천하게 여기며 ㉠하면 백성이 겸양을 만든다.

대구 문제는 윗글을 암기해서 푸는 문제가 아니다. 한문의 대구를 이용해서 빈칸에 알맞은 한자를 찾는 문제이다. '貴人而賤己'와 ㉠이 대구를 이루고 있으므로 ㉠에 들어갈 내용을 순서대로 바르게 배열하면 '先人而後己'(남을 우선하고 나를 뒤로 하다)이다.

답: ③

11. 한중일 한자어 문제

‘人云亦云’에는 신경 쓰지 않아도 된다. ‘일정한 의견 없이 남을 따라 한다’라는 뜻의 성어를 찾으면 된다.

① 附和雷同(부화뇌동): 일정한 주견이 없이 남의 의견에 따라 같이 행동함.

② 各樣各色(각양각색): 각각의 모양과 각각의 빛깔.

③ 衆口難防(중구난방): 뭇 사람의 입은 막기 어려움. 막기 어려울 정도로 여럿이 마구 지껄임.

④ 類類相從(유유상종): 비슷한 무리끼리 서로 좇음.

⑤ 以心傳心(이심전심): 마음으로써 마음을 전함.

답: ①

12. 카드 문제

① 알려진 대로 참 뛰어난 능력을 지녔어.
☞ 名實相符(명실상부)

② 유명세에 비해서는 실속이 없는 것 같아.
☞ 有名無實(유명무실)

③ 남을 업신여기는 태도는 바람직하지 않아.
☞ 眼下無人(안하무인)

④ 평소 차분한 준비 덕에 재난을 극복한 것 같아.
☞ 有備無患(유비무환)

⑤ 물건을 살 때는 이상이 있는지 없는지 살펴봐야 해.
☞ 사자성어가 떠오르지 않는다.

답: ②

13. 단문 문제

① 非禮勿視, 非禮勿聽.
비 례 물 시 비 례 물 청
예가 아니면 보지 말고, 예가 아니면 듣지 말라.

② 過而不改, 是謂過矣.
과 이 불 개 시 위 과 의
잘못하고도 고치지 않는 것, 이것이 잘못이라고 이르는 것이다.

③ 自重其身者, 人不敢輕之.
자 중 기 신 자 인 불 감 경 지
스스로 그 몸을 중하게 여기는 사람은 남이 감히 그를 가볍게 여기지 못한다.

④ 若要人重我, 無過我重人.
약 요 인 중 아 무 과 아 중 인
만약 남이 나를 중하게 여기기를 원한다면 내가 남을 중하게 여기는 것을 지나치지 말라.

⑤ 言勿異於行, 行勿異於言.
언 물 이 어 행 행 물 이 어 언
말은 행동과 다르지 말고, 행동은 말과 다르지 말라.

답: ④

[14~15] 배움과 공부의 길

爲學工夫如行路, 所期雖遠,
위 학 공 부 여 행 로 소 기 수 원
배움을 하고 공부하는 것은 길을 가는 것과 같아, 기약한 바가 비록 멀더라도

若行之不已, 則自當至於其㉠處,
약 행 지 불 이 즉 자 당 지 어 기 처
만약 그것을 가는 것이 그침이 없으면 저절로 마땅히 그곳에 이르지만,

若止而不行, 則雖至近之地, 何能至乎?
약 지 이 불 행 즉 수 지 근 지 지 하 능 지 호
만약 멈추고 가지 않으면 비록 지극히 가까운 곳이라도 어찌 이를 수 있겠는가?

14. 해석 문제

글의 내용으로 보아 ㉠의 의미로 알맞은 것은 ‘궁극적 목표’이다.

답: ①

15. 해석 문제

윗글에 대한 이해로 옳은 것은 ‘배움에 있어 꾸준함만큼 중요한 것은 없어’이다.

답: ⑤

[16~17] 이정, 「기군실(寄君實)」

旅館殘燈曉, 孤城細雨秋.
여 관 잔 등 효 고 성 세 우 추
여관의 희미한 등불에 새벽이 밝고, 외로운 성에 가는 비 내리는 가을이구나.

思君意不盡, 千里大江流.
사 군 의 부 진 천 리 대 강 류
그대 생각하니 뜻이 다함이 없구나, 천 리 큰 강이 흐른다.

16. 한시 문제

ㄱ. 다섯 글자씩 네 구이므로 오언절구이다.

ㄴ. 운자는 짝수 구의 마지막 글자에 오고, 첫째 구의 마지막 글자에 올 수 있다. ‘秋’(추), ‘流’(류)가 운자이므로 ‘曉’(효)는 운자가 아니다.

ㄷ. 두 구가 문법적 기능이 동일한 글자의 배열로 이루어져 있을 때 대우를 이룬다고 한다. 첫째 구와 둘째 구는 문법적 기능이 동일한 글자의 배열로 이루어져 있으므로 대우를 이룬다.

ㄹ. 오언시는 두 자, 세 자로 끊어 읽는다. 이는 오언시를 읽는 대원칙이다.

어려운 문제도 아니었지만, 시의 형식만으로 당연히 알 수 있는 ㄱ, ㄹ을 포함하는 답만 찾아도 답이 ④임을 알 수 있다.

답: ④

17. 이해와 감상 문제

① 셋째 구에서 누군가를 그리워함을 알 수 있다.

② 외로운 성에 가는 비가 내리는 가을은 쓸쓸한 분위기를 풍긴다고 생각할 수 있다.

③ 강물이 등장하지만 그것이 세월의 무상함을 비유한 것인지는 확실하지 않다.

④ 첫째 구의 ‘曉’(새벽 효)와 셋째 구의 ‘秋’(가을 추)에 시간적 배경이 드러나 있다.

⑤ 첫째 구의 ‘旅館’(여관)이라는 표현에서 시적 화자가 객지에 있음을 알 수 있다.

답: ③

18. 단문 문제

① 其身正, 不令而行.
기 신 정 불 령 이 행
그 몸이 바르면 명령하지 않아도 행한다.

② 人無遠慮, 必有近憂.
인 무 원 려 필 유 근 우
사람이 먼 염려가 없으면 반드시 가까운 근심이 있다.

③ 君子求諸己, 小人求諸人.
군 자 구 저 기 소 인 구 저 인
군자는 자기에게서 구하고, 소인은 남에게서 구한다.

④ 欲速則不達, 見小利則大事不成.
욕 속 즉 부 달 견 소 리 즉 대 사 불 성
빠르고자 하면 이르지 못하고, 작은 이익을 보면 큰일이 이루어지지 않는다.

⑤ 不患寡而患不均, 不患貧而患不安.
불 환 과 이 환 불 균 불 환 빈 이 환 불 안
적음을 근심하지 말고 고르지 않음을 근심하고, 가난함을 근심하지 말고 편안하지 않음을 근심하라.

답: ②

19. 사자성어 문제

> 所惡於上, 毋以使下, 所惡於下, 毋以事上.
> 소 오 어 상 무 이 사 하 소 오 어 하 무 이 사 상
> 위에서 미워하는 바는 그것으로써 아랫사람에게 시키지 말고, 아래에서 미워하는 바는 그것으로써 윗사람을 섬기지 말라.

① 勸善懲惡(권선징악): 선을 권하고 악을 벌줌.
② 莫上莫下(막상막하): 위도 없고 아래도 없음. 더 낫고 더 못함의 차이가 거의 없음.
③ 事必歸正(사필귀정): 일은 반드시 바른 곳으로 돌아감.
④ 下學上達(하학상달): 낮은 것을 배워 높은 것에 이름.
⑤ 推己及人(추기급인): 자기를 미루어 남에게 미침. 자기의 처지에 비추어 다른 사람의 형편을 헤아림.

답: ⑤

20. 단문 문제

① 己所不欲, 勿施於人.
기 소 불 욕 물 시 어 인
자기가 하고자 하지 않는 바를 남에게 베풀지 말라.

② 寬而見畏, 嚴而見愛.
관 이 견 외 엄 이 견 애
너그러우면서도 두려워하게 하고, 엄하면서도 사랑하게 하라.

③ 律己須明白, 待人要包容.
율 기 수 명 백 대 인 요 포 용
자기를 다스림에는 모름지기 명백해야 하고, 남을 대함에는 포용이 필요하다.

④ 不患人之不己知, 患不知人也.
불 환 인 지 불 기 지 환 부 지 인 야
남이 자기를 알지 못함을 근심하지 말고, 남을 알지 못함을 근심하라.

⑤ 察己則可以知人, 察今則可以知古.
찰 기 즉 가 이 지 인 찰 금 즉 가 이 지 고
자기를 살피면 남을 알 수 있고, 지금을 살피면 옛날을 알 수 있다.

답: ③

[21~23] 일의 성패

> 凡曰某事難者, 皆不爲也, 非不能也.
> 범 왈 모 사 난 자 개 불 위 야 비 불 능 야
> 무릇 어떤 일이 어렵다고 하는 사람은 모두 하지 않는 것이지, 할 수 없는 것이 아니다.
>
> 人之才分, 固有限量, 而肯心所指, ㉠事無不成, 怠心所指, 事無不毁.
> 인 지 재 분 고 유 한 량 이 긍 심 소 지 사 무 불 성 태 심 소 지 사 무 불 훼
> 사람의 재주가 나누어짐은 진실로 제한된 양이 있어 즐거운 마음으로 가리킨 바라면 일이 이루어지지 않음이 없고 게으른 마음으로 가리킨 바라면 헐지 않는 일이 없을 것이다.
>
> 人之喜事者, 以有肯心而常覺㉡於易也, 人之厭事者, 以有怠心而常覺於(㉢)也.
> 인 지 희 사 자 이 유 긍 심 이 상 각 어 이 야 인 지 염 사 자 이 유 태 심 이 상 각 어 야
> 사람 가운데 일에 기뻐하는 사람은 즐거운 마음을 가지고 늘 쉬움에 곤두서 있고 사람 가운데 일을 싫어하는 사람은 게으른 마음을 가지고 늘 ㉢에 곤두서 있는 것이다.

21. 해석 문제

㉠은 '일이 이루어지지 않음이 없다'로 해석된다.

답: ①

22. 바꾸어 쓸 수 있는 한자 문제

㉡은 '~에'라는 뜻이므로 바꾸어 쓸 수 있는 것은 '于'(어조사 우)이다. 이런 문제는 가장 쉬운 문제 가운데 하나이므로 꼭 풀도록 하자.

답: ③

23. 빈칸 문제

㉢을 포함한 문장이 대구를 이루고 있으므로 ㉢에는 '易'(쉬울 이)에 반대되는 한자인 '難'(어려울 난)이 들어가야 한다.

① 治(다스릴 치) ② 易(쉬울 이) ③ 歡(기뻐할 환)
④ 難(어려울 난) ⑤ 亂(어지러울 란)

답: ④

[24~26] 침은 조광일

> 或問曰: "…(중략)… 以㉠子之能, 何不交貴顯取功名, 乃從閭巷小民遊乎? ㉡何其不自重也?"
> 혹 문 왈 이 자 지 능 하 불 교 귀 현 취 공 명 내 종 여 항 소 민 유 호 하 기 부 자 중 야
> 누군가가 물어 말하기를, "그대의 능력으로써 어찌 귀하고 드러난 사람들과 사귀어 공명을 취하지 않고 여항의 작은 백성들을 좇아 어울리는가? 어찌 스스로를 중하게 여기지 않는가?"
>
> ㉮趙生笑曰: "…(중략)… 吾疾㉯世之醫, 挾其術, 以驕於人, ㉰門外騎相屬, 家㉢設酒肉以待, 率三四請然後, 肯往.
> 조 생 소 왈 오 질 세 지 의 협 기 술 이 교 어 인 문 외 기 상 촉 가 설 주 육 이 대 솔 삼 사 청 연 후 긍 왕

조생이 웃으며 말하기를, "나는 세상의 의사들이 그 기술을 믿고 그로써 남에게 교만하고 문 밖에는 탈 것이 서로 잇따르고 집에서 술과 고기를 차리고 기다리며 이끌고 대략 서너 번 청한 뒤에야 기꺼이 가는 것을 미워한다.

又所㉣往, 非貴勢家, 則富家也. …(중략)…
우 소 왕 비 귀 세 가 즉 부 가 야

또 가는 곳은 귀하고 세력 있는 집이 아니면 돈 많은 집이다.

是㉤豈仁人之情哉? 吾所以專遊民間, 不干於貴勢者, 懲此輩也."
시 기 인 인 지 정 재 오 소 이 전 유 민 간 불 간 어 귀 세 자 징 차 배 야

이 어찌 어진 사람의 마음이겠는가? 내가 오로지 백성들 사이에서만 돌아다니고 귀하고 세력 있는 사람들과 간여하지 않는 까닭은 이러한 무리를 꾸짖기 위함이다."

24. 해석 문제

㉠은 '그대'로 해석된다. '향하다', '말하다', '살다'라는 뜻의 한자는 각각 '向'(향할 향), '說'(말할 설), '住'(살 주)이다.

답: ⑤

25. 해석 문제

윗글의 내용으로 보아 ㉮와 ㉯의 태도는 각각 '비판적', '속물적'이다.

답: ①

26. 짜임 문제

㉰는 '문 밖'으로 해석되므로 그 짜임은 '수식'이다.

① 登校(등교): 학교에 오르다. (술보)
② 出席(출석): 자리에 나오다. (술보)
③ 贊反(찬반): 찬성과 반대. (병렬)
④ 休息(휴식): 쉬고 쉼. (병렬)
⑤ 校內(교내): 학교 안. (수식)

답: ⑤

[27~28] 맹자(孟子)

得天下, 有道, 得其民, 斯得天下矣.
득 천 하 유 도 득 기 민 사 득 천 하 의

천하를 얻는 데 도가 있으니 그 백성을 얻으면 이는 천하를 얻는 것이다.

得其民, 有道, 得其心, 斯得民矣.
득 기 민 유 도 득 기 심 사 득 민 의

그 백성을 얻는 데 도가 있으니 그 마음을 얻으면 이는 백성을 얻는 것이다.

得其(㉠), 有道, 所欲, 與之聚之, 所㉡惡, 勿施爾也.
득 기 유 도 소 욕 여 지 취 지 소 오 물 시 이 야

그 ㉠을 얻는 데 도가 있으니 하고자 하는 바는 그것을 주고 그것을 모으고, 미워하는 바는 베풀지 않는 것일 뿐이다.

27. 빈칸 문제

'天下'로 시작해 '其民'으로 끝난 문장 뒤에 '其民'으로 시작해 '其心'으로 끝나는 문장이 이어지므로, 그 다음 문장은 '其心'으로 시작하는 문장이 이어져야 한다.

답: ④

28. 해석 문제

'惡'은 '악하다'의 뜻일 때에는 '악'으로, '미워하다'의 뜻일 때에는 '오'로 읽는다. ㉡은 '미워하다'로 해석되므로 그 음은 '오'이다.

① 憎惡(증오) ② 惡童(악동) ③ 害惡(해악)
④ 惡談(악담) ⑤ 善惡(선악)

㉡을 해석하지 않아도 답으로 제시된 한자어 가운데 '憎惡'만 '惡'의 음이 '오'이므로 답을 찾을 수 있다.

답: ①

[29~30] 사마광의 기지

㉠司馬光, 字君實. …(중략)…
사 마 광 자 군 실

사마광은 자(字)가 군실이다.

群兒戲于庭, 一兒登甕, 足跌沒水中, 衆皆棄去.
군 아 희 우 정 일 아 등 옹 족 질 몰 수 중 중 개 기 거

여러 아이들이 뜰에서 놀다가 한 아이가 항아리에 올라 발을 헛디뎌 물속에 빠지니 아이들이 모두 버리고 떠났다.

光持石擊甕破之, 水迸, 兒得(㉡).
광 지 석 격 옹 파 지 수 병 아 득

사마광이 돌을 집어 항아리를 쳐 그것을 깨니 물이 솟아나 아이가 ㉡할 수 있었다.

29. 해석 문제

㉠이 문제 해결을 위해 취한 방법은 돌을 집어 항아리를 친 것이다. 해석이 어려웠더라도 '石'(돌 석), '破'(깨뜨릴 파)로부터 답을 찾을 수 있다.

답: ②

30. 빈칸 문제

① 活(살 활) ② 效(본받을 효) ③ 泣(울 읍)
④ 入(들 입) ⑤ 點(점 점)

답: ①

2020학년도 6월 모의평가

1	①	7	⑤	13	①	19	⑤	25	②
2	⑤	8	④	14	④	20	②	26	③
3	④	9	①	15	①	21	⑤	27	④
4	②	10	⑤	16	③	22	①	28	②
5	④	11	②	17	⑤	23	⑤	29	④
6	②	12	③	18	③	24	④	30	③

1. 그림 문제

'두 마리 새가 사이좋게 화답하며 우는 모습'에서 '二'(두 이), '鳥'(새 조), '鳴'(울 명), '圖'(그림 도)가 있으므로 ㉠에는 '사이좋게 화답하다'라는 뜻의 한자가 들어가야 한다.

① 和(화할 화) ② 哀(슬플 애) ③ 華(빛날 화)
④ 知(알 지) ⑤ 爭(다툴 쟁)

답: ①

2. 조건을 만족하는 한자 문제

조건을 만족하는 한자를 찾는 문제이다. 문제에서는 음, 총획, 결합할 수 있는 한자, 갑골문의 모양을 알려 주고 있다. 보통은 음으로 찾는 게 가장 빠르므로 음이 '逐'(쫓을 축)과 같은 한자를 먼저 찾아보자.

① 神(귀신 신) ② 發(쏠 발) ③ 賀(하례 하)
④ 畜(짐승 축) ⑤ 祝(빌 축)

여기에서 음이 '축'인 것은 '畜', '祝'이다. 이 중에서 '願'(원)과 결합하면 '희망하는 대로 이루어지기를 마음속으로 원함'을 뜻하는 말이 되는 것은 '祝'이다. 그러고 보니 갑골문의 모양도 얼추 비슷하다.

답: ⑤

3. 한자어 문제

'長蛇陣'(장사진)은 '많은 사람이 줄을 지어 길게 늘어선 모양'이라는 뜻이다. '더 이상 물러설 수 없음'을 비유적으로 말할 때 쓰이는 단어는 '背水陣'(배수진)이다.

답: ④

4. 의미 관계 문제

ㄱ. 海(바다 해) – 洋(바다 양)
ㄴ. 出(날 출) – 入(들 입)
ㄷ. 手(손 수) – 足(발 족)
ㄹ. 群(무리 군) – 衆(무리 중)

답: ②

5. 십자말풀이 문제

가로 열쇠는 '異口同聲'(이구동성), 세로 열쇠는 '同價紅裳'(동가홍상)이다.

① 言(말씀 언) ② 若(같을 약) ③ 如(같을 여)
④ 同(같을 동) ⑤ 價(값 가)

성어를 몰라도 ㉠은 두 성어에 공통적으로 들어가는 한자이므로, 가로 열쇠와 세로 열쇠에 공통적으로 '같은'이라는 표현이 있는 것에서 답을 찾을 수 있다.

답: ④

6. 사자성어 문제

① 鷄鳴狗盜(계명구도): 닭의 울음과 개의 도둑질. 비굴하게 남을 속이는 하찮은 재주 또는 그런 재주를 가진 사람.
② 適材適所(적재적소): 알맞은 재목이 알맞은 곳에.
③ 老馬之智(노마지지): 늙은 말의 지혜. 연륜이 깊으면 나름의 장점과 특기가 있음.
④ 有名無實(유명무실): 이름은 있으나 실속이 없음.
⑤ 車載斗量(거재두량): 수레에 싣고 말로 잼. 물건이나 인재 따위가 많아서 그다지 귀하지 않음.

답: ②

7. 사자성어 문제

① 口蜜腹劍(구밀복검): 입에는 꿀이 있고 배에는 칼이 있음. 말로는 친한 듯하나 속으로는 해칠 생각이 있음.
② 山海珍味(산해진미): 산과 바다의 진귀한 맛. 맛이 좋은 음식.
③ 有終之美(유종지미): 끝이 있음의 아름다움. 한번 시작한 일을 끝까지 잘하여 끝맺음이 좋음.
④ 多多益善(다다익선): 많으면 많을수록 더욱 좋음.
⑤ 漸入佳境(점입가경): 점점 들어갈수록 아름다운 경치. 들어갈수록 점점 재미가 있음. 시간이 지날수록 하는 짓이나 몰골이 더욱 꼴불견임.

답: ⑤

8. 한중일 한자어 문제

'吹牛'에는 신경 쓰지 않아도 된다. '허풍 떨거나 큰소리친다'라는 뜻의 성어를 찾으면 된다.

① 牛耳讀經(우이독경): 쇠귀에 경 읽기. 아무리 가르치고 일러 주어도 알아듣지 못함.
② 互角之勢(호각지세): 서로 마주보는 뿔의 형세. 역량이 서로 비슷비슷한 위세.
③ 名不虛傳(명불허전): 이름은 헛되이 전해지지 않음. 이름날 만한 까닭이 있음.
④ 虛張聲勢(허장성세): 허풍으로 소리와 세력을 펼침. 실속은 없으면서 큰소리치거나 허세를 부림.
⑤ 聲東擊西(성동격서): 동쪽에서 소리를 내고 서쪽에서 침. 적을 유인하여 이쪽을 공격하는 체하다가 그 반대쪽을 치는 전술.

답: ④

9. 사자성어 문제

① 盡(다할 진) ② 晝(낮 주) ③ 鎭(누를 진)
④ 陳(늘어놓을 진) ⑤ 生(날 생)

답: ①

10. 단문 문제

① 愛人不親, 反其仁.
애 인 불 친 반 기 인
사람을 사랑하는데 친해지지 않으면 그 어짊을 돌아보라.

② 寬而見畏, 嚴而見愛.
관 이 견 외 엄 이 견 애
너그럽되 두려워하게 하고, 엄하되 사랑하게 하라.

③ 愛人無可憎, 憎人無可愛.
애 인 무 가 증 증 인 무 가 애
남을 사랑하면 미워할 수 없고, 남을 미워하면 사랑할 수 없다.

④ 無聽之以耳, 而聽之以心.
무 청 지 이 이 이 청 지 이 심
그것을 귀로써 듣지 말고, 그것을 마음으로써 들으라.

⑤ 樹欲靜而風不止, 子欲養而親不待.
수 욕 정 이 풍 부 지 자 욕 양 이 친 부 대
나무는 고요하고자 하나 바람이 그치지 않고, 자식이 봉양하고자 하나 어버이가 기다리지 않는다.

답: ⑤

11. 카드 문제

① 한 마디만 듣고도 거의 알다니 대단해.
☞ 聞一知十(문일지십)

② 마음이 불편해서 오래 있을 수 없었어.
☞ 坐不安席(좌불안석)

③ 그 결과는 묻지 않더라도 뻔한 일이야.
☞ 不問可知(불문가지)

④ 자세한 사정은 알아보지도 않고 화를 내네.
☞ 不問曲直(불문곡직)

⑤ 원하는 만큼은 아니지만 지금 결과에 만족해.
☞ 安分知足(안분지족)

답: ②

12. 대구 문제

(㉠), 小者大之源.
소 자 대 지 원
㉠, 작은 것은 큰 것의 근원이다.

대구 문제는 윗글을 암기해서 푸는 문제가 아니다. 한문의 대구를 이용해서 빈칸에 알맞은 한자를 찾는 문제이다. ㉠과 '小者大之源'이 대구를 이루고 있으므로 ㉠에 들어갈 내용을 순서대로 바르게 배열하면 '輕者重之端'(가벼운 것은 무거운 것의 처음이다)이다.

답: ③

13. 단문 문제

① 行不及時, 後時悔.
행 불 급 시 후 시 회
행동이 때에 미치지 못하면 뒤에 후회한다.

② 溫不兼日, 則氷不釋.
온 불 겸 일 즉 빙 불 석
따뜻함도 해와 아울러 있지 않으면 얼음이 풀리지 않는다.

③ 耳聞之, 不如目見之.
이 문 지 불 여 목 견 지
귀가 그것을 듣는 것은 눈이 그것을 보는 것만 못하다.

④ 尺有所短, 寸有所長.
척 유 소 단 촌 유 소 장
한 자도 짧은 바가 있고, 한 치도 긴 바가 있다.

⑤ 同欲者相憎, 同憂者相親.
동 욕 자 상 증 동 우 자 상 친
하고자 하는 것이 같은 사람은 서로 미워하고, 근심하는 것이 같은 사람은 서로 친하다.

답: ①

[14～15] 효

子游問孝, 子曰: "今之孝者, 是謂能養.
자 유 문 효 자 왈 금 지 효 자 시 위 능 양
자유가 효를 묻자, 공자가 말하기를, "지금의 효라는 것은 다만 봉양할 수 있음을 이른다.
至於犬馬, 皆能有養, 不敬, ㉠何以別乎?"
지 어 견 마 개 능 유 양 불 경 하 이 별 호
개와 말에 이르러도 모두 키움이 있을 수 있으니, 공경하지 않는다면 무엇으로 구별하겠는가?"

14. 해석 문제

'何以別乎'는 의문대명사 '何'가 '以'의 앞으로 도치된 것이다.

답: ④

15. 해석 문제

① 敬(공경할 경) ② 禮(예도 례) ③ 今(이제 금)
④ 慈(사랑할 자) ⑤ 古(옛 고)

답: ①

[16～18] 명필 최흥효

崔興孝, 通國之善書者也.
최 흥 효 통 국 지 선 서 자 야
최흥효는 나라를 통하여 글씨를 잘 쓰는 사람이다.
㉠嘗赴擧, 書卷, 得一字, 類王羲之.
상 부 거 서 권 득 일 자 류 왕 희 지
일찍이 과거에 나아가 답안을 쓰다가 한 글자를 얻었는데 왕희지체와 비슷하였다.
㉡坐視終日, ㉢忍不能捨, ㉮懷卷而歸, 是可謂 ㉯得失不存於心耳.
좌 시 종 일 인 불 능 사 회 권 이 귀 시 가 위 득 실 부 존 어 심 이
앉아 보기를 날을 다하다가, 차마 버릴 수 없어 답안지를 품고 돌아왔으니, 이는 얻고 잃음이 마음에 있지 않을 따름이라고 이를 만하다.

16. 해석 문제

㉢은 '차마'로 해석된다.

답: ③

17. 해석 문제

㉮의 이유로 알맞은 것은 '자신이 쓴 글씨가 왕희지체와 닮아서'이다.

답: ⑤

18. 짜임 문제

㉯는 '얻음과 잃음'으로 해석되므로 그 짜임은 '병렬'이다.

① 品貴(품귀): 물건이 귀함. (주술)
② 報恩(보은): 은혜를 갚음. (술목)
③ 抑揚(억양): 누름과 올림. (병렬)
④ 歸家(귀가): 집에 돌아감. (술보)
⑤ 廣告(광고): 널리 알림. (수식)

답: ③

**[19~21] 이 백, 「독좌경정산(獨坐敬亭山)」
박인로, 「사우정(四友亭)」**

> (가) 衆鳥高飛盡, 孤雲㉠獨去閒.
> 중 조 고 비 진 고 운 독 거 한
> 여러 새 높이 날아 사라지고, 외로운 구름 홀로 떠나가니 한가롭구나.
> 相㉡看兩不厭, 只有敬亭山.
> 상 간 량 불 염 지 유 경 정 산
> 서로 보아 둘 다 싫지 않은 것은, 다만 경정산만 있구나.
>
> (나) ㉢池上亭亭百尺松, 寒天斜日翠浮空.
> 지 상 정 정 백 척 송 한 천 사 일 취 부 공
> 연못 위 정정한 백 척 소나무, 찬 하늘 기울어진 해에 푸름이 하늘에 떠 있구나.
> 四時不㉣變專孤節, 肯畏嚴霜與㉤疾風.
> 사 시 불 변 전 고 절 긍 외 엄 상 여 질 풍
> 사철 변하지 않는 오로지 외로운 절개, 어찌 매서운 서리와 빠른 바람을 두려워하겠는가.

19. 해석 문제

㉤은 '빠르다'로 해석된다. '疾走'(질주)의 '疾'은 '疾'이 '빠르다'라는 뜻으로 쓰인 대표적인 예이다.

답: ⑤

20. 한시 문제

ㄱ. (가)는 다섯 글자씩 네 구이므로 오언절구이다.
ㄴ. 두 구가 문법적 기능이 동일한 글자의 배열로 이루어져 있을 때 대우를 이룬다고 한다. (가)의 셋째 구와 넷째 구는 문법적 기능이 동일한 글자의 배열로 이루어져 있지 않으므로 대우를 이루고 있지 않다.
ㄷ. 운자는 짝수 구의 마지막 글자에 오고, 첫째 구의 마지막 글자에 올 수 있다. 따라서 '空'(공)이 운자가 아닐 수는 없다.
ㄹ. 칠언시는 네 자, 세 자로 끊어 읽는다. 이는 칠언시를 읽는 대원칙이다.

답: ②

21. 이해와 감상 문제

① (가)에는 '敬亭山'(경정산)이라는 구체적 공간이 제시되어 있다.
② (가)에는 동적인 '衆鳥'(여러 새), '孤雲'(외로운 구름)과 정적인 '敬亭山'(경정산)이 대비되었다.
③ (나)의 '寒天'(찬 하늘)이라는 시어로 계절적 배경이 겨울이라는 것을 알 수 있다.
④ (가)와 (나)에는 각각 '衆鳥'(여러 새), '孤雲'(외로운 구름)과 '松'(소나무)에 대한 시적 화자의 정감이 드러나 있다.
⑤ (나)는 중심 소재인 '松'(소나무)을 '百尺'(백 척)이라는 과장된 표현으로 부각시켰지만, (가)는 과장된 표현을 사용하지 않았다.

답: ⑤

22. 빈칸 문제

> 所憎者, 有功必賞, 所愛者, 有罪必(㉠).
> 소 증 자 유 공 필 상 소 애 자 유 죄 필
> 미워하는 바의 사람이어도 공이 있으면 반드시 상주어야 하고, 사랑하는 바의 사람이어도 죄가 있다면 반드시 ㉠.

① 罰(벌줄 벌) ② 償(갚을 상) ③ 尙(높일 상)
④ 恕(용서할 서) ⑤ 然(그러할 연)

답: ①

[23~24] 나의 허물부터 보는 것이 군자

> 見己之㉠過, 不見人之過, 君子也, 見人之過,
> 견 기 지 과 불 견 인 지 과 군 자 야 견 인 지 과
> 不見己之過, 小人也.
> 불 견 기 지 과 소 인 야
> 자기의 허물은 보고 남의 허물은 보지 않으면 군자이고, 남의 허물은 보고 자기의 허물은 보지 않으면 소인이다.
> 檢身苟誠矣, 己之過日見於前, 烏暇察人之過?
> 검 신 구 성 의 기 지 과 일 견 어 전 오 가 찰 인 지 과
> 몸을 검사함이 진실로 정성스럽다면 자기의 허물이 날마다 앞에 보이는데 어느 겨를에 남의 허물을 살피겠는가?

23. 해석 문제

㉠은 '허물'로 해석된다.

① 過信(과신) ② 過去(과거) ③ 過食(과식)
④ 過用(과용) ⑤ 過誤(과오)

㉠을 해석하지 않아도 답으로 제시된 한자어 가운데 '過誤'의 '過'만 '허물'이라는 뜻이고 나머지는 '지나치다'라는 뜻이므로 답을 찾을 수 있다.

답: ⑤

24. 해석 문제

① 人之過失, 多由言語.
인 지 과 실 다 유 언 어
사람의 과실은 대부분 말로부터 말미암는다.

② 若要人重我, 無過我重人.
약 요 인 중 아 무 과 아 중 인
만약 남이 나를 중하게 여기기를 요한다면 내가 남을 중하게 여기는 것을 지나치지 말아야 한다.

③ 自重其身者, 人不敢輕之.
자 중 기 신 자 인 불 감 경 지
스스로 자기의 몸을 중하게 여기는 사람은 남이 감히 그를 가볍게 여기지 않는다.

④ 己過則默, 人過則揚, 是過也大矣.
기 과 즉 묵 인 과 즉 양 시 과 야 대 의
자기가 잘못하면 침묵하고, 남이 잘못하면 들고 일어나니, 이 잘못이야말로 크다.

⑤ 道吾過者, 是吾師, 談吾美者, 是吾賊.
도 오 과 자 시 오 사 담 오 미 자 시 오 적
나의 잘못을 말하는 사람은 바로 나의 스승이요, 나의 아름다움을 말하는 사람은 바로 나의 도적이다.

답: ④

[25~27] 어찌 사사로움이 없다 할 수 없겠는가

或問㉮第五倫曰: "公有私乎?"
혹 문 제 오 륜 왈 공 유 사 호
누군가 제오륜에게 물어 말하기를, "그대는 사사로움이 있습니까?"
對曰: "昔, 人有與吾千里馬者, 吾雖不受, 每三公, 有所㉠選擧, 心不能忘, 而亦終不用也.
대 왈 석 인 유 여 오 천 리 마 자 오 수 불 수 매 삼 공 유 소 선 거 심 불 능 망 이 역 종 불 용 야
대답하여 말하기를, "옛날에 사람으로 나에게 천리마를 준 사람이 있었는데, 내가 비록 받지는 않았으나 매번 삼공과 골라 천거하는 바가 있으면 마음이 잊을 수 없었지만 또한 끝내 쓰지 않았다.
吾兄子嘗病, 一夜十往, 退而安寢, 吾子有疾, 雖不省視, 而竟夕不眠, 若是者, (㉡)?"
오 형 자 상 병 일 야 십 왕 퇴 이 안 침 오 자 유 질 수 불 성 시 이 경 석 불 면 약 시 자
내 형의 아들이 일찍이 병들어, 하룻밤에 열 번 갔으나 물러나서는 편안하게 잠들었지만, 내 아들이 병이 있으면 비록 살피고 보지 못해도 마침내 저녁에 잠들지 못하였으니, 이것과 같다면 ㉡?"

25. 해석 문제

① 塞翁之馬(새옹지마): 변방 늙은이의 말. 인생의 길흉화복은 변화가 많아서 예측하기가 어려움.
② 先公後私(선공후사): 공을 앞세우고 사사로움을 뒤로 함.
③ 刻骨難忘(각골난망): 뼈에 새겨 잊기 어려움. 남에게 입은 은혜가 뼈에 새길 만큼 커서 잊히지 않음.
④ 背恩忘德(배은망덕): 은혜를 등지고 덕을 잊음. 남에게 입은 은덕을 저버리고 배신하는 태도가 있음.
⑤ 愚公移山(우공이산): 우공이 산을 옮김. 어떤 일이든 끊임없이 노력하면 반드시 이루어짐.

답: ②

26. 독음 문제

㉠의 독음은 '선거'이다.

답: ③

27. 해석 문제

윗글의 흐름으로 보아 ㉡에 들어갈 내용으로 알맞은 것은 '어찌 사사로움이 없다 할 수 있겠는가'이다.

답: ④

28. 단문 문제

建大功者, 必享大福, 苟不及其身, 必於其後.
건 대 공 자 필 향 대 복 구 불 급 기 신 필 어 기 후
큰 공을 세운 사람은 반드시 큰 복을 누리니 진실로 그 몸에 미치지 못하더라도 그 뒤에 반드시 그러하게 된다.
有施必獲, 固天道也.
유 시 필 획 고 천 도 야
베풂이 있으면 반드시 얻음은 진실로 하늘의 도리이다.

① 記人之功, 忘人之過.
기 인 지 공 망 인 지 과
남의 공은 기억하고, 남의 잘못은 잊으라.
② 積善之家, 必有餘慶.
적 선 지 가 필 유 여 경
선을 쌓은 집안은 반드시 남는 경사스러움이 있다.
③ 己所不欲, 勿施於人.
기 소 불 욕 물 시 어 인
자기가 하고자 하지 않는 바를 남에게 베풀지 말라.
④ 志行上方, 分福下比.
지 행 상 방 분 복 하 비
뜻하고 행하는 것은 위로 본받고 분수와 복은 아래로 견주라.
⑤ 以富爲福者, 財盡則貧.
이 부 위 복 자 재 진 즉 빈
부로써 복을 삼는 사람은 재물이 다하면 가난해진다.

답: ②

[29~30] 묵은세배

年少者, 歷訪姻親長老, 曰舊歲拜.
연 소 자 력 방 인 친 장 로 왈 구 세 배
나이가 적은 사람들은 친척 어른을 차례로 방문하는데, 묵은세배(섣달 그믐날 저녁에 송년 인사로 하는 절)라 한다.
(㉠)昏至夜, 街巷行燈, 相續不絶.
혼 지 야 가 항 행 등 상 속 부 절
어두워질 무렵㉠ 밤까지 거리에 등을 들고 다니며 서로 이어져 끊어지지 않았다.

29. 빈칸 문제

문법적 기능을 하는 한자를 묻는 문제이다. '至'(이를 지)에서 '自A至B'(A부터 B까지) 구문임을 알 수 있다. 이에 해당하는 한자어로 '自初至終'(자초지종: 처음부터 끝까지)이 있다.

답: ④

30. 해석 문제

윗글의 내용과 관계있는 것은 ②이다. 해석이 어려웠더라도 '歲拜'(세배)로부터 절을 하는 그림을 고르면 된다.

답: ③

2020학년도 9월 모의평가

1	①	7	④	13	⑤	19	①	25	②
2	②	8	②	14	①	20	③	26	⑤
3	⑤	9	③	15	⑤	21	⑤	27	②
4	③	10	⑤	16	②	22	③	28	①
5	⑤	11	④	17	④	23	④	29	④
6	②	12	③	18	④	24	①	30	③

1. 그림 문제

'으뜸가는 선'에서 '善'(착할 선)이 있으므로 ㉠에는 '으뜸가다'라는 뜻의 한자가 들어가야 한다.

① 首(머리 수) ② 修(닦을 수) ③ 益(더할 익)
④ 改(고칠 개) ⑤ 次(버금 차)

답: ①

2. 의미 관계 문제

ㄱ. 高(높을 고) – 低(낮을 저)
ㄴ. 人(사람 인) – 造(만들 조)
ㄷ. 道(길 도) – 路(길 로)
ㄹ. 長(길 장) – 短(짧을 단)

답: ②

3. 조건을 만족하는 한자 문제

조건을 만족하는 한자를 찾는 문제이다. 문제에서는 갑골문의 모양, 음, 총획, 결합할 수 있는 한자를 알려 주고 있다. 보통은 음으로 찾는 게 가장 빠르므로 음이 '俗'(풍속 속)과 같은 한자를 먼저 찾아보자.

① 果(과일 과) ② 末(끝 말) ③ 余(나 여)
④ 定(정할 정) ⑤ 束(묶을 속)

여기에서 음이 '俗'과 같은 것은 '束'이다.

답: ⑤

4. 한자어 문제

'青史'(청사)는 '역사상의 기록'이라는 뜻이다. 푸른 대의 껍질에 역사적 사실을 기록한 데에서 유래하였다.

㉠ '精舍'의 음은 '정사'로, '학문을 가르치기 위하여 마련한 집'이라는 뜻이다.

㉡ '清白吏'(청백리)와 뜻이 통하는 것은 '清士'(청사: 청렴하고 맑은 선비)이다.

답: ③

5. 카드 문제

① 크기가 고만고만하니 구별하기 참 어렵군.
☞ 大同小異(대동소이)

② 일을 추진하려면 정당한 명분이 있어야 해.
☞ 大義名分(대의명분)

③ 매우 위험한 상황에도 자신을 돌보지 않았어.
☞ 臨難忘身(임난망신)

④ 내구성에 디자인까지 좋다면 많이 선택할 거야.
☞ 同價紅裳(동가홍상)

⑤ 이익을 보면 그것이 도의에 맞는지 먼저 생각했어.
☞ 見利思義(견리사의)

답: ⑤

6. 사자성어 문제

'손에서 책을 놓지 않는다'라는 말이 되려면 네 번째 글자를 ㉠으로 써야 한다는 것에서 '券'(문서 권)을 '책'이라는 뜻의 한자로 고쳐야 함을 알 수 있다.

① 歡(기쁠 환) ② 卷(책 권) ③ 近(가까울 근)
④ 拳(주먹 권) ⑤ 觀(볼 관)

잘못 쓸 만한 글자이므로 '券'과 비슷한 모양의 한자를 찾으면 답이 '卷'과 '拳' 가운데 하나로 좁혀진다.

답: ②

7. 한자어 문제

원래의 뜻이 '도장을 새김'이므로 '도장'과 '새기다'라는 뜻의 한자가 포함된 한자어를 찾으면 된다.

① 印鑑(인감) ② 刻本(각본) ③ 銘心(명심)
④ 刻印(각인) ⑤ 覺悟(각오)

답: ④

8. 십자말풀이 문제

가로 열쇠는 '内憂外患'(내우외환), 세로 열쇠는 '識字憂患'(식자우환)이다.

① 字(글자 자) ② 患(근심 환) ③ 還(돌아올 환)
④ 亂(어지러울 란) ⑤ 念(생각할 념)

성어를 몰라도 ㉠은 두 성어에 공통적으로 들어가는 한자이므로, 가로 열쇠와 세로 열쇠에 공통적으로 '근심'이라는 표현이 있는 것에서 답을 찾을 수 있다.

답: ②

9. 대구 문제

(㉠), 愼是護身之符.
신 시 호 신 지 부
㉠, 신중함은 몸을 지키는 부적이다.

대구 문제는 윗글을 암기해서 푸는 문제가 아니다. 한문의 대구를 이용해서 빈칸에 알맞은 한자를 찾는 문제이다. ㉠과 '愼是護身之符'가 대구를 이루고 있으므로 ㉠에 들어갈 내용을 순서대로 바르게 배열하면 '勤爲無價之寶'(부지런함은 값을 매길 수 없는 보물이다)이다.

답: ③

10. 한중일 한자어 문제

'不相上下'에는 신경 쓰지 않아도 된다. '서로 정도의 차이가 별로 없다'라는 뜻의 성어를 찾으면 된다.

① 不可思議(불가사의): 생각하여 헤아릴 수 없음. 사람의 생각으로는 미루어 헤아릴 수 없이 이상하고 야릇함.

② 下石上臺(하석상대): 아랫돌을 빼서 윗돌을 굄. 임시변통으로 이리저리 둘러맞춤.

③ 相扶相助(상부상조): 서로 돕고 서로 도움.

④ 朝三暮四(조삼모사): 아침에 세 개, 저녁에 네 개. 간사한 꾀로 남을 속여 희롱함.

⑤ 莫上莫下(막상막하): 위도 없고 아래도 없음. 더 낫고 더 못함의 차이가 거의 없음.

답: ⑤

11. 사자성어 문제

① 教學相長(교학상장): 가르치고 배우며 서로 자람.

② 三遷之教(삼천지교): 세 번 옮기는 가르침. 맹자의 어머니가 아들을 가르치기 위하여 세 번이나 이사를 함.

③ 不恥下問(불치하문): 아랫사람에게 묻는 것을 부끄러워하지 않음.

④ 愚公移山(우공이산): 우공이 산을 옮김. 어떤 일이든 끊임없이 노력하면 반드시 이루어짐.

⑤ 大器晚成(대기만성): 큰 그릇은 늦게 이루어짐. 크게 될 사람은 늦게 이루어짐.

답: ④

12. 대구 문제

> 死生有命, 富貴在天,
> 사 생 유 명 부 귀 재 천
> 죽음과 삶은 운명에 있고, 부유함과 귀함은 하늘에 있으니,
> 其來也不可拒, 其(㉠)也不可追.
> 기 래 야 불 가 거 기 야 불 가 추
> 그 오는 것은 막을 수 없고, 그 ㉠하는 것은 쫓을 수 없다.

대구 문제는 윗글을 암기해서 푸는 문제가 아니다. 한문의 대구를 이용해서 빈칸에 알맞은 한자를 찾는 문제이다. '其來也不可拒'와 '其(㉠)也不可追'가 대구를 이루고 있으므로 ㉠에는 '來'(올 래)와 비슷하거나 반대되는 뜻의 한자가 들어가야 한다.

① 在(있을 재) ② 住(살 주) ③ 往(갈 왕)
④ 存(있을 존) ⑤ 代(대신할 대)

이 가운데 '來'와 비슷하거나 반대되는 뜻의 한자는 '往'뿐이다.

답: ③

13. 단문 문제

> 凡事, 量力而行, 則可久而不敗.
> 범 사 량 력 이 행 즉 가 구 이 불 패
> 모든 일은 힘을 헤아려 행하면 오래어도 실패하지 않을 수 있다.

글에서 얻을 수 있는 교훈이 필요한 사람은 '자신의 능력을 헤아리지 않고 무모하게 일하는 사람'이다.

답: ⑤

14. 빈칸 문제

> ○ 自(㉠)其身者, 人不敢輕之.
> 자 기 신 자 인 불 감 경 지
> 스스로 그 몸을 ㉠하는 사람은 남이 감히 그를 가볍게 여기지 못한다.
> ○ 若要人(㉡)我, 無過我重人.
> 약 요 인 아 무 과 아 중 인
> 만약 남이 나를 ㉡하기를 원하면 내가 남을 중하게 여기는 것을 지나치지 말라.

① 重(무거울 중) ② 輕(가벼울 경) ③ 得(얻을 득)
④ 滿(찰 만) ⑤ 勝(이길 승)

답: ①

15. 단문 문제

> 耳聞之, 不如目見之, 目見之, 不如足踐之, 足踐之, 不如手辨之.
> 이 문 지 불 여 목 견 지 목 견 지 불 여 족 천 지 족 천 지 불 여 수 변 지
> 귀가 그것을 듣는 것은 눈이 그것을 보는 것만 못하고, 눈이 그것을 보는 것은 발이 그것을 밟는 것만 못하며, 발이 그것을 밟는 것은 손이 그것을 분별하는 것만 못하다.

① 聞(들을 문) ② 見(볼 견) ③ 知(알 지)
④ 如(같을 여) ⑤ 辨(분별할 변)

답: ⑤

16. 단문 문제

① 附耳之言, 勿聽焉.
부 이 지 언 물 청 언
귀에 대고 하는 말은 듣지 말라.

② 敗人之言, 不可言.
패 인 지 언 불 가 언
남을 해치는 말은 말하면 안 된다.

③ 言工無施, 不若無言.
언 공 무 시 불 약 무 언
말을 만들고 베풂이 없으면 말함이 없음만 못하다.

④ 行必先人, 言必後人.
행 필 선 인 언 필 후 인
행하는 것은 반드시 남보다 앞서고, 말하는 것은 반드시 남보다 뒤져라.

⑤ 言勿異於行, 行勿異於言.
언 물 이 어 행 행 물 이 어 언
말은 행동과 다르지 말고, 행동은 말과 다르지 말라.

답: ②

17. 단문 문제

> 子曰: "衆惡之, 必察焉, 衆好之, 必察焉."
> 자 왈 중 오 지 필 찰 언 중 호 지 필 찰 언
> 공자가 말하기를, "뭇 사람이 그것을 미워하더라도 반드시 살피고, 뭇 사람이 그것을 좋아하더라도 반드시 살펴라."

① 知之者, 不如好之者.
지 지 자 불 여 호 지 자
그것을 아는 사람은 그것을 좋아하는 사람만 못하다.

② 寬則得衆, 信則人任焉.
관 즉 득 중 신 즉 인 임 언
너그러우면 뭇 사람을 얻고, 믿음직스러우면 남이 그에게 맡긴다.

③ 罰當其罪, 爲惡者戒懼.
벌 당 기 죄 위 악 자 계 구
벌이 그 죄에 마땅하면 악을 행하는 사람이 경계하고 두려워한다.

④ 左右之言, 不可輕信, 必審其實.
좌 우 지 언 불 가 경 신 필 심 기 실
좌우의 말은 가볍게 믿어서는 안 되고, 반드시 그 실제를 살펴야 한다.

⑤ 察己則可以知人, 察今則可以知古.
찰 기 즉 가 이 지 인 찰 금 즉 가 이 지 고
자기를 살피면 남을 알 수 있고, 오늘을 살피면 옛날을 알 수 있다.

답: ④

[18~20] 이규보, 「산석영정중월(山夕詠井中月)」 정 온, 「견신월(見新月)」

(가) 山僧㉠貪月色, 并汲一瓶中.
산 승 탐 월 색 병 급 일 병 중
산의 스님이 달빛을 탐하여 한 병 속에 (물과 달빛을) 같이 길었다.

到寺方應㉡覺, 甁傾月亦㉢空.
도 사 방 응 각 병 경 월 역 공
절에 이르러 비로소 응당 깨달았으니, 병을 기울이면 달 또한 빈다는 것을.

(나) 來㉣從何處來, 落向何處落.
내 종 하 처 래 낙 향 하 처 락
오는 것은 어느 곳으로부터 오고, 떨어지는 것은 어느 곳을 향하여 떨어지는가.

姸姸㉤細如眉, 遍照天地廓.
연 연 세 여 미 편 조 천 지 곽
곱고 고와 가늚이 눈썹과 같고, 두루 하늘과 땅의 둘레를 비추네.

18. 해석 문제

㉣은 '~으로부터'로 해석된다.

답: ④

19. 한시 문제

ㄱ. 오언시는 두 자, 세 자로 끊어 읽는다. 이는 오언시를 읽는 대원칙이다.

ㄴ. 두 구가 문법적 기능이 동일한 글자의 배열로 이루어져 있을 때 대우를 이룬다고 한다. (가)의 셋째 구와 넷째 구는 문법적 기능이 동일한 글자의 배열로 이루어져 있지 않으므로 대우를 이루고 있지 않다.

ㄷ. (나)는 다섯 글자씩 네 구이므로 오언절구이다.

ㄹ. 운자는 짝수 구의 마지막 글자에 오고, 첫째 구의 마지막 글자에 올 수 있다. 따라서 '眉'(미)는 운자가 아니다.

답: ①

20. 이해와 감상 문제

① (가)의 '寺'(절)라는 시어를 통하여 공간적 배경을 알 수 있다.

② (가)의 첫째 구에는 자연물인 '月'(달)을 탐하는 정감이 드러나 있다.

③ (나)에 정처 없이 떠도는 시적 화자의 처지는 나타나 있지 않다.

④ (나)의 셋째 구에는 '細'(가늚)를 '眉'(눈썹)에 비유한 표현이 사용되었다.

⑤ (가)와 (나)는 모두 '月'(달)이라는 동일한 소재를 사용하고 있다.

답: ③

[21~22] 맹자(孟子)

孟子曰: "恭者, 不侮人, 儉者, 不奪人.
맹 자 왈 공 자 불 모 인 검 자 불 탈 인
맹자가 말하기를, "공손한 사람은 남을 업신여기지 않고, 검소한 사람은 남을 빼앗지 않는다.

㉠侮奪人之君, 惟恐不順焉, 惡得爲恭儉?
모 탈 인 지 군 유 공 불 순 언 오 득 위 공 검
남을 업신여기고 빼앗는 임금은 오직 따르지 않음을 두려워하니 어찌 공손함과 검소함을 행할 수 있겠는가?

恭儉, ㉡豈可以聲音笑貌爲哉?"
공 검 기 가 이 성 음 소 모 위 재
공손함과 검소함이 어찌 소리와 웃는 모양으로 할 수 있는 것이겠는가?"

21. 해석 문제

㉠은 '남을 업신여기고 빼앗는 임금'으로 해석되므로 마지막으로 풀이되는 것은 '君'(임금 군)이다.

답: ⑤

22. 해석 문제

㉡의 의미로 옳은 것은 '가식적으로 할 수 있는 것이 아니다'이다.

답: ③

[23~25] 호가호위(狐假虎威)

虎求百獸而食之, 得狐, 狐曰: "子無敢食我也.
호 구 백 수 이 식 지 득 호 호 왈 자 무 감 식 아 야
호랑이는 온갖 짐승을 구하여 그것을 먹는데, 여우를 얻자 여우가 말하기를, "그대는 감히 나를 먹어서는 안 된다.

天帝使㉠我長百獸, 今子食我, 是逆天帝命也.
천 제 사 아 장 백 수 금 자 식 아 시 역 천 제 명 야
천제가 내가 온갖 짐승의 우두머리 노릇을 하게 하였으니, 지금 그대가 나를 먹으면 이는 천제의 명을 거스르는 것이다.

子以我爲不信, ㉡吾爲子先行, ㉢子隨我後, 觀百獸之見我而敢不走乎."
자 이 아 위 불 신 오 위 자 선 행 자 수 아 후 관 백 수 지 견 아 이 감 부 주 호
그대가 나를 믿지 않는 것으로 여기면, 내가 그대를 위하여 앞서 갈 테니 그대가 내 뒤를 따라 온갖 짐승이 나를 보고 감히 달아나지 않는지 보겠는가."

虎以爲然, 故遂與㉣之行, 獸見之, 皆走, 虎不
호 이 위 연 고 수 여 지 행 수 견 지 개 주 호 부
知獸畏己而走也, 以爲畏狐也.
지 수 외 기 이 주 야 이 위 외 호 야
호랑이가 그러하다고 여겨 그러므로 드디어 그것과 더불어 다니니 짐승들이 그것을 보고는 모두 달아나자, 호랑이는 짐승들이 자기를 두려워하여 달아난 것을 알지 못하고 여우를 두려워한다고 여겼다.

23. 해석 문제

㉠, ㉡, ㉣은 '狐'(여우)를, ㉢은 '虎'(호랑이)를 가리킨다.

답: ④

24. 해석 문제

윗글의 내용으로 보아 알 수 있는 것은 '동물들이 달아난 이유'이다.

답: ①

25. 해석 문제

윗글에서 유래한 성어는 '狐假虎威'(호가호위)로, '남의 권세를 빌려 위세를 부림'이라는 의미이다.

답: ②

[26~27] 독서

讀書不破費, 讀書萬倍利. …(중략)…
독 서 불 파 비 독 서 만 배 리
책을 읽는 것은 비용을 깨뜨리지 않고, 책을 읽는 것은 이로움을 만 배로 한다.

㉠窓前看㉡古書, ㉢燈下尋書義.
창 전 간 고 서 등 하 심 서 의
창 앞에서 옛 책을 보고, 등불 아래에서 책의 뜻을 찾는다.

貧者因書富, ㉣富者因書貴, 愚者得書賢, 賢者
빈 자 인 서 부 부 자 인 서 귀 우 자 득 서 현 현 자
因書利, 只見㉤讀書榮, 不見讀書墜.
인 서 리 지 견 독 서 영 불 견 독 서 추
가난한 사람은 책으로 인하여 부유해지고, 부유한 사람은 책으로 인하여 귀해지며, 어리석은 사람은 책을 얻어 현명해지며, 현명한 사람은 책으로 인하여 이로워지니, 다만 책을 읽어 영화로워짐은 보았어도 책을 읽어 떨어짐은 보지 못하였다.

26. 짜임 문제

㉠ 窓前(창전): 창문 앞. (수식)
㉡ 古書(고서): 옛 책. (수식)
㉢ 燈下(등하): 등불 아래. (수식)
㉣ 富者(부자): 부유한 사람. (수식)
㉤ 讀書(독서): 책을 읽음. (술목)

답: ⑤

27. 해석 문제

① 知足(지족) ② 勸學(권학) ③ 立志(입지)
④ 省心(성심) ⑤ 克己(극기)

윗글의 중심 내용으로 알맞은 것은 '勸學'(권학)이다.

답: ②

[28~30] 조선왕조실록

世宗十三年, 上曰: "太宗實錄㉠垂成, 予欲觀之."
세 종 십 삼 년 상 왈 태 종 실 록 수 성 여 욕 관 지
세종 13년, 임금이 말하기를, "태종실록이 거의 완성되었으니 내가 그것을 보고자 한다."

右議政孟思誠曰: "實錄所㉡載, 皆當時之事,
우 의 정 맹 사 성 왈 실 록 소 재 개 당 시 지 사
以㉢示後世, 皆實事也.
이 시 후 세 개 실 사 야
우의정 맹사성이 말하기를, "실록에 실은 바는 모두 당시의 일로 이로써 후세에 보이는 것이니 모두 실제의 일입니다.

殿下見之, 亦不得㉣爲太宗更改, 今一見之, 後
전 하 견 지 역 부 득 위 태 종 갱 개 금 일 견 지 후
世人主㉤效之, 史官疑懼, 必失其職, 何以傳
세 인 주 효 지 사 관 의 구 필 실 기 직 하 이 전
(㉮)將來?" ㉯上從之.
장 래 상 종 지
전하께서 그것을 보신다고 하더라도 또한 태종을 위하여 다시 고칠 수 없지만 지금 한 번 그것을 보면 후세의 임금이 그것을 본받아 사관이 의심하고 두려워하여 반드시 그 직분을 잃을 것이니 무엇으로써 장래에 ㉮를 전하겠습니까?" 임금이 그것을 따랐다.

28. 해석 문제

㉠은 '거의'로 해석된다.

답: ①

29. 빈칸 문제

① 心(마음 심) ② 義(옳을 의) ③ 言(말씀 언)
④ 信(믿을 신) ⑤ 忠(충성할 충)

윗글은 임금이 실록을 보면 사관이 의심하고 두려워하여 사실 그대로 역사를 기록할 수 없다는 내용이므로 ㉮에 알맞은 것은 '信'이다.

답: ④

30. 해석 문제

윗글에 나타난 ㉯의 태도로 알맞은 것은 '합리적인 의견을 수용함'이다.

답: ③

2020학년도 수학능력시험

1	⑤	7	②	13	④	19	②	25	④
2	③	8	①	14	③	20	③	26	③
3	①	9	⑤	15	②	21	④	27	②
4	⑤	10	①	16	⑤	22	⑤	28	④
5	③	11	④	17	④	23	②	29	①
6	④	12	②	18	③	24	①	30	③

1. 그림 문제

'사람이 없는 빈산의 모습'에서 '山'(메 산), '無'(없을 무), '人'(사람 인)이 있으므로 ㉠에는 '비다'라는 뜻의 한자가 들어가야 한다.

① 公(공변될 공) ② 宇(집 우) ③ 雲(구름 운)
④ 高(높을 고) ⑤ 空(빌 공)

답: ⑤

2. 한자어 문제

알아보려는 단어는 '餘波'(여파)이다.

㉠ '脫皮'의 음은 '탈피'이다.

㉢ '避害'(피해)는 '재해를 피함'이라는 뜻으로 유의어가 아니다.

답: ③

3. 조건을 만족하는 한자 문제

조건을 만족하는 한자를 찾는 문제이다. 문제에서는 음, 갑골문의 모양, 총획, 결합할 수 있는 한자를 알려 주고 있다. 보통은 음으로 찾는 게 가장 빠르므로 음이 '犯'(범할 범)과 같은 한자를 먼저 찾아보자.

① 凡(무릇 범) ② 甘(달 감) ③ 丹(붉을 단)
④ 井(우물 정) ⑤ 干(방패 간)

여기에서 음이 '犯'과 같은 것은 ①이다.

답: ①

4. 의미 관계 문제

ㄱ. 離(떨어질 리) – 別(나눌 별)
ㄴ. 思(생각할 사) – 考(살필 고)
ㄷ. 朝(아침 조) – 夕(저녁 석)
ㄹ. 得(얻을 득) – 失(잃을 실)

답: ⑤

5. 한자어 문제

원래의 뜻이 '어지럽게 춤을 춤'이므로 '어지럽다'와 '춤을 추다'라는 뜻의 한자가 포함된 한자어를 찾으면 된다.

① 群舞(군무) ② 妄動(망동) ③ 亂舞(난무)
④ 亂立(난립) ⑤ 鼓舞(고무)

답: ③

6. 십자말풀이 문제

가로 열쇠는 '有名無實'(유명무실), 세로 열쇠는 '名不虛傳'(명불허전)이다.

① 實(열매 실) ② 無(없을 무) ③ 聲(소리 성)
④ 名(이름 명) ⑤ 傳(전할 전)

성어를 몰라도 ㉠은 두 성어에 공통적으로 들어가는 한자이므로, 가로 열쇠와 세로 열쇠에 각각 '이름', '명성'이라는 표현이 있는 것에서 답을 찾을 수 있다.

답: ④

7. 한중일 한자어 문제

'滅火器'에는 신경 쓰지 않아도 된다. ㉠에 들어갔을 때 '불을 끄는 기구'라는 뜻이 되는 한자를 찾으면 된다.

① 除(없앨 제) ② 消(사라질 소) ③ 所(바 소)
④ 掃(쓸 소) ⑤ 騷(시끄러울 소)

답: ②

8. 사자성어 문제

① 不恥下問(불치하문): 아랫사람에게 묻는 것을 부끄러워하지 않음.
② 三遷之敎(삼천지교): 세 번 옮기는 가르침. 맹자의 어머니가 아들을 가르치기 위하여 세 번이나 이사를 함.
③ 塞翁之馬(새옹지마): 변방 늙은이의 말. 인생의 길흉화복은 변화가 많아서 예측하기가 어려움.
④ 面從腹背(면종복배): 얼굴은 따르지만 배는 등짐. 겉으로는 복종하는 체하면서 내심으로는 배반함.
⑤ 聞一知十(문일지십): 하나를 들으면 열을 앎.

답: ①

9. 성어 문제

'집안이 화목하면 모든 일이 잘 되어 감'이라는 말이 되려면 두 번째 글자를 ㉠으로 써야 한다는 것에서 '化'(될 화)를 '화목하다'라는 뜻의 한자로 고쳐야 함을 알 수 있다.

① 代(대신할 대) ② 話(말할 화) ③ 華(빛날 화)
④ 休(쉴 휴) ⑤ 和(화목할 화)

답: ⑤

10. 빈칸 문제

> 男子先生爲(㉠), 後生爲弟. 男子謂女子先生爲姊, 後生爲(㉡).
> 남자선생위 후생위제 남자위여자선생 위자 후생위
>
> 남자가 먼저 태어나면 ㉠이라 하고, 나중에 태어나면 아우라고 한다. 남자가 여자로서 먼저 태어난 사람을 일러 누나라 하고, 나중에 태어난 사람을 ㉡이라 한다.

먼저 태어나면 형이 되고, 나중에 태어나면 여동생이 되므로 ㉠과 ㉡에 들어갈 것은 각각 '兄'(맏 형), '妹'(누이 매)이다. 해석을 하지 않더라도 '先生爲(㉠)'과 '後生爲弟', '先生爲姊'와 '後生爲(㉡)'이 대구를 이루고 있으므로 답을 찾을 수 있다.

답: ①

11. 단문 문제

> 寒又添寒, 苦而益苦.
> 한 우 첨 한 고 이 익 고
> 추위에 또 추위를 더하고, 괴로운데 괴로움을 더한다.

① 錦上添花(금상첨화): 비단 위에 꽃을 더함. 좋은 일에 또 좋은 일이 더함.
② 同苦同樂(동고동락): 괴로움을 같이하고 즐거움을 같이함.
③ 多多益善(다다익선): 많으면 많을수록 더욱 좋음.
④ 雪上加霜(설상가상): 눈 위에 서리가 더해짐. 난처한 일이나 불행한 일이 잇따라 일어남.
⑤ 脣亡齒寒(순망치한): 입술이 없으면 이가 시림. 이해관계가 밀접한 사이에서 한쪽이 망하면 다른 쪽도 온전하기 어려움.

답: ④

12. 카드 문제

① 묻는 말에 엉뚱한 대답만 하네. ☞ 東問西答(동문서답)
② 이리저리 바쁘게도 돌아다니는군. ☞ 東奔西走(동분서주)
③ 하는 말마다 한 귀로 흘려버리는군. ☞ 馬耳東風(마이동풍)
④ 시간이 없어서 대충 볼 수밖에 없네. ☞ 走馬看山(주마간산)
⑤ 잘잘못은 따져 보지도 않고 화부터 내네. ☞ 不問曲直(불문곡직)

답: ②

13. 단문 문제

① 見小利, 則大事不成.
견 소 리 즉 대 사 불 성
작은 이익을 보면 큰일이 이루어지지 못한다.
② 人無遠慮, 必有近憂.
인 무 원 려 필 유 근 우
사람이 먼일에 대한 염려가 없으면 반드시 가까운 근심이 있다.
③ 自重其身者, 人不敢輕之.
자 중 기 신 자 인 불 감 경 지
스스로 그 몸을 중하게 여기는 사람은 남이 감히 그를 가볍게 여기지 못한다.
④ 患生於所忽, 禍發於細微.
환 생 어 소 홀 화 발 어 세 미
근심은 소홀히 하는 바에서 생기고, 화는 가늘고 작은 것에서 일어난다.
⑤ 三日之程, 一日往, 十日臥.
삼 일 지 정 일 일 왕 십 일 와
사흘의 일정을 하루에 가면 열흘을 몸져눕는다.

답: ④

14. 대구 문제

> ○ 愛人無可憎, (㉠)人無可愛.
> 애 인 무 가 증 인 무 가 애
> 남을 사랑하면 미워할 수 없고, 남을 ㉠하면 사랑할 수 없다.
> ○ 同欲者相(㉡), 同憂者相親.
> 동 욕 자 상 동 우 자 상 친
> 하고자 하는 것이 같은 사람은 서로 ㉡하고, 근심하는 것이 같은 사람은 서로 친하다.

대구 문제는 윗글을 암기해서 푸는 문제가 아니다. 한문의 대구를 이용해서 빈칸에 알맞은 한자를 찾는 문제이다. '愛人無可憎'과 '(㉠)人無可愛', '同欲者相(㉡)'과 '同憂者相親'이 대구를 이루고 있고, '愛'(사랑할 애)와 '憎'(미워할 증)이 반대되는 뜻이므로 ㉠과 ㉡에는 '愛'와 '親'(친할 친)과 반대되는 뜻의 한자가 공통으로 들어가야 한다.

① 改(고칠 개) ② 恩(은혜 은) ③ 憎(미워할 증)
④ 親(친할 친) ⑤ 好(좋을 호)

답: ③

15. 대구 문제

> (㉠), 無說己之長.
> 무 설 기 지 장
> ㉠, 자기의 장점을 말하지 말라.

대구 문제는 윗글을 암기해서 푸는 문제가 아니다. 한문의 대구를 이용해서 빈칸에 알맞은 한자를 찾는 문제이다. ㉠과 '無說己之長'이 대구를 이루고 있으므로 ㉠에 들어갈 내용을 순서대로 바르게 배열하면 '無道人之短'(남의 단점을 말하지 말라)이다.

답: ②

16. 단문 문제

① 欲識其人, 先視其友.
욕 식 기 인 선 시 기 우
그 사람을 알고자 하면 먼저 그 벗을 보라.
② 寬而見畏, 嚴而見愛.
관 이 견 외 엄 이 견 애
너그럽되 두려워하게 하고, 엄하되 사랑하게 하라.
③ 二人同心, 其利斷金.
이 인 동 심 기 리 단 금
두 사람이 마음을 함께하면 그 날카로움이 쇠를 끊는다.
④ 鏡不自照, 智不自料.
경 부 자 조 지 부 자 료
거울은 스스로 비추지 못하고 지혜는 스스로 헤아리지 못한다.
⑤ 心不在焉, 視而不見.
심 부 재 언 시 이 불 견
마음이 그것에 있지 않으면 보아도 보지 못한다.

답: ⑤

[17~18] 한국통사(韓國痛史)

> 古人云: "國可滅, 史不可滅."
> 고 인 운 국 가 멸 사 불 가 멸
> 옛사람이 말하기를, "나라는 없어질 수 있어도 역사는 없어질 수 없다."
> 蓋國, 形也, 史, 神也.
> 개 국 형 야 사 신 야
> 무릇 나라는 형체이고, 역사는 정신이다.
> 今韓之形毁矣, 而神不可以獨存乎?
> 금 한 지 형 훼 의 이 신 불 가 이 독 존 호
> 지금 한국의 형체가 훼손되었다고 정신이 홀로 있을 수 없겠는가?
> 此痛史之所以作也.
> 차 통 사 지 소 이 작 야
> 이것이 『통사』(아픈 역사)가 지어진 까닭이다.

神存而不滅, 形有時而㉠復活矣.
신 존 이 불 멸 형 유 시 이 부 활 의
정신이 있어 없어지지 않으면 형체는 때가 있어 다시 살아날 것이다.

17. 독음 문제

㉠의 독음은 '부활'이다.

답: ④

18. 해석 문제

윗글의 중심 내용으로 알맞은 것은 '책을 쓴 이유'이다.

답: ③

[19~21] 왕지환, 「등관작루(登鸛雀樓)」 이인로, 「산거(山居)」

(가) 白日㉠依山盡, 黃河入海流.
백 일 의 산 진 황 하 입 해 류
흰 해가 산에 기대어 다하고(지고), 황하는 바다로 들어가 흐르네.
欲㉡窮千里目, 更㉢上一層樓.
욕 궁 천 리 목 갱 상 일 층 루
천 리 안목을 다하고자 다시 한 층 누각을 오른다.

(나) 春去花猶㉣在, 天晴谷自陰.
춘 거 화 유 재 천 청 곡 자 음
봄은 갔는데 꽃은 그대로 있고, 하늘은 맑은데 골짜기는 저절로 그늘지네.
杜鵑啼白晝, 始㉤覺卜居深.
두 견 제 백 주 시 각 복 거 심
두견새가 대낮에 우니, 비로소 복거(사는 곳)가 깊음을 깨닫는다.

19. 해석 문제

㉡은 '곤궁하다'가 아니라 '다하다'로 해석된다.

답: ②

20. 한시 문제

ㄱ. 운자는 짝수 구의 마지막 글자에 오고, 첫째 구의 마지막 글자에 올 수 있다. 짝수 구의 마지막 글자는 '流'(류), '樓'(루)이므로 '盡'(진)은 운자가 아님을 알 수 있다.

ㄴ. 두 구가 문법적 기능이 동일한 글자의 배열로 이루어져 있을 때 대우를 이룬다고 한다. (가)의 첫째 구와 둘째 구는 문법적 기능이 동일한 글자의 배열로 이루어져 있으므로 대우를 이루고 있다.

白日	依	山	盡
↕	↕	↕	↕
黃河	入	海	流

ㄷ. (나)는 다섯 글자씩 네 구이므로 오언절구이다.

ㄹ. 오언시는 두 자, 세 자로 끊어 읽는다. 이는 오언시를 읽는 대원칙이다.

답: ③

21. 이해와 감상 문제

① (가)는 시적 화자의 시선이 '白日'(흰 해)에서 '黃河'(황하)로 이동하고 있다.

② (가)의 첫째 구와 둘째 구에는 해가 지고 황하가 바다로 흐르는 경치가 드러나 있고, 셋째 구에 천 리 안목을 다하고자 하는 시적 화자의 마음이 드러나 있다.

③ (나)의 첫째 구에서 계절적 배경이 봄이 아님을 알 수 있다.

④ (가)와 (나)에 덧없이 흘러가는 세월에 대한 아쉬움은 드러나 있지 않다.

⑤ (가)와 (나)에는 각각 공간적 배경을 알 수 있는 시어 '樓'(누각)와 '卜居'(사는 곳)이 사용되었다.

답: ④

[22~24] 논어(論語)

子曰: "君子, ㉠易事而難說也, 說之不以道, 不說也, 及其使人也, 器之.
자 왈 군 자 이 사 이 난 열 야 열 지 불 이 도 불 열 야 급 기 사 인 야 기 지
공자가 말하기를, "군자는 섬기기는 쉬워도 기쁘게 하기는 어려우니, 도로써 그를 기쁘게 하지 않으면 기뻐하지 않고, 그 사람을 부림에 미쳐서는 그를 그릇(도량)에 맞게 한다.
小人, 難事而易說也, 說之雖不以(㉡), 說也, 及其使人也, 求備焉."
소 인 난 사 이 이 열 야 열 지 수 불 이 열 야 급 기 사 인 야 구 비 언
소인은 섬기기는 어려워도 기쁘게 하기는 쉬우니, 비록 ㉡으로써가 아니어도 그를 기쁘게 하면 기뻐하고, 그 사람을 부림에 미쳐서는 그것에 갖추어진 사람을 구한다."

22. 해석 문제

㉠은 뒤에 '難'(어려울 난)이 나오므로 '쉽다'로 해석됨을 알 수 있고, 따라서 그 음은 '이'이다.

ㄱ. 貿易(무역) ㄴ. 簡易(간이)
ㄷ. 容易(용이) ㄴ. 安易(안이)

㉠을 해석하지 않아도 답으로 제시된 한자어 가운데 '貿易'의 '易'만이 '바꾸다'라는 뜻이고, 나머지는 '쉽다'라는 뜻이므로 답은 ㄱ이거나 ㄴ, ㄷ, ㄹ이어야 하는데, 고를 수 있는 답 가운데 ㄱ이 없으므로 ㄴ, ㄷ, ㄹ이 답임을 알 수 있다.

답: ⑤

23. 대구 문제

대구 문제는 윗글을 해석해서 푸는 문제가 아니다. 한문의 대구를 이용해서 빈칸에 알맞은 한자를 찾는 문제이다. '說之不以道, 不說也'와 '說之雖不以(㉡), 說也'가 대구를 이루고 있으므로 ㉡에는 '道'가 들어가야 한다.

① 難(어려울 난) ② 道(길 도) ③ 求(구할 구)
④ 備(갖출 비) ⑤ 使(시킬 사)

답: ②

24. 해석 문제

윗글의 내용과 일치하는 것은 '군자는 섬기기는 쉬워도 기쁘게 하기는 어렵다'이다.

② 소인은 섬기기는 어려워도 기쁘게 하기는 쉽다.

③ '說之不以道'의 '說'을 '말하다'로 해석한 오답이다.

④ 소인은 사람을 부릴 때 갖추어진 사람을 구한다.

⑤ 군자는 남을 부릴 때 자신의 그릇에 맞게 한다.

답: ①

[25~27] 이진기 지사

李知事震箕, 年七十五㉠登增廣科, 誠㉡稀世之事也.
이 지 사 진 기 연 칠 십 오 등 증 광 과 성 희 세 지 사 야

이진기 지사는 나이 75에 증광과에 합격하였는데 진실로 세상에 드문 일이다.

初試㉢赴洪川試所, 及篇成, 扶杖㉣携卷呈於試所曰: "八十老翁, 將向黃泉, 誤尋路, 到洪川, 呈卷而去."
초 시 부 홍 천 시 소 급 편 성 부 장 휴 권 정 어 시 소 왈 팔 십 노 옹 장 향 황 천 오 심 로 도 홍 천 정 권 이 거

처음 시험을 보러 홍천 과장에 나아가 편(시문)을 완성하는 데 이르자 지팡이를 짚고 답안지를 들고 과장에 바치며 말하기를, "팔십 늙은이가 황천을 향하려 하다가 길을 잘못 찾아 홍천에 이르러 답안을 바치고 떠납니다."

考官相與㉮大笑曰: "㉯此人不可屈."
고 관 상 여 대 소 왈 차 인 불 가 굴

시험관들이 함께 크게 웃으며 말하기를, "이 사람은 꺾을(떨어뜨릴) 수 없겠소."

25. 해석 문제

㉣은 '놓다'가 아니라 '들다(휴대하다)'로 해석된다.

답: ④

26. 짜임 문제

㉮는 '크게 웃음'으로 해석되므로 그 짜임은 '수식'이다.

㉠ 護身(호신): 몸을 지킴. (술목)

㉡ 日沒(일몰): 해가 짐. (주술)

㉢ 徐行(서행): 천천히 다님. (수식)

㉣ 大小(대소): 크고 작음. (병렬)

㉤ 下校(하교): 학교에서 내려옴. (술보)

답: ③

27. 해석 문제

㉯의 의미로 옳은 것은 '이분은 떨어뜨릴 수가 없겠소'이다.

답: ②

[28~30] 사지(四知)

王密, 爲昌邑令, 謁見, 至夜, 懷金十斤, 以遺楊震.
왕 밀 위 창 읍 령 알 현 지 야 회 금 십 근 이 유 양 진

왕밀이 창읍 현령이 되어 알현하고 밤이 이르자 금 10근을 품고 이로써 양진에게 전하였다.

震曰: "故人知㉠君, 君不知故人, 何也?"
진 왈 고 인 지 군 군 부 지 고 인 하 야

양진이 말하기를, "오랜 친구(나)는 그대를 아는데, 그대는 오랜 친구를 모르니(내가 뇌물을 받지 않는 사람이라는 것을 모르니), 어찌 된 일인가?"

密曰: "暮夜, 無知者."
밀 왈 모 야 무 지 자

왕밀이 말하기를, "저문 밤이니 아는 사람이 없습니다."

震曰: "天知, 神知, 我知, 子知, 何謂無知?"
진 왈 천 지 신 지 아 지 자 지 하 위 무 지

密(㉡)而出.
밀 이 출

양진이 말하기를, "하늘이 알고, 귀신이 알고, 내가 알고, 그대가 아는데, 어찌 아는 사람이 없다고 이르는가?" 왕밀이 ㉡하며 나왔다.

28. 해석 문제

㉠은 '그대'로 해석된다.

① 天(하늘 천) ② 神(귀신 신) ③ 我(나 아)
④ 子(아들 자) ⑤ 者(사람 자)

'子'는 대명사로 쓰일 때 '그대'라는 뜻이다.

답: ④

29. 빈칸 문제

① 愧(부끄러워할 괴) ② 費(쓸 비) ③ 賀(하례 하)
④ 媒(중매 매) ⑤ 賣(팔 매)

답: ①

30. 해석 문제

윗글의 내용을 이해한 그림으로 알맞은 것은 ③이다.

답: ③

2021학년도 6월 모의평가

1	②	7	①	13	③	19	⑤	25	①
2	④	8	②	14	④	20	②	26	②
3	①	9	⑤	15	④	21	③	27	⑤
4	⑤	10	②	16	③	22	⑤	28	④
5	③	11	③	17	④	23	①	29	①
6	④	12	⑤	18	③	24	③	30	④

1. 그림 문제

'문밖에 나가 달을 보는 모습'에서 '出'(나갈 출), '門'(문 문), '月'(달 월)이 있으므로 ㉠에는 '보다'라는 뜻의 한자가 들어가야 한다.

① 明(밝을 명) ② 看(볼 간) ③ 晩(늦을 만)
④ 歲(해 세) ⑤ 眉(눈썹 미)

답: ②

2. 한자어 문제

알아보려는 단어는 '拔群'(발군)이다.
㉢ '席卷'(석권)은 '빠른 기세로 영토를 휩쓸거나 세력 범위를 넓힘'이라는 뜻으로 '拔群'의 유의어가 아니다.

답: ④

3. 조건을 만족하는 한자 문제

조건을 만족하는 한자를 찾는 문제이다. 문제에서는 음, 부수, 총획, 결합할 수 있는 한자를 알려 주고 있다. 보통은 음으로 찾는 게 가장 빠르므로 음이 '安'(편안할 안)과 같은 한자를 먼저 찾아보자.

① 顔(얼굴 안) ② 貿(바꿀 무) ③ 眼(눈 안)
④ 願(원할 원) ⑤ 關(빗장 관)

여기에서 음이 '安'과 같은 것은 '顔'과 '眼'이다. 앞에 '無'를 결합하여 면목이 없다는 뜻으로 쓰이는 것은 '顔'이다. 몰랐다면 '順'과 부수가 같으므로 공통으로 '頁'이 있는 '顔'을 고르면 된다.

답: ①

4. 의미 관계 문제

ㄱ. 進(나아갈 진) – 退(물러날 퇴)
ㄴ. 古(옛 고) – 今(이제 금)
ㄷ. 生(살 생) – 活(살 활)
ㄹ. 絶(끊을 절) – 斷(끊을 단)

답: ⑤

5. 한자어 문제

원래의 뜻이 '점을 찍음'이므로 '점'과 '찍다'라는 뜻의 한자가 포함된 한자어를 찾으면 된다.

① 龜鑑(귀감) ② 獨步(독보) ③ 落點(낙점)
④ 助長(조장) ⑤ 墨守(묵수)

답: ③

6. 사자성어 문제

'공적인 일을 먼저하고 사적인 일을 나중에 함'이라는 말이 되려면 네 번째 글자를 ㉠으로 써야 한다는 것에서 '事'(일 사)를 '사사롭다'라는 뜻의 한자로 고쳐야 함을 알 수 있다.

① 思(생각할 사) ② 使(시킬 사) ③ 史(역사 사)
④ 私(사사로울 사) ⑤ 社(모일 사)

답: ④

7. 한중일 한자어 문제

'急救室'에는 신경 쓰지 않아도 된다. ㉠에 들어갔을 때 '(㉠)急室'이 '위중한 환자를 긴급하게 치료하는 곳'이라는 뜻이 되는 한자를 찾으면 된다.

① 應(응할 응) ② 危(위태로울 위) ③ 早(이를 조)
④ 時(때 시) ⑤ 特(특별할 특)

답: ①

8. 사자성어 문제

① 錦衣夜行(금의야행): 비단옷을 입고 밤길을 다님. 자랑삼아 하지만 아무런 생색이 나지 않음.
② 小貪大失(소탐대실): 작은 것을 탐하다가 큰 것을 잃음.
③ 以心傳心(이심전심): 마음으로써 마음을 전함. 마음과 마음으로 서로 뜻이 통함.
④ 隔世之感(격세지감): 떨어진 세상의 느낌. 오래지 않은 동안에 몰라보게 변하여 아주 다른 세상이 된 것 같은 느낌.
⑤ 切齒腐心(절치부심): (몹시 분하여) 이를 갈고 마음을 썩힘.

답: ②

9. 카드 문제

① 그는 글씨를 거침없이 써 내려갔다. ☞ 一筆揮之(일필휘지)
② 사람은 누구나 장점도 있고 단점도 있다. ☞ 一長一短(일장일단)
③ 사람이 한 입으로 두 말을 해서는 안 된다. ☞ 一口兩說(일구양설)
④ 그는 머뭇거리지 않고 단번에 결정을 내렸다. ☞ 一刀兩斷(일도양단)
⑤ 걸어 다니니 교통비도 아끼고 건강도 좋아졌다. ☞ 一擧兩得(일거양득)

답: ⑤

10. 십자말풀이 문제

가로 열쇠는 '同苦同樂'(동고동락), 세로 열쇠는 '苦盡甘來'(고진감래)이다.

① 同(같을 동) ② 苦(괴로울 고) ③ 終(끝날 종)
④ 快(시원할 쾌) ⑤ 樂(즐거울 락)

성어를 몰라도 ㉠은 두 성어에 공통적으로 들어가는 한자이므로, 가로 열쇠와 세로 열쇠에 각각 '괴로움'과 '고생', '즐거움'이라는 표현이 있는 것에서 답이 '苦'와 '樂' 가운데 하나로 좁혀진다.
* 출제진이 이 방법이 통하지 않게 하려고 애쓰는 것을 보면 이 책의 존재를 얼마나 강하게 의식하고 있는지 느껴진다.

답: ②

11. 한자어 문제

① 行星(행성) ② 流星(유성) ③ 恒星(항성)
④ 衛星(위성) ⑤ 木星(목성)

과학 시간에 공부한 내용이다. 기억이 나지 않는다면 '항상(恒常)'에서 힌트를 얻자.

답: ③

12. 단문 문제

① 鳥久止, 必帶矢.
조구지 필대시
새가 오래 머무르면 반드시 화살을 두른다(맞는다).

② 動必三省, 言必再思.
동필삼성 언필재사
움직임에는 반드시 세 번 살피고, 말함에는 반드시 다시 생각하라.

③ 幼而不學, 老無所知.
유이불학 노무소지
어려서 배우지 않으면 늙어서 아는 바가 없다.

④ 一言之益, 重於千金.
일언지익 중어천금
한 (마디) 말의 이로움은 천금보다 무겁다.

⑤ 久而不已, 則必至于有成.
구이불이 즉필지우유성
오래도록 그치지 않으면 반드시 이룸이 있음에 이른다.

답: ⑤

13. 한자어 문제

① 巡訪(순방) ② 波及(파급) ③ 豫防(예방)
④ 着用(착용) ⑤ 禮訪(예방)

'질병이나 재해 따위가 일어나기 전에 미리 대처하여 막는 일'이라는 뜻의 '예방'이므로 '豫防'이 답이다. '禮訪'은 '예를 갖추는 의미로 인사차 방문함'이라는 뜻이다.

답: ③

14. 대구 문제

> 愛而知其惡, (㉠).
> 애이지기악
> 사랑하되 그 나쁨을 알고, ㉠.

대구 문제는 윗글을 암기해서 푸는 문제가 아니다. 한문의 대구를 이용해서 빈칸에 알맞은 한자를 찾는 문제이다. '愛而知其惡'과 ㉠이 대구를 이루고 있으므로 ㉠에 들어갈 내용을 순서대로 바르게 배열하면 '憎而知其善'(미워하되 그 착함을 알라)이다.

답: ④

[15~16] 동춘당 송 선생

> 同春堂宋先生, 書籍借人, 人或還之, 而㉠紙不生毛, 則必責其不讀, 更㉡與之, 其人不得不讀之.
> 동춘당송선생 서적차인 인혹환지 이 지불생모 즉필책기부독 갱 여지 기인부득불독지
> 동춘당 송 선생은 책을 남에게 빌려주고 남이 혹시 그것을 돌려주었는데 종이에 보풀이 나지 않았으면 그 읽지 않음을 반드시 꾸짖고 다시 그것을 주어 그 사람이 그것을 읽지 않을 수 없었다.

15. 해석 문제

종이에 보풀이 나지 않은 이유는 '책을 충분히 읽지 않아서'이다.

답: ④

16. 해석 문제

㉡은 '주다'로 해석된다.

① 貸與(대여) ② 寄與(기여) ③ 參與(참여)
④ 授與(수여) ⑤ 贈與(증여)

㉡을 해석하지 않아도 '參與'의 '與'만 '더불어'라는 뜻이고, 나머지는 '주다'라는 뜻이므로 답을 찾을 수 있다.

답: ③

17. 단문 문제

> 賞當其勞, 無功者自退, 罰當其罪, 爲惡者戒懼.
> 상당기로 무공자자퇴 벌당기죄 위악자계구
> 상줌에 그 공로에 마땅하게 하면 공이 없는 사람이 저절로 물러나고, 벌함에 그 죄에 마땅하게 하면 악을 행하는 사람이 경계하고 두려워한다.

① 勞而無功(노이무공): 애썼으나 공(보람)이 없음.
② 近墨者黑(근묵자흑): 먹을 가까이하는 사람은 검음. 나쁜 사람과 가까이 지내면 나쁜 버릇에 물들기 쉬움.
③ 轉禍爲福(전화위복): 화가 굴러 복이 됨.
④ 信賞必罰(신상필벌): (공이 있는 사람은) 반드시 상주고 (죄가 있는 사람은) 반드시 벌함. 상과 벌을 공정하고 엄중하게 함.
⑤ 斷機之戒(단기지계): 베를 끊는 경계. 맹자가 수학 도중 집으로 돌아왔을 때 그의 어머니가 짜던 베를 끊으며 학문을 중도에서 그만둠은 이 베를 끊는 것과 같다고 경계함.

답: ④

18. 단문 문제

> ○ 寧測十丈水深, (㉠)測一丈人心.
> 녕측십장수심 측일장인심
> 차라리 열 길 물의 깊음은 잴 수 있을지언정 한 길 사람 마음은 재기 ㉠.
>
> ○ 凡曰某事(㉡)者, 皆不爲也, 非不能也.
> 범왈모사 자 개불위야 비불능야
> 무릇 어떤 일이 ㉡하다는 사람은 모두 하지 않는 것이지, 할 수 없는 것이 아니다.

① 觀(볼 관) ② 實(열매 실) ③ 難(어려울 난)
④ 計(셀 계) ⑤ 推(밀 추)

글의 내용으로 보아 ㉠과 ㉡에 공통으로 들어갈 것은 '難'이다.

답: ③

[19~20] 백광훈, 「홍경사(弘慶寺)」
최 호, 「제도성남장(題都城南莊)」

(가) 秋草前㉠朝寺, 殘碑學士文.
추 초 전 조 사 잔 비 학 사 문
가을 풀은 전 왕조의 절이고, 남은 비석은 학사의 글이다.
千年有流水, 落㉡日見歸雲.
천 년 유 류 수 낙 일 견 귀 운
천 년이 지나도 흐르는 물은 있고 떨어지는 해가 돌아가는 구름을 본다.

(나) 去年今日此門中, 人面桃花相㉢映紅.
거 년 금 일 차 문 중 인 면 도 화 상 영 홍
지난해 오늘 이 문 가운데에서 사람 얼굴과 복숭아꽃이 서로 비추어 붉었네.
人面不知何處㉣去, 桃花㉤依舊笑春風.
인 면 부 지 하 처 거 도 화 의 구 소 춘 풍
사람 얼굴 알지 못하니 어느 곳으로 가는가, 복숭아꽃은 옛날과 같고 봄바람에 웃는다.

19. 해석 문제
㉤은 '단장하다'가 아니라 '~와 같다'로 해석된다.

답: ⑤

20. 이해와 감상 문제
① (가)는 시적 화자의 시선에 들어온 모습을 묘사하였다.
② (가)에는 자연에 은거하려는 시적 화자의 감정이 드러나 있지 않다.
③ (나)의 첫째 구 '去年'(지난해)에서 지난날을 회상하고 있음을 알 수 있다.
④ (나)에 셋째 구와 넷째 구에서 '산천은 의구한데 인걸은 간 데 없네'라는 구절을 떠올릴 수 있다.
⑤ (가)와 (나)에는 각각 계절적 배경을 알 수 있는 시어 '秋草'(가을 풀)와 '春風'(봄바람)이 사용되었다.

답: ②

[21~22] 작은 것부터 조심해야

蓋天下之事, 自微而至著, 自細而至大.
개 천 하 지 사 자 미 이 지 저 자 세 이 지 대
대개 천하의 일은 작은 것에서 드러나는 것에 이르고, 가는 것에서 큰 것에 이른다.
故不謹於微細, 則終有莫大之累, (㉡),
고 불 근 어 미 세 즉 종 유 막 대 지 루
然後足以能成天下之務, 而制無窮之變矣.
연 후 족 이 능 성 천 하 지 무 이 제 무 궁 지 변 의
그러므로 작고 가는 것에 경계하지 않으면 끝내 막대한 쌓임이 있으니 ㉡, 그러한 뒤에야 족히 천하의 일을 이룰 수 있고 다함이 없는 변함을 다스릴 수 있다.

21. 독음 문제
㉠의 독음은 '미세'이다.

답: ③

22. 해석 문제
① 室家和, 則百事吉.
실 가 화 즉 백 사 길
집이 화목하면 온갖 일이 길하다.
② 知足常足, 終身不辱.
지 족 상 족 종 신 불 욕
만족을 알면 늘 만족하고 몸이 다하도록 욕됨이 없다.
③ 器之小者, 不可以大受.
기 지 소 자 불 가 이 대 수
그릇이 작은 사람은 크게 받지 못한다.
④ 少壯不努力, 老大徒傷悲.
소 장 불 노 력 노 대 도 상 비
젊고 씩씩할 때 노력하지 않으면 늙고 나이가 많아져 다만 상심하고 슬퍼한다.
⑤ 必防微於未然, 圖大於其細.
필 방 미 어 미 연 도 대 어 기 세
아직 그러하기 전에 작은 것을 반드시 막아야 하니, 그 가느다란 것에서 큰 것을 꾀하기 때문이다.

답: ⑤

[23~25] 유비무환(有備無患)

衛國安民, 兵爲㉠最急, 無虞之世, 尤不可緩.
위 국 안 민 병 위 최 급 무 우 지 세 우 불 가 완
나라를 지키고 백성을 편안하게 함에는 군사가 가장 급한 것으로 근심이 없는 세상일 때 더욱 느슨해져서는 안 된다.
古之聖王, 治不㉡忘亂, 安不忘危, 克詰於㉢閑暇之日, 張皇於緩急之際, 此所謂(㉮)者也.
고 지 성 왕 치 불 망 란 안 불 망 위 극 힐 어 한 가 지 일 장 황 어 완 급 지 제 차 소 위 자 야
옛날의 성군은 다스려질 때에도 어지러움을 잊지 않았고, 편안할 때에도 위급함을 잊지 않았으며, 한가하고 틈(여유)이 있는 날에 다스림을 해내어 위급한 때에 큰 것을 펼쳤으니 이것이 이른바 ㉮라는 것이다.

23. 해석 문제
㉠은 '가장', ㉡은 '잊다'로 해석된다. '망하다', '바라다'라는 뜻의 한자는 각각 '亡'(망할 망), '望'(바랄 망)이다.

답: ①

24. 짜임 문제
㉢은 '한가하고 틈이 있음'으로 해석되므로 그 짜임은 '병렬'이다.
① 有閑(유한): 한가함이 있음. (술보)
② 人造(인조): 사람이 만듦. (주술)
③ 巨大(거대): 크고 큼. (병렬)
④ 遵法(준법): 법을 지킴. (술목)
⑤ 卒業(졸업): 학업을 마침. (술목)
'巨大'를 '엄청나게 큼'으로 해석하면 그 짜임이 '수식'이라고 생각할 수 있다. 한자어의 짜임은 실제의 용법보다는 글자 그대로의 뜻으로 해석하여 판단해야 한다.

답: ③

25. 해석 문제

윗글의 흐름으로 보아 ㉮에 들어갈 내용으로 알맞은 것은 '미리 대비해야 근심이 없다'이다.

답: ①

[26~27] 논어(論語)

子張學干祿, 子曰: "多聞闕疑, 愼言其餘, 則寡㉠尤, 多見闕殆, 愼行其餘, 則寡悔.
자장학간록 자왈 다문궐의 신언기여 즉과 우 다견궐태 신행기여 즉과회

자장이 녹봉을 구하는 것을 배우려고 하자 공자가 말하기를, "많이 듣되 의심스러운 것은 빼고 삼가 그 나머지를 말하면 허물이 적고, 많이 보되 위태로운 것을 빼고 삼가 그 나머지를 행하면 후회가 적다.

言寡尤, 行寡悔, (㉡)在其中矣."
언과우 행과회 재기중의

말에 허물이 적고 행동에 후회가 적으면 ㉡이 그 속에 있다."

26. 바꾸어 쓸 수 있는 한자 문제

㉠은 '허물'로 해석되므로 바꾸어 쓸 수 있는 것은 '過'(허물 과)이다. 이런 문제는 가장 쉬운 형태의 문제이므로 꼭 풀도록 하자.

답: ②

27. 해석 문제

윗글의 내용으로 보아 ㉡에 들어갈 것은 '祿'이다. 앞부분만 해석하여도 자장이 '祿'을 배우고자 하였으니 공자의 대답에 '祿'이 한 번은 나와야 한다.

답: ⑤

[28~30] 생각하는 대로 보이나니

人有亡鈇者, ㉠意其鄰之子, 視其行步, ㉡竊鈇也, 顔色, 竊鈇也, 言語, 竊鈇也, 動作態度, 無㉢爲而不竊鈇也.
인유망부자 의기린지자 시기행보 절부 야 안색 절부야 언어 절부야 동작태도 무 위이부절부야

도끼를 잃어버린 사람이 있어 그 이웃의 아들을 의심하니, 그 걸음걸이를 보면 도끼를 훔친 것이고, 얼굴빛이 도끼를 훔친 것이고, 말하는 것이 도끼를 훔친 것이고, 동작과 태도에 도끼를 훔치지 않고 (무언가를) 함이 없었다.

相其谷而得其鈇, 他日㉣復見其鄰之子, 動作態度, ㉮無似竊鈇者.
상기곡이득기부 타일 부견기린지자 동작태 도 무사절부자

그 골짜기에서 그 도끼를 얻고 다른 날 다시 그 이웃의 아들을 보았더니 동작과 태도에 도끼를 훔침과 비슷함이 없었다.

其鄰之子, 非㉤變也, 己則變矣.
기린지자 비 변야 기즉변의

그 이웃의 아들은 변하지 않았으니, 자기가 변한 것이다.

變也者無他, 有所尤也.
변야자무타 유소우야

변한 것은 다름이 아니고 탓하는 바에 있는 것이다.

28. 해석 문제

㉣은 '다시'로 해석된다. '復'은 '다시'와 '회복하다'라는 뜻이 있다. '다시'의 뜻으로 쓰일 때에는 '부'로, '회복하다'의 뜻으로 쓰일 때에는 '복'으로 읽는다. 이런 문제는 대체로 뜻이 여러 개라고 배우는 한자가 답인 경우가 많다.

답: ④

29. 해석 문제

㉮는 '도끼를 훔침과 비슷함이 없다'로 해석되므로 마지막으로 풀이되는 것은 '無'(없을 무)이다.

답: ①

30. 해석 문제

윗글의 내용을 교훈으로 삼아야 할 사람은 '선입견을 가지고 사람을 판단하는 사람'이다.

답: ④

2021학년도 9월 모의평가

1	②	7	①	13	③	19	②	25	④
2	①	8	④	14	①	20	①	26	③
3	③	9	②	15	④	21	⑤	27	④
4	②	10	⑤	16	⑤	22	③	28	①
5	③	11	②	17	③	23	②	29	⑤
6	④	12	④	18	④	24	⑤	30	②

1. 그림 문제

'말을 씻기는 모습'에서 '馬'(말 마)가 있으므로 ㉠에는 '씻다'라는 뜻의 한자가 들어가야 한다.

① 胡(오랑캐 호) ② 洗(씻을 세) ③ 乘(오를 승)
④ 世(세상 세) ⑤ 河(강 하)

답: ②

2. 한자어 문제

알아보려는 단어는 '蛇足'(사족)이다.

㉢ '獨步'(독보)는 '남이 감히 따를 수 없을 만큼 혼자 앞서감. 또는 그런 사람'이라는 뜻으로 '蛇足'의 유의어가 아니다.

㉣ "남을 手足(수족: 자기의 손이나 발처럼 마음대로 부리는 사람)처럼 부리는 것은 옳지 않아."와 같이 쓸 수 있다.

답: ①

3. 조건을 만족하는 한자 문제

조건을 만족하는 한자를 찾는 문제이다. 문제에서는 음, 부수, 총획, 결합할 수 있는 한자를 알려 주고 있다. 보통은 음으로 찾는 게 가장 빠르므로 음이 '眞'(참 진)과 같은 한자를 먼저 찾아보자.

① 就(나아갈 취) ② 望(바랄 망) ③ 進(나아갈 진)
④ 陳(늘어놓을 진) ⑤ 途(길 도)

여기에서 음이 '眞'과 같은 것은 '進'과 '陳'이다. 앞에 '前'(앞 전)을 결합하여 '앞으로 나아감'이라는 뜻으로 쓰이는 것은 '進'이다. 몰랐다면 '道'과 부수가 같으므로 공통으로 '辶'이 있는 '進'을 고르면 된다.

답: ③

4. 의미 관계 문제

ㄱ. 先(먼저 선) – 後(뒤 후)
ㄴ. 年(해 년) – 歲(해 세)
ㄷ. 意(뜻 의) – 思(뜻 사)
ㄹ. 輕(가벼울 경) – 重(무거울 중)

답: ②

5. 한자어 문제

원래의 뜻이 '이름과 신분'이므로 '이름'과 '신분'이라는 뜻의 한자가 포함된 한자어를 찾으면 된다.

① 本分(본분) ② 表明(표명) ③ 名分(명분)
④ 名聲(명성) ⑤ 職分(직분)

답: ③

6. 십자말풀이 문제

가로 열쇠는 '三人成虎'(삼인성호), 세로 열쇠는 '騎虎之勢'(기호지세)이다.

① 無(없을 무) ② 騎(탈 기) ③ 語(말씀 어)
④ 虎(범 호) ⑤ 聞(들을 문)

답: ④

7. 한자어 문제

① 約束(약속) ② 走行(주행) ③ 中止(중지)
④ 傍觀(방관) ⑤ 流行(유행)

답: ①

8. 사자성어 문제

① 昏定晨省(혼정신성): 저녁에 (잠자리를) 정해 드리고 새벽에 살핌. 자식이 아침저녁으로 부모의 안부를 물어서 살핌.
② 面從腹背(면종복배): 얼굴로는 따르나 속으로는 등짐(배반함).
③ 切齒腐心(절치부심): (몹시 분하여) 이를 갈고 마음을 썩힘.
④ 知過必改(지과필개): 허물을 알면 반드시 고침.
⑤ 伯牙絶絃(백아절현): 백아가 거문고 줄을 끊음. 자기를 알아주는 참다운 벗의 죽음을 슬퍼함.

답: ④

9. 카드 문제

① 이름을 물었는데 나이를 대답하는군. ☞ 東問西答(동문서답)
② 그 친구는 어떤 말을 해 줘도 귀담아듣지 않아. ☞ 馬耳東風(마이동풍)
③ 그 사람은 어릴 때부터 같이 놀며 자란 벗이야.
☞ 竹馬故友(죽마고우)
④ 경험은 무시 못 한다더니 연륜이 이제 빛을 발하네.
☞ 老馬之智(노마지지)
⑤ 지금 부모님께 잘하지 않으면 나중에 후회하게 되지.
☞ 風樹之歎(풍수지탄)

답: ②

10. 한자어 문제

① 外皮(외피) ② 解體(해체) ③ 表皮(표피)
④ 解除(해제) ⑤ 脫皮(탈피)

답: ⑤

11. 한중일 한자어 문제

'紙上談兵'에는 신경 쓰지 않아도 된다. '현실성이 없는 허황한 논의'라는 뜻이 되는 성어를 찾으면 된다.

① 背水之陣(배수지진): 물을 등진 진. 어떤 일을 성취하기 위하여 더 이상 물러설 수 없음.
② 卓上空論(탁상공론): 책상 위의 빈 논의. 현실성이 없는 허황한 논의.
③ 愚公移山(우공이산): 우공이 산을 옮김. 어떤 일이든 끊임없이 노력하면 반드시 이루어짐.

④ 勞而無功(노이무공): 애썼으나 공(보람)이 없음.
⑤ 雪上加霜(설상가상): 눈 위에 서리를 더함. 난처한 일이나 불행한 일이 잇따라 일어남.

답: ②

12. 단문 문제

有志者, 事竟成也.
유 지 자　사 경 성 야
뜻이 있는 사람은 일이 마침내 이루어진다.

① 鼓吹(고취)　② 養成(양성)　③ 育成(육성)
④ 立志(입지)　⑤ 建立(건립)

답: ④

13. 사자성어 문제

'정성이 지극하면 하늘도 감동한다'라는 뜻이 되려면 세 번째 글자를 ㉠으로 써야 한다는 것에서 '惑'(미혹할 혹)을 '감동하다'라는 뜻의 한자로 고쳐야 함을 알 수 있다.

① 甘(달 감)　② 敢(감히 감)　③ 感(느낄 감)
④ 監(볼 감)　⑤ 鑑(거울 감)

'感'이 '감동하다'의 뜻으로 쓰인다는 것을 몰랐어도 잘못 쓸 만한 글자는 '惑'과 비슷한 모양의 한자일 것이므로 답을 찾을 수 있다.

답: ③

14. 대구 문제

政之所(㉠), 在順民心, 政之所廢, 在(㉡)民心.
정 지 소　재 순 민 심　정 지 소 폐　재　민 심
정치가 ㉠하는 바는 백성의 마음을 따르는 데 있고, 정치가 폐하는 바는 백성의 마음을 ㉡하는 데 있다.

대구 문제는 윗글을 암기해서 푸는 문제가 아니다. 한문의 대구를 이용해서 빈칸에 알맞은 한자를 찾는 문제이다. '政之所(㉠)'과 '政之所廢', '在順民心'과 '在(㉡)民心'이 대구를 이루고 있으므로 ㉠에는 '廢'(폐할 폐)와 반대되는 뜻의 한자 '興'(일어날 흥)이, ㉡에는 '順'(따를 순)과 반대되는 뜻의 한자 '逆'(거스를 역)이 들어가야 한다.

답: ①

15. 대구 문제

(　㉠　), 破心中賊難.
파 심 중 적 난
㉠, 마음 속의 도적을 깨뜨리는 것은 어렵다.

대구 문제는 윗글을 암기해서 푸는 문제가 아니다. 한문의 대구를 이용해서 빈칸에 알맞은 한자를 찾는 문제이다. ㉠과 '破心中賊難'이 대구를 이루고 있으므로 ㉠에 들어갈 내용을 순서대로 바르게 배열하면 '破山中賊易'(산 속의 도적을 깨뜨리는 것은 쉽다)이다.

답: ④

16. 단문 문제

① 窮則變, 變則通.
궁 즉 변　변 즉 통
궁하면 변하고, 변하면 통한다.
② 愛人無可憎, 憎人無可愛.
애 인 무 가 증　증 인 무 가 애
남을 사랑하면 미워할 수 없고, 남을 미워하면 사랑할 수 없다.
③ 得其術則功成, 失其術則事廢.
득 기 술 즉 공 성　실 기 술 즉 사 폐
그 기술을 얻으면 공이 이루어지고, 그 기술을 잃으면 일이 못 쓰게 된다.
④ 凡用人, 惟其賢才, 勿論其門地.
범 용 인　유 기 현 재　물 론 기 문 지
무릇 사람을 씀에는 그 현명함과 재주를 생각하고, 그 문벌을 논하지 말라.
⑤ 凡曰某事難者, 皆不爲也, 非不能也.
범 왈 모 사 난 자　개 불 위 야　비 불 능 야
무릇 어떤 일이 어렵다고 하는 사람은 모두 하지 않는 것이지, 할 수 없는 것이 아니다.

답: ⑤

17. 단문 문제

○ 知(㉠)不辱, 知止不殆.
지　불 욕　지 지 불 태
㉠을 알면 욕됨이 없고, 그침을 알면 위태로움이 없다.
○ 有餘者, 常譽人, 不(㉡)者, 常毁人.
유 여 자　상 예 인　불　자　상 훼 인
남음이 있는 사람은 늘 남을 기리고, ㉡하지 않는 사람은 늘 남을 헐뜯는다.

① 願(원할 원)　② 急(급할 급)　③ 足(만족할 족)
④ 言(말씀 언)　⑤ 動(움직일 동)

글의 내용으로 보아 ㉠과 ㉡에 공통으로 들어갈 것은 '足'이다.

답: ③

[18～19] 사기종인(舍己從人)

不能㉠舍己從人, 學者之大病.
불 능　사 기 종 인　학 자 지 대 병
자기를 버리고 남을 따를 수 없는 것은 배우는 사람의 큰 병이다.
天下之義理無窮, 豈可是己而非人?
천 하 지 의 리 무 궁　기 가 시 기 이 비 인
천하의 옳은 이치는 끝이 없는데 어찌 자기를 옳다고 하고 남을 그르다고 할 수 있겠는가?

18. 바꾸어 쓸 수 있는 한자 문제

㉠은 '버리다'로 해석되므로 바꾸어 쓸 수 있는 것은 '捨'(버릴 사)이다.

답: ④

19. 해석 문제

윗글의 내용을 교훈으로 삼아야 할 사람은 '자기의 생각만 옳다고 우기는 사람'이다.

답: ②

[20~21] 이이, 「산중(山中)」 두목, 「산행(山行)」

(가) 採藥忽㉠迷路, 千峯秋葉裏.
채 약 홀 미 로 천 봉 추 엽 리
약초를 캐다 갑자기 길을 헤매니 천 봉우리 가을 잎 안이다.
山僧汲水歸, 林末㉡茶煙起.
산 승 급 수 귀 임 말 차 연 기
산의 스님이 물을 길어 돌아오니, 숲 끝에서 차 연기가 일어난다.

(나) 遠上寒山㉢石徑斜, 白雲生處有人家.
원 상 한 산 석 경 사 백 운 생 처 유 인 가
멀리 한산 위 돌길이 기울어 있고, 흰 구름이 피어나는 곳에 사람 사는 집이 있네.
㉣停車坐愛楓林晩, ㉤霜葉紅於二月花.
정 거 좌 애 풍 림 만 상 엽 홍 어 이 월 화
수레를 멈추고 앉아 단풍 숲이 늦음을 즐기니, 서리 맞은 잎이 2월 꽃보다 붉구나.

20. 해석 문제

㉠은 '갈림길'이 아니라 '길을 헤매다'로 해석된다.

답: ①

21. 이해와 감상 문제

① (가)에는 시적 화자가 스님을 만나 기뻐하는 감정이 드러나 있지 않다.
② (가)에는 시각적 심상이 두드러진다.
③ (나)의 시적 화자가 고향을 그리워한다는 것은 어디에도 나타나 있지 않다.
④ (나)의 둘째 구의 '白雲'은 '흰 구름'일 수도 있고, '연기'의 비유적인 표현일 수도 있다. 판단을 보류하자.
⑤ (가)와 (나)에는 각각 계절적 배경을 알 수 있는 시어 '秋葉'(가을 잎)와 '楓林'(단풍 숲)이 사용되었다.

답: ⑤

[22~23] 세상에 재주가 없는 사람은 없다

天下無無一能之人, ㉠若聚十百人, 而各用其長,
천 하 무 무 일 능 지 인 약 취 십 백 인 이 각 용 기 장
㉡便爲通才, 如此則世無棄人, ㉢人無棄才矣.
편 위 통 재 여 차 즉 세 무 기 인 인 무 기 재 의
천하는 하나에도 능함이 없는 사람이 없으니, 만약 10, 100인을 모아 각자 그 장점을 쓰면 곧 재주에 통달함이 될 것이니 이와 같으면 세상에 버려지는 사람이 없고 사람은 버리는 재주가 없을 것이다.

22. 해석 문제

㉠은 '만약', ㉡은 '곧'으로 해석된다. '부리다'라는 뜻의 한자는 '使'(시킬 사)이다.

답: ③

23. 해석 문제

윗글의 내용으로 보아 ㉢의 의미로 옳은 것은 '재능이 쓰이지 못하는 사람은 없을 것이다'이다.

답: ②

[24~25] 논어(論語)

子貢問曰: "有㉠一言而可以終身行之者乎?"
자 공 문 왈 유 일 언 이 가 이 종 신 행 지 자 호
자공이 묻기를, "한 마디 말로서 몸을 다하도록 그것을 행할 만한 것이 있습니까?"
子曰: "其恕乎. ㉡己所不欲, 勿施於人."
자 왈 기 서 호 기 소 불 욕 물 시 어 인
공자가 말하기를, "아마도 '서'일 것이다. 자기가 하고자 하지 않는 바를 남에게 베풀지 말라."

24. 짜임 문제

㉠은 '한 마디 말'로 해석되므로 그 짜임은 '수식'이다.
① 日月(일월): 해와 달. (병렬)
② 休務(휴무): 일을 쉼. (술목)
③ 父母(부모): 아버지와 어머니. (병렬)
④ 出沒(출몰): 나타나고 사라짐. (병렬)
⑤ 青山(청산): 푸른 산. (수식)

답: ⑤

25. 해석 문제

① 非一非再(비일비재): 하나가 아니고 둘이 아님. 같은 현상이나 일이 한두 번이나 한둘이 아니고 많음.
② 後生可畏(후생가외): 뒤에 난 사람은 두려워할 만함. 후진들이 선배들보다 젊고 기력이 좋아, 학문을 닦음에 따라 큰 인물이 될 수 있으므로 가히 두렵다는 말.
③ 欲速不達(욕속부달): 빠르고자 하면 이르지 못함. 일을 빨리 하려고 하면 도리어 이루지 못함.
④ 推己及人(추기급인): 자기를 미루어 남에게 미침. 자기의 처지에 비추어 다른 사람의 형편을 헤아림.
⑤ 反求諸己(반구저기): 돌이켜 자기에게서 그것을 구함. 어떤 일이 잘못되었을 때 남의 탓을 하지 않고 그 일이 잘못된 원인을 자기에게서 찾아 고침.

답: ④

[26~27] 겸곡문고(謙谷文稿)

今我韓, 處在列強之間, 交際則可, 而依附則不
금 아 한 처 재 열 강 지 간 교 제 즉 가 이 의 부 즉 불
可也, 藝術則可學, 而勢力則不可借也.
가 야 예 술 즉 가 학 이 세 력 즉 불 가 차 야
지금 우리 한국은 열강의 사이에 처하여, 사귐은 가능하나 기대어 붙음은 불가하니, 기예와 기술은 배울 수 있으나 세력은 빌려서는 안 된다.

若以依附爲得計, 以勢力爲可借, 則是委其國於他人也.
약이의부위득계 이세력위가차 즉시위기국어 타인야

만약 기대어 붙음으로써 계책을 얻는 것으로 삼고, 세력으로써 빌릴 수 있는 것으로 삼으면 이는 다른 사람에게 그 나라를 맡기는 것이다.

26. 독음 문제

㉠의 독음은 '교제'이다.

답: ③

27. 해석 문제

① 內政干涉(내정간섭) ② 附和雷同(부화뇌동)
③ 骨肉相爭(골육상쟁) ④ 外勢依存(외세의존)
⑤ 門户開放(문호개방)

'勢力則不可借'에서 지은이가 가장 비판하는 것은 '외세 의존'임을 알 수 있다. 윗글의 전반적인 내용만 보고 지은이가 비판하는 것이 '內政干涉'이나 '門户開放'이라고 넘겨짚으면 안 된다.

답: ④

[28~30] 신에게는 아직 열두 척의 배가 있습니다

今臣戰船, ㉠尙有十二, 出死力㉡拒戰, 則猶可爲也.
금신전선 상유십이 출사력 거전 즉유가 위야

지금 신의 전함은 아직 열둘이 있으니 죽을힘을 내어 막아 싸우면 오히려 할 수도 있습니다.

今若全廢舟師, 則是賊之所以爲幸, 而由湖右㉢達於漢水, 此臣之所㉣恐也.
금약전폐주사 즉시적지소이위행 이유호우 달어한수 차신지소 공야

지금 만약 수군을 완전히 폐지하면 이는 적이 다행으로 여기는 바이고 호남에서 오른쪽으로 한강에 다다르니 이는 신이 두려워하는 바입니다.

戰船雖㉤寡, 微臣不死, 則賊不敢(㉮)我矣.
전선수 과 미신불사 즉적불감 아의

전함이 비록 적으나, 미신이 죽지 않는다면 적이 감히 우리를 ㉮하지 못할 것입니다.

28. 해석 문제

㉠은 '아직'으로 해석된다.

답: ①

29. 빈칸 문제

① 敬(공경할 경) ② 稱(일컬을 칭) ③ 助(도울 조)
④ 叛(배반할 반) ⑤ 侮(업신여길 모)

윗글의 흐름으로 보아 ㉮에 알맞은 것은 '侮'이다.

답: ⑤

30. 해석 문제

① 왜적에 대한 지은이의 분노는 찾아볼 수 없다. 『이충무공전서』라는 제목만 보고 넘겨짚지 말고 철저히 윗글의 내용으로 판단해야 한다.
② "今若全廢舟師 …(중략)… 此臣之所恐也."에서 지은이가 수군(舟師)의 폐지를 반대하고 있음을 알 수 있다.
③ 전투가 벌어진 지역은 알 수 없다.
④ 왜적의 퇴각로 또한 알 수 없다.
⑤ 열두 척은 왜적이 보유한 전함의 수가 아니라 지은이가 보유한 전함의 수이다.

답: ②

2021학년도 수학능력시험

1	③	7	④	13	①	19	⑤	25	④
2	②	8	①	14	⑤	20	④	26	⑤
3	④	9	⑤	15	③	21	③	27	②
4	③	10	①	16	④	22	①	28	③
5	④	11	③	17	⑤	23	④	29	⑤
6	②	12	②	18	①	24	②	30	②

1. 그림 문제

㉠은 '소'이다. 어떤 동물을 그렸는지 알 수 없어도 답으로 제시된 한자에서 동물을 뜻하는 것을 찾으면 된다.

① 干(방패 간) ② 半(절반 반) ③ 牛(소 우)
④ 于(어조사 우) ⑤ 午(낮 오)

답: ③

2. 의미 관계 문제

ㄱ. 勝(이길 승) – 負(질 부)
ㄴ. 休(쉴 휴) – 息(쉴 식)
ㄷ. 巨(클 거) – 大(큰 대)
ㄹ. 賞(상줄 상) – 罰(벌줄 벌)

답: ②

3. 한자어 문제

알아보려는 단어는 '薄氷'(박빙)이다.
㉢ '最高'(최고)는 '으뜸인 것 또는 으뜸이 될 만한 것'이라는 뜻으로 '薄氷'의 유의어가 아니다.

답: ④

4. 조건을 만족하는 한자 문제

조건을 만족하는 한자를 찾는 문제이다. 문제에서는 음, 부수, 총획, 결합할 수 있는 한자를 알려 주고 있다. 보통은 음으로 찾는 게 가장 빠르므로 음이 '造'(만들 조)와 같은 한자를 먼저 찾아보자.

① 兆(조짐 조) ② 初(처음 초) ③ 早(이를 조)
④ 助(도울 조) ⑤ 肖(닮을 초)

이 글자 뒤에 '期'(때 기)를 결합하여 '이른 시기'라는 뜻으로 쓰이는 것은 '早'이다.

답: ③

5. 한자어 문제

'席'에 '돗자리', '卷'에 '말다'라는 뜻이 있다는 것까지 알기는 쉽지 않다. 읽어 보아서 '빠른 기세로 세력 범위를 넓힘'이라는 뜻인 한자어를 찾으면 된다.

① 上席(상석) ② 席次(석차) ③ 末席(말석)
④ 席卷(석권) ⑤ 坐席(좌석)

답: ④

6. 십자말풀이 문제

가로 열쇠는 '甘言利說'(감언이설), 세로 열쇠는 '言中有骨'(언중유골)이다.

① 他(다를 타) ② 言(말씀 언) ③ 志(뜻 지)
④ 中(가운데 중) ⑤ 意(뜻 의)

성어를 몰라도 ㉠은 두 성어에 공통적으로 들어가는 한자이므로, 가로 열쇠와 세로 열쇠에 각각 '말'이라는 표현이 있는 것에서 답을 찾을 수 있다.

* 이 방법이 통하지 않는 문제가 6월과 9월 모의평가에 연달아 출제되었으나 다시 돌아오고 말았다. 하기야 그런 성어를 찾기도 쉬운 일은 아닐 것이다.

답: ②

7. 한중일 한자어 문제

'轉乘'에는 신경 쓰지 않아도 된다. ㉠에 넣어 '갈아타기'라는 뜻이 되는 한자를 찾으면 된다.

① 同(함께 동) ② 合(합할 합) ③ 便(편할 편)
④ 換(바꿀 환) ⑤ 還(돌아올 환)

답: ④

8. 사자성어 문제

① 手不釋卷(수불석권): 손에서 책을 놓지 않음.
② 朝三暮四(조삼모사): 아침에 세 개, 저녁에 네 개. 간사한 꾀로 남을 속여 희롱함.
③ 刻骨銘心(각골명심): 뼈에 새기고 마음에 새김. 어떤 일을 뼈에 새길 정도로 마음속 깊이 새겨 두고 잊지 아니함.
④ 教學相長(교학상장): 가르치고 배우며 서로 자람. 가르치고 배우는 과정에서 스승과 제자가 함께 성장함.
⑤ 龍頭蛇尾(용두사미): 용의 머리에 뱀의 꼬리. 처음은 왕성하나 끝이 부진함.

답: ①

9. 사자성어 문제

'어떠한 난관에도 결코 굽히지 않음'이라는 뜻이 되려면 두 번째 글자를 ㉠으로 써야 한다는 것에서 '析'(가를 석)을 '난관'과 유사한 뜻의 한자로 고쳐야 함을 알 수 있다.

① 祈(빌 기) ② 絶(끊을 절) ③ 切(끊을 절)
④ 所(바 소) ⑤ 折(꺾을 절)

'絶', '切', '折'이 모두 뜻이 매우 유사하고 음이 '절'로 같아 답을 고르기 쉽지 않다. 그렇지만 잘못 쓸 만한 글자이므로 '析'과 비슷한 모양의 한자를 찾으면 '折'을 답으로 고를 수 있다.

답: ⑤

10. 한자 문제

① 密(빽빽할 밀) ② 宇(집 우) ③ 守(지킬 수)
④ 完(완전할 완) ⑤ 窓(창 창)

답: ①

11. 단문 문제

二人同心, 其利斷金, 同心之言, 其臭如蘭.
이 인 동 심 기 리 단 금 동 심 지 언 기 취 여 란
두 사람이 마음을 같이하면 그 날카로움이 쇠를 끊고, 마음을 같이하는 말은 그 냄새가 난초와 같다.

① 見物生心(견물생심): 물건을 보면 마음이 생김. 어떠한 실물을 보게 되면 그것을 가지고 싶은 욕심이 생김.
② 同床異夢(동상이몽): 같은 침상, 다른 꿈. 겉으로는 같이 행동하면서도 속으로는 각각 딴생각을 하고 있음.
③ 金蘭之交(금란지교): 쇠와 난초의 사귐. 친구 사이의 매우 두터운 정.
④ 見利思義(견리사의): 이익을 보면 옳음을 생각함. 눈앞의 이익을 보면 의리를 먼저 생각함.
⑤ 斷機之戒(단기지계): 베를 끊는 경계. 학문을 중도에서 그만두면 짜던 베의 날을 끊는 것처럼 아무 쓸모 없음.

답: ③

12. 단문 문제

知過非難, 改過爲難, 言善非難, 行善爲難.
지 과 비 난 개 과 위 난 언 선 비 난 행 선 위 난
허물을 알기는 어렵지 않으나 허물을 고치기는 어렵고, 착함을 말하기는 어렵지 않으나 착함을 행하기는 어렵다.

① 知性(지성) ② 實踐(실천) ③ 非難(비난)
④ 改定(개정) ⑤ 僞善(위선)

답: ②

13. 카드 문제

① 아군은 거침없는 기세로 적군을 물리쳤어. ☞ 破竹之勢(파죽지세)
② 우리 할아버지는 남다른 안목을 지니셨어. ☞ 老馬之智(노마지지)
③ 시간이 없다고 대충대충 보고 넘어가더군. ☞ 走馬看山(주마간산)
④ 좋은 말로 타일렀지만 귓등으로도 듣지 않더군.
☞ 馬耳東風(마이동풍)
⑤ 그 사람은 나와 어릴 때부터 함께 자란 친구야.
☞ 竹馬故友(죽마고우)

답: ①

14. 대구 문제

○ 無道人之短, 無說己之(㉠).
무 도 인 지 단 무 설 기 지
남의 단점을 말하지 말고, 자기의 ㉠을 말하지 말라.
○ 吉人喜聞人(㉡), 庸人喜聞人短.
길 인 희 문 인 용 인 희 문 인 단
길한 사람은 남의 ㉡을 듣기 좋아하고, 용렬한 사람은 남의 단점을 듣기 좋아한다.

대구 문제는 윗글을 암기해서 푸는 문제가 아니다. 한문의 대구를 이용해서 빈칸에 알맞은 한자를 찾는 문제이다. '無道人之短'과 '無說己之(㉠)', '吉人喜聞人(㉡)'과 '庸人喜聞人短'이 대구를 이루고 있으므로 ㉠, ㉡에는 '短'(짧을 단)과 반대되는 뜻의 한자 '長'(길 장)이 들어가야 한다.

답: ⑤

15. 대구 문제

(㉠), 爲好人難.
위 호 인 난
㉠, 좋은 사람이 되기는 어렵다.

대구 문제는 윗글을 암기해서 푸는 문제가 아니다. 한문의 대구를 이용해서 빈칸에 알맞은 한자를 찾는 문제이다. ㉠과 '爲好人難'이 대구를 이루고 있으므로 ㉠에 들어갈 내용을 순서대로 바르게 배열하면 '爲貴人易'(귀한 사람이 되기는 쉽다)이다.

답: ③

16. 한자 문제

① 主(주인 주) ② 周(두루 주) ③ 舟(배 주)
④ 柱(기둥 주) ⑤ 珠(구슬 주)

답: ④

17. 단문 문제

① 禍莫大於不知足.
화 막 대 어 부 지 족
화는 만족을 알지 못하는 것보다 큼이 없다.
② 愼終如始, 則無敗事.
신 종 여 시 즉 무 패 사
맺음을 신중히 하기가 처음과 같으면 그르치는 일이 없다.
③ 物有本末, 事有終始.
물 유 본 말 사 유 종 시
사물은 뿌리와 끝이 있고 일은 끝과 처음이 있다.
④ 施恩, 勿求報, 與人, 勿追悔.
시 은 물 구 보 여 인 물 추 회
은혜를 베풀고 갚음을 구하지 말고, 남에게 주고 후회를 쫓지 말라.
⑤ 衆惡之, 必察焉, 衆好之, 必察焉.
중 오 지 필 찰 언 중 호 지 필 찰 언
여럿이 그를 미워해도 반드시 살피고, 여럿이 그를 좋아하여도 반드시 살피라.

답: ⑤

[18~19] 맹자(孟子)

人之有道也, 飽食煖衣, 逸居而無敎, 則近於㉠禽獸.
인 지 유 도 야 포 식 난 의 일 거 이 무 교 즉 근 어 금 수
사람은 도리가 있으니, 배불리 먹고 따뜻하게 입으며 편안히 살기만 하고 가르침이 없으면 짐승에 가까워진다.

18. 짜임 문제

㉠은 '날짐승과 길짐승'으로 해석되므로 그 짜임은 '병렬'이다.

① 河海(하해): 강과 바다. (병렬)
② 天賦(천부): 하늘이 주다. (주술)
③ 黃土(황토): 누런 흙. (수식)
④ 讀書(독서): 책을 읽다. (술목)
⑤ 登校(등교): 학교에 가다. (술보)

답: ①

19. 해석 문제

① 人情(인정) ② 飮食(음식) ③ 衣冠(의관)
④ 住居(주거) ⑤ 教育(교육)

윗글에서 강조하고 있는 것은 '敎育'이다.

답: ⑤

20. 단문 문제

> 非弓, 何以往矢, 非矢, 何以中的.
> 비궁 하이왕시 비시 하이중적
> 활이 아니면 무엇으로써 화살을 가게 하고, 화살이 아니면 무엇으로써 과녁을 맞히겠는가.

글에 대한 이해로 옳은 것은 '무슨 일이든 다른 사람과 협력하려는 자세가 중요해'이다.

답: ④

[21~22] 설날

> 歲時, 作打白餠, 切以爲湯, 能不傷寒暖而耐久, 取其㉠淨潔.
> 세시 작타백병 절이위탕 능불상한난이내구 취기 정결
> 세시에는 흰 떡을 지어 찧고, 끓음으로써 국을 하여 추위와 더위에 다치지 않고 오램을 견딜 수 있고 그 깨끗함을 취한다.
> 俗謂不食此餠, 不得歲云, 余強名爲添歲餠.
> 속위불식차병 부득세운 여강명위첨세병
> 세상에서 이르기를 이 떡을 먹지 않으면 나이를 얻지 못한다고 하니, 나는 나이를 더하는 떡이라 억지로 이름하였다.

21. 독음 문제

㉠의 독음은 '정결'이다.

답: ③

22. 해석 문제

① 元日(원일) ② 七夕(칠석) ③ 清明(청명)
④ 秋夕(추석) ⑤ 夏至(하지)

윗글의 내용과 관계있는 것은 '元日'(원일: 설날)이다.

답: ①

[23~24] 풀을 베면 뿌리를 없이하라

> 伐木, 不自其本, 必復生, ㉠塞水, 不自其源, 必復流, 滅禍, 不自其基, 必㉡復亂.
> 벌목 부자기본 필부생 색수 부자기원 필부류 멸화 부자기기 필 부란
> 나무를 벰에 그 뿌리부터 하지 않으면 반드시 다시 자라나고, 물을 막음에 그 근원부터 하지 않으면 반드시 다시 흐르며, 화를 멸함에 그 터부터 하지 않으면 반드시 다시 어지러워진다.

23. 해석 문제

㉠은 '막다'로 해석되므로 독음은 '색'이고, ㉡은 '다시'로 해석되므로 독음은 '부'이다.

답: ④

24. 해석 문제

윗글의 중심 내용과 관계있는 속담은 '풀을 베면 뿌리를 없이하라'이다.

답: ②

[25~26] 왕상지효(王祥之孝)

> 王祥性孝. …(중략)… 母嘗欲生魚, 時天寒氷凍.
> 왕상성효 모상욕생어 시천한빙동
> 왕상은 성품이 효성스러웠다. 어머니가 일찍이 살아 있는 물고기를 원하였는데 때는 하늘이 차고 얼음이 얼었다.
> 祥㉠解衣, 將剖氷求之, 氷忽自解, 雙鯉躍出, 持之而歸.
> 상 해의 장부빙구지 빙홀자해 쌍리약출 지지이귀
> 왕상이 옷을 벗고 장차 얼음을 갈라 그것(물고기)을 구하려고 하자 얼음이 갑자기 스스로 풀리면서 한 쌍의 잉어가 뛰어나와 그것을 가지고 돌아갔다.

25. 바꾸어 쓸 수 있는 한자 문제

㉠은 여기에서 '벗다'라는 뜻에 가까우므로 바꾸어 쓸 수 있는 것은 '脫'(벗을 탈)이다.

답: ④

26. 해석 문제

① 欲速不達(욕속부달): 빠르고자 하면 이르지 못함. 일을 빨리하려고 하면 도리어 이루지 못함.
② 緣木求魚(연목구어): 나무에 올라 물고기를 구함. 도저히 불가능한 일을 굳이 하려 함.
③ 坐井觀天(좌정관천): 우물에 앉아 하늘을 봄. 사람의 견문이 매우 좁음.
④ 事必歸正(사필귀정): 일은 반드시 바름으로 돌아감.
⑤ 至誠感天(지성감천): 지극한 정성은 하늘도 감동시킴. 무엇이든 정성껏 하면 하늘이 움직여 좋은 결과를 맺음.

답: ⑤

[27~28] 이렇게 해야 내 마음이 편하니

李公遂, 還㉠自北京, 中路, 馬㉡困, 粟積于無
이공수 환 자북경 중로 마 곤 속적우무

人之野, 從者, 取之而㉢食馬.
인지야 종자 취지이 사마

이공수가 베이징으로부터 돌아오다가 돌아오는 길 가운데 말이 피곤해하자 조가 사람이 없는 들에 쌓였기에 종이 그것을 취하여 말을 먹였다.

公遂, 以其時價, 留布㉣粟積中.
공수 이기시가 류포 속적중

공수가 그 당시의 가격으로써 베를 조가 쌓인 가운데에 두었다.

從者曰: "人必取去, 何益?"
종자왈 인필취거 하익

종이 말하기를, "다른 사람이 반드시 취하여 갈 것이니, 무엇이 이롭습니까?"

公遂曰: "吾固知之, 然必㉤如是, 吾心得安."
공수왈 오고지지 연필 여시 오심득안

공수가 말하기를, "내가 진실로 그것을 알지만, 그러나 반드시 이와 같아야 내 마음이 편안함을 얻는다."

27. 해석 문제

㉠은 '~로부터', ㉢은 '먹이다', ㉣은 '조', ㉤은 '같다'로 해석된다. 뜻이 '밤'인 한자는 '栗'(밤 률)이다.

답: ②

28. 해석 문제

사람이 없는 들에 공수가 베를 두었으므로 윗글의 내용을 이해한 그림으로 알맞은 것은 ③이다.

답: ③

[29~30] 장 유, 「잠부(蠶婦)」
정지상, 「송인(送人)」

(가) 昨日入城市, 歸來淚㉠滿巾.
작일입성시 귀래루 만건

어제 성의 저자에 들어갔다가 돌아올 때 눈물이 수건에 가득했네.

徧身羅綺者, 不是㉡養蠶人.
편신라기자 불시 양잠인

온몸에 비단을 두른 사람이 누에를 기르는 사람이 아니네.

(나) 雨歇長堤草色多, ㉢送君南浦動悲歌.
우헐장제초색다 송군남포동비가

비 그친 긴 둑에 풀빛이 많은데 그대 보내는 남포에 슬픈 노래 울린다.

大同江水何時㉣盡, 別淚年年㉤添綠波.
대동강수하시 진 별루년년 첨록파

대동강 물 어느 때 다할까, 이별의 눈물 해마다 푸른 물결에 더하는데.

29. 해석 문제

㉤은 '덜다'가 아니라 '더하다'로 해석된다.

답: ⑤

30. 이해와 감상 문제

① (가)에는 첫째 구에는 시간적 배경을 알 수 있는 시어 '昨日'(어제)이 사용되었다.
② (가)에는 색채의 대비가 이루어져 있지 않다.
③ (나)에는 공간적 배경인 '長堤'(긴 언덕), '南浦'(남포), '大同江'(대동강)이 드러나 있다.
④ (나)는 셋째 구와 넷째 구의 과장된 표현으로 이별의 정서를 고조시키고 있다.
⑤ (가)의 둘째 구, (나)의 넷째 구에 '淚'(눈물)라는 시어가 있으므로 (가)와 (나)는 모두 '눈물'을 소재로 사용하였다.

답: ②

2022학년도 6월 모의평가

1	①	7	④	13	①	19	③	25	⑤
2	④	8	①	14	②	20	④	26	⑤
3	③	9	⑤	15	③	21	②	27	②
4	②	10	②	16	①	22	③	28	②
5	⑤	11	①	17	④	23	⑤	29	①
6	④	12	③	18	④	24	③	30	③

1. 그림 문제

앞의 대화가 장황하지만 '街橋(㉠)月'이 '거리를 잇는 다리에서 달밤에 거닐다'라는 뜻이므로 '거닐다'라는 뜻의 한자를 찾으면 된다.

① 步(걸음 보) ② 蜜(꿀 밀) ③ 吟(읊을 음)
④ 詠(읊을 영) ⑤ 歲(해 세)

답: ①

2. 의미 관계 문제

ㄱ. 朋(벗 붕) – 友(벗 우)
ㄴ. 吉(길할 길) – 凶(흉할 흉)
ㄷ. 扶(도울 부) – 助(도울 조)
ㄹ. 明(밝을 명) – 暗(어두울 암)

답: ④

3. 조건을 만족하는 한자 문제

조건을 만족하는 한자를 찾는 문제이다. 문제에서는 음, 부수, 총획, 결합할 수 있는 한자를 알려 주고 있다. 보통은 음으로 찾는 게 가장 빠르므로 음이 '山'(뫼 산)과 같은 한자를 먼저 찾아보자.

① 敏(재빠를 민) ② 産(낳을 산) ③ 散(흩어질 산)
④ 算(셀 산) ⑤ 敢(감히 감)

이 글자 앞에 '分'(나눌 분)을 결합하여 '나뉘어 흩어짐'이라는 뜻으로 쓰이는 것은 '散'이다.

답: ③

4. 한자어 문제

'經線'(경선)과 '緯線'(위선)을 생각했다면 원래의 뜻인 '직물의 날실과 씨실'에서 답을 찾을 수 있다. 그렇지 않았다면 읽어 보아서 '일이 진행되어 온 과정'이라는 뜻인 한자어를 찾으면 된다.

① 端緖(단서) ② 經緯(경위) ③ 統合(통합)
④ 綱領(강령) ⑤ 始終(시종)

답: ②

5. 십자말풀이 문제

가로 열쇠는 '風前燈火'(풍전등화), 세로 열쇠는 '前人未踏'(전인미답)이다.

① 風(바람 풍) ② 火(불 화) ③ 達(이를 달)
④ 急(급할 급) ⑤ 前(앞 전)

답: ⑤

6. 한자 문제

① 根(뿌리 근) ② 氣(기운 기) ③ 消(사라질 소)
④ 素(바탕 소) ⑤ 所(바 소)

답: ④

7. 한자어 문제

알아보려는 단어는 '向背'(향배)이다. '向背'은 '좇음과 등짐'이라는 뜻이 확장되어 '어떤 일이 되어 가는 추세나 어떤 일에 대한 사람들의 태도'를 가리킨다.

㉡ '支持'(지지)는 유의어가 아니다.

답: ④

8. 사자성어 문제

① 公平無私(공평무사): 공평하고 사사로움이 없음.
② 朝變夕改(조변석개): 아침에 변하고 저녁에 고침. 계획이나 결정 따위를 일관성이 없이 자주 고침.
③ 忠言逆耳(충언역이): 충성스러운 말은 귀에 거슬림.
④ 臨戰無退(임전무퇴): 싸움에 임하여 물러남이 없음.
⑤ 外柔內剛(외유내강): 밖으로는 부드러우나 안으로는 굳셈.

답: ①

9. 카드 문제

① 아이들이 한목소리로 고맙다고 하는구나. ☞ 異口同聲(이구동성)
② 그는 나와 기쁨과 슬픔을 함께한 동료야. ☞ 同苦同樂(동고동락)
③ 손해인 줄 알면서도 어쩔 수 없이 선택했어. ☞ 苦肉之策(고육지책)
④ 약간 차이가 있지만 전체적으로는 비슷하네.
☞ 大同小異(대동소이)
⑤ 같은 일을 하고 있지만 생각은 다른 것 같아.
☞ 同床異夢(동상이몽)

답: ⑤

10. 성어 문제

'군자는 도를 근심하지 가난함을 근심하지 않는다'라는 뜻이 되려면 마지막 글자를 ㉠으로 써야 한다는 것에서 '貪'(탐할 탐)을 '가난하다'와 유사한 뜻의 한자로 고쳐야 함을 알 수 있다.

① 貨(재화 화) ② 貧(가난할 빈) ③ 賀(하례 하)
④ 貿(바꿀 무) ⑤ 貴(귀할 귀)

잘못 쓸 만한 글자이므로 '貪'과 비슷한 모양의 한자를 찾으면 '貧'을 답으로 고를 수 있다.

답: ②

11. 한중일 한자어 문제

'單程票'에는 신경 쓰지 않아도 된다. '가는 여정 또는 오는 여정 중 어느 한쪽'이라는 뜻의 한자어를 찾으면 된다.

① 片道(편도) ② 往復(왕복) ③ 換乘(환승)
④ 便乘(편승) ⑤ 軌道(궤도)

답: ①

12. 한자어 문제

① 禮節(예절) ② 秩序(질서) ③ 權利(권리)
④ 責任(책임) ⑤ 義務(의무)

답: ③

13. 단문 문제

人飢三日, 無計不出.
인 기 삼 일 무 계 불 출
사람이 사흘을 굶으면 나오지 않는 꾀가 없다.

답: ①

14. 대구 문제

○ 一日不念(㉠), 諸惡皆自起.
일 일 불 념 제 악 개 자 기
하루라도 ㉠을 생각하지 않으면 온갖 악이 모두 저절로 일어난다.
○ 行(㉡)者獲福, 爲惡者得禍.
행 자 획 복 위 악 자 득 화
㉡을 행하는 사람은 복을 얻고, 악을 행하는 사람은 화를 얻는다.

대구 문제는 윗글을 암기해서 푸는 문제가 아니다. 한문의 대구를 이용해서 빈칸에 알맞은 한자를 찾는 문제이다. '行(㉡)者獲福'과 '爲惡者得禍'가 대구를 이루고 있으므로 ㉡에는 '惡'(악할 악)과 반대되는 뜻의 한자 '善'(착할 선)이 들어가야 한다.

답: ②

15. 대구 문제

安而不忘危, (㉠), 治而不忘亂.
안 이 불 망 위 치 이 불 망 란
편안하여도 위태로움을 잊지 말고, ㉠, 다스려져도 어지러움을 잊지 말라.

대구 문제는 윗글을 암기해서 푸는 문제가 아니다. 한문의 대구를 이용해서 빈칸을 채우면 된다. '安而不忘危', ㉠, '治而不忘亂'이 모두 같은 구조이므로 ㉠에 들어갈 내용을 순서대로 바르게 배열하면 '存而不忘亡'(있어도 없음을 잊지 말라)이다.

답: ③

16. 단문 문제

行百里者, 半於九十.
행 백 리 자 반 어 구 십
백 리를 가는 사람은 구십 리에 반이다.

구십 리를 갔을 때 반을 갔다고 생각해야 한다는 것이므로 글에 대한 이해로 옳은 것은 '끝까지 방심하지 말고 최선을 다하자'이다.

답: ①

17. 단문 문제

① 言工無施, 不若無言.
언 공 무 시 불 약 무 언
말을 만들고 베풂이 없으면 말하지 않음만 못하다.

② 聞人之過, 切勿發諸口外.
문 인 지 과 절 물 발 제 구 외
남의 허물을 들으면 일절 그것을 입 밖으로 내뱉지 말라.

③ 有餘者常譽人, 不足者常毁人.
유 여 자 상 예 인 부 족 자 상 훼 인
남음이 있는 사람은 늘 남을 기리고, 만족하지 않는 사람은 늘 남을 헐뜯는다.

④ 有過不可不悔, 悔不可留着胸中.
유 과 불 가 불 회 회 불 가 류 착 흉 중
허물이 있으면 뉘우치지 않으면 안 되지만, 뉘우침이 가슴 속에 남아 붙으면 안 된다.

⑤ 與其遂欲而失人, 寧可敗事而得人.
여 기 수 욕 이 실 인 녕 가 패 사 이 득 인
하고자 하는 것에 이르러 사람을 잃느니 차라리 일을 그르치고 사람을 얻는 것이 옳다.

답: ④

[18~19] 황희 정승

黃相國喜, 微時, ㉠行役, 憩于路上, ㉡見田父
황 상 국 희 미 시 행 역 게 우 로 상 견 전 부
駕二牛耕者, 問曰: "二牛何者爲勝?"
가 이 우 경 자 문 왈 이 우 하 자 위 승
옛날에 황희 정승이 한미한(가난하고 지체가 변변하지 않은) 때에 길을 다니다가 길 위에서 쉬는데, 농부가 두 소를 부려 밭가는 것을 보고 물어 말하기를, "두 소에서 어느 것이 나은가?"
田父不對, 輟耕而㉢至, ㉮附耳細語曰: "此牛勝."
전 부 부 대 철 경 이 지 부 이 세 어 왈 차 우 승
농부가 대답하지 않고 밭가는 것을 멈추고 이르러 귀에 대고 작은 말로 말하기를, "이 소가 낫습니다."
公怪之曰: "何以附耳相語?"
공 괴 지 왈 하 이 부 이 상 어
공이 그것을 괴이하게 여기고 말하기를, "무슨 까닭으로 귀에 대고 서로 말하는가?"
田父曰: "雖畜物, 其心與人同也. 此(㉯)則彼
전 부 왈 수 축 물 기 심 여 인 동 야 차 즉 피
劣, 使牛聞之, 寧無不平之心乎."
렬 사 우 문 지 녕 무 불 평 지 심 호
농부가 말하기를, "비록 가축이라도 그 마음은 사람과 같습니다. 이가 ㉯하면 저는 못한 것이니 소가 그것을 듣게 한다면 어찌 불평하는 마음이 없겠습니까."
公大悟, 遂不復㉣言人長短.
공 대 오 수 불 부 언 인 장 단
공이 크게 깨닫고 마침내 다시는 남의 장점과 단점을 말하지 않았다고 한다.

18. 해석 문제

㉠, ㉡, ㉣의 행위의 주체는 '黃喜'이고, ㉢의 행위의 주체는 '田父'이다.

답: ④

19. 해석 문제

㉮와 같이 행동한 이유는 '소가 들을 수 있다고 생각했기 때문'이다.

답: ③

20. 빈칸 문제

① 劣(못할 렬) ② 負(질 부) ③ 耕(밭갈 경)
④ 勝(나을 승) ⑤ 短(짧을 단)

답: ④

[21~22] 맹자(孟子)

生亦我所欲也, 義亦我所欲也, 二者, 不可得兼, 舍生而取義者也.
생 역 아 소 욕 야 의 역 아 소 욕 야 이 자 불 가 득 겸 사 생 이 취 의 자 야

삶 또한 내가 바라는 바이고, 의 또한 내가 바라는 바이지만, 두 가지 것이 같이 얻을 수 없다면 삶을 버리고 의를 취하는 것이다.

生亦我所欲, 所欲, 有甚㉠於生者. 故, 不爲苟得也.
생 역 아 소 욕 소 욕 유 심 어 생 자 고 불 위 구 득 야

삶 또한 내가 바라는 바이지만, 바라는 바에는 삶이라는 것보다 심한 것이 있다. 그러므로 구차하게 얻으려 하지 않는 것이다.

死亦我所惡, 所惡, 有甚於死者. 故, 患有所不辟也.
사 역 아 소 오 소 오 유 심 어 사 자 고 환 유 소 불 피 야

죽음 또한 내가 싫어하는 바이지만, 싫어하는 바에는 죽는 것보다 심한 것이 있다. 그러므로 근심이 피하지 않는 바에 있다.

21. 해석 문제

① 揚名於後世.
양 명 어 후 세
후세에 이름을 날리다.

② 富莫富於不欲.
부 막 부 어 불 욕
부는 욕심내지 않는 것보다 부유한 것이 없다.

③ 合抱之木, 生於毫末.
합 포 지 목 생 어 호 말
안아 맞는(아름드리) 나무도 털끝에서 생겨났다.

④ 己所不欲, 勿施於人.
기 소 불 욕 물 시 어 인
자기가 하고자 하지 않는 바를 남에게 베풀지 말라.

⑤ 勞心者治人, 勞力者治於人.
노 심 자 치 인 노 력 자 치 어 인
마음을 쓰는 사람은 남을 다스리고, 힘을 쓰는 사람은 남에게 다스려진다.

㉠을 해석하지 않아도 ②의 '於'만 '~보다'라는 뜻이고, 나머지는 '~에', '~에게'라는 뜻이므로 답을 찾을 수 있다.

답: ②

22. 해석 문제

윗글의 중심 내용으로 알맞은 것은 '의리의 중요성'이다.

답: ③

[23~24] 스스로를 지키는 지혜

人有畜野鵝者, 多與煙火之食, 鵝便體重, 不能飛.
인 유 축 야 아 자 다 여 연 화 지 식 아 변 체 중 불 능 비

사람으로 들거위를 기르는 사람이 있어 연기와 불로 익힌 음식을 많이 주자 거위가 문득 몸이 무거워져 날지 못했다.

後, 忽不食, 人以爲病, 益與之食而不食.
후 홀 불 식 인 이 위 병 익 여 지 식 이 불 식

그 뒤로 갑자기 먹지 않자 사람이 병으로 여겨 그것에게 먹이를 더욱 주었으나 먹지 않았다.

㉠旬日而體輕, 凌空而去.
순 일 이 체 경 릉 공 이 거

열흘이 되어 몸이 가벼워지자 공중을 넘어 떠나갔다.

翁聞之, 曰: "智哉! 善自保也."
옹 문 지 왈 지 재 선 자 보 야

늙은이가 그것을 듣고는 말하기를, "지혜롭구나! 스스로를 지키는 것을 잘하는구나."

23. 해석 문제

㉠은 '열흘이 되어 몸이 가벼워지다'로 해석되므로 마지막으로 풀이되는 것은 '輕'(가벼울 경)이다.

답: ⑤

24. 해석 문제

ㄴ. 윗글의 '益'은 '더욱'의 뜻이지만 '收益'(수익: 이익을 거두어들임)의 '益'은 '이익'의 뜻이므로 쓰임이 다르다.

답: ③

[25~26] 왕 애, 「춘유곡(春遊曲)」
이안눌, 「기가서(寄家書)」

(가) 萬樹江邊杏, 新㉠開一夜風.
만 수 강 변 행 신 개 일 야 풍

숲에 가득한 강가의 살구나무, 하룻밤 바람에 새로 피었네.

㉡滿園深淺色, 照在綠波中.
만 원 심 천 색 조 재 록 파 중

동산에 가득한 깊고 얕은 색깔, 푸른 물결 속에 비침이 있네.

(나) 欲作家書㉢說苦辛, 恐敎愁殺白頭親.
욕 작 가 서 설 고 신 공 교 수 살 백 두 친

집으로 부치는 편지를 지음에 괴로움을 말하고 싶지만, 흰머리 어버이를 근심으로 돌아가시게 할까 두렵네.

陰山㉣積雪深千丈, 却㉤報今冬暖似春.
음 산 적 설 심 천 장 각 보 금 동 난 사 춘

그늘진 산 쌓인 눈이 깊이가 천 길인데, 오히려 이번 겨울은 따뜻하기가 봄과 같다고 알리네.

25. 해석 문제

㉤은 '갚다'가 아니라 '알리다'로 해석된다.

답: ⑤

26. 이해와 감상 문제

① (가)의 첫째 구에는 공간적 배경을 알 수 있는 시어 '江邊'(강가)이 사용되었다.
② (가)에는 '深淺色'(깊고 얕은 빛), '綠波'(푸른 물결) 등 시각적 심상이 나타나 있다.
③ (나)의 셋째 구에는 '積雪深千丈'이라는 과장된 표현이 사용되었다.
④ (나)의 둘째 구에 시적 화자가 자신의 처지를 솔직히 밝힐 수 없었던 이유가 드러나 있다.
⑤ (가)의 계절적 배경은 봄, (나)의 계절적 배경은 겨울이다. 살구나무가 언제 꽃을 피우는지 몰라도 (가)의 제목 「春遊曲」에서 계절적 배경이 봄임을 알 수 있다.

답: ⑤

[27~28] 격몽요결(擊蒙要訣)

人性本善, 無㉠古今智愚之殊.
인성본선 무 고금지우지수
사람의 성품은 본래 선하니, 옛날과 오늘날, 지혜롭고 어리석음의 다름이 없다.

聖人何故獨爲聖人, 我則何故獨爲㉡衆人耶?
성인하고독위성인 아즉하고독위 중인야
성인은 무슨 까닭으로 홀로 성인이 되고 나는 무슨 까닭으로 홀로 뭇 사람이 되는가?

良由志不立, 知不明, 行不篤耳.
양유지불립 지불명 행부독이
진실로 뜻이 서지 않고 앎이 밝지 않고 행함이 도탑지 않음에서 말미암을 뿐이다.

志之立, 知之明, 行之篤, 皆在我耳, 豈可他求哉?
지지립 지지명 행지독 개재아이 기가타구재
뜻이 서고 앎이 밝고 행함이 도타운 것은 모두 내게 달려 있을 뿐이니 어찌 다른 데에서 구할 수 있겠는가?

27. 짜임 문제

㉠은 '옛날과 오늘날'로 해석되므로 그 짜임은 '병렬'이다.
① 東海(동해): 동쪽 바다. (수식)
② 視聽(시청): 보고 들음. (병렬)
③ 登山(등산): 산에 오름. (술보)
④ 建國(건국): 나라를 세움. (술목)
⑤ 黃金(황금): 누런 금. (수식)

답: ②

28. 해석 문제

㉡이 성인의 말씀을 들으려 하지 않는다는 내용은 없다.

답: ②

[29~30] 각주구검(刻舟求劍)

楚人, 有㉠涉江者, 其劍, 自舟中墜於水.
초인 유 섭강자 기검 자주중추어수
초나라 사람으로 강을 건너는 사람이 있었는데 그 칼이 배 가운데에서 물에 빠졌다.

遽契其舟, 曰: "是, 吾劍之所從墜."
거계기주 왈 시 오검지소종추
재빨리 그 배에 새기고 말하기를, "이는 내 칼이 따라 떨어진 곳이다."

舟止, 從其所契者, 入水求之.
주지 종기소계자 입수구지
배가 멈추자 그 새긴 바의 것을 따라 물에 들어가 그것을 구하였다.

29. 해석 문제

㉠은 '건너다'로 해석된다.
① 渡(건널 도) ② 添(더할 첨) ③ 汚(더러울 오)
④ 漁(고기잡을 어) ⑤ 活(살 활)

답: ①

30. 해석 문제

윗글의 전개에 따라 <보기>의 그림을 순서대로 바르게 배열하면 ㉯-㉮-㉰-㉱이다.

답: ③

2022학년도 9월 모의평가

1	②	7	⑤	13	③	19	②	25	⑤
2	⑤	8	①	14	⑤	20	①	26	③
3	④	9	③	15	②	21	③	27	②
4	③	10	⑤	16	①	22	①	28	①
5	④	11	①	17	②	23	④	29	④
6	②	12	④	18	④	24	①	30	③

1. 그림 문제

앞의 대화가 장황하지만 '梅上(㉠)鳥圖'가 매화나무 가지 위에서 잠든 새를 그렸다는 뜻이므로 '잠들다'라는 뜻의 한자를 찾으면 된다.

① 竹(대나무 죽) ② 宿(잠잘 숙) ③ 風(바람 풍)
④ 視(볼 시) ⑤ 首(머리 수)

답: ②

2. 의미 관계 문제

ㄱ. 土(흙 토) – 地(땅 지)
ㄴ. 希(바랄 희) – 望(바랄 망)
ㄷ. 主(주인 주) – 客(손님 객)
ㄹ. 禍(재앙 화) – 福(복 복)

답: ⑤

3. 한자어 문제

알아보려는 단어는 '是認'(시인)이다.
㉡ '容恕'(용서)는 유의어가 아니다.

답: ④

4. 조건을 만족하는 한자 문제

조건을 만족하는 한자를 찾는 문제이다. 문제에서는 음, 부수, 총획, 결합할 수 있는 한자를 알려 주고 있다. 보통은 음으로 찾는 게 가장 빠르므로 음이 '甘'(달 감)과 같은 한자를 먼저 찾아보자.

① 監(볼 감) ② 情(뜻 정) ③ 感(느낄 감)
④ 憎(미워할 증) ⑤ 慾(욕심 욕)

이 글자 뒤에 '想'(생각할 상)을 결합하면 '마음속에서 일어나는 느낌이나 생각'을 뜻하는 말로 쓰이는 것은 '感'이다.

답: ③

5. 한자어 문제

원래의 뜻이 '차를 마시고 밥을 먹는 일'이므로 '차'와 '밥'이라는 뜻의 한자가 포함된 한자어를 찾으면 된다. 읽어 보아서 '보통 있는 예사로운 일'이라는 뜻의 한자어를 찾아도 된다.

① 關心事(관심사) ② 世間事(세간사) ③ 日常事(일상사)
④ 茶飯事(다반사) ⑤ 諸般事(제반사)

답: ④

6. 십자말풀이 문제

가로 열쇠는 '苦肉之策'(고육지책), 세로 열쇠는 '弱肉強食'(약육강식)이다.

① 脫(벗을 탈) ② 肉(고기 육) ③ 策(채찍 책)
④ 弱(약할 약) ⑤ 食(먹을 식)

답: ②

7. 한자 문제

① 訓(가르칠 훈) ② 愛(사랑할 애) ③ 萬(일만 만)
④ 良(어질 량) ⑤ 牧(칠 목)

'백성을 다스리는 지방 수령이 지켜야 할 규범과 제도 등을 조목조목 작성해 놓은 책'은 책의 내용에 대한 설명이지 제목에 대한 설명이 아니므로 아무리 읽는다고 해도 답을 찾는 데 도움이 되지 않는다. 한자를 읽어 보아서 정약용이 지은 책의 제목으로 알고 있는 것을 골라야 한다.

답: ⑤

8. 한자어 문제

① 著作權(저작권) ② 自由權(자유권) ③ 耕作權(경작권)
④ 參政權(참정권) ⑤ 拒否權(거부권)

답: ①

9. 사자성어 문제

'몸과 마음을 닦고 집안을 가지런히 한다'라는 뜻이 되려면 첫 번째 글자를 ㉠으로 써야 한다는 것에서 '隨'(따를 수)를 '닦다'라는 뜻의 한자로 고쳐야 함을 알 수 있다.

① 受(받을 수) ② 秀(빼어날 수) ③ 修(닦을 수)
④ 收(거둘 수) ⑤ 守(지킬 수)

답: ③

10. 카드 문제

① 이왕 살 거면 품질이 좋은 걸로 사야지. ☞ 同價紅裳(동가홍상)
② 어제는 놀자고 하더니 오늘은 공부한다는군. ☞ 一口二言(일구이언)
③ 온 국민이 한마음 한뜻이 되어 국난을 극복했지.
☞ 一心同體(일심동체)
④ 기쁜 일이든 슬픈 일이든 함께하는 것이 친구지.
☞ 同苦同樂(동고동락)
⑤ 모든 사람들이 그분의 인품을 한결같이 칭찬하더군.
☞ 異口同聲(이구동성)

답: ⑤

11. 사자성어 문제

① 拔本塞源(발본색원): 뿌리를 뽑고 원천을 막음. 나쁜 일의 근원을 아주 없애 버려서 다시 그런 일이 생기지 않도록 함.
② 結草報恩(결초보은): 풀을 묶어 은혜를 갚음. 죽어서도 은혜를 잊지 않고 갚음.

③ 寸鐵殺人(촌철살인): 한 마디 쇠붙이로 사람을 죽임. 간단한 말로도 남을 감동하게 하거나 남의 약점을 찌를 수 있음.
④ 枯木生花(고목생화): 말라 죽은 나무가 꽃을 피움. 곤궁한 처지에 빠졌던 사람이 행운을 만나서 잘됨.
⑤ 類類相從(유유상종): 비슷한 무리끼리 서로 좇음.

답: ①

12. 한중일 한자어 문제

'骨科'에는 신경 쓰지 않아도 된다. ㉠에 넣어 '몸의 생김새를 고쳐 바로잡는' 곳이라는 뜻의 한자어가 되는 것을 찾으면 된다.

① 小兒(소아) ② 神經(신경) ③ 胸部(흉부)
④ 整形(정형) ⑤ 心臟(심장)

* 중국에서 '整形外科'는 '성형외과'라는 뜻이다.

답: ④

13. 한자어 문제

① 活動(활동) ② 浮動(부동) ③ 波動(파동)
④ 流動(유동) ⑤ 激動(격동)

답: ③

14. 단문 문제

友其邪人, 我亦自邪. 우 기 사 인 아 역 자 사 그 사악한 사람을 벗하면 나 또한 저절로 사악해진다.

① 三省吾身(삼성오신): 내 몸을 세 번 살핌. 매일 세 번 자신을 반성함.
② 破邪顯正(파사현정): 사악함을 깨뜨리고 바름을 드러냄.
③ 知彼知己(지피지기): 저를 알고 자기를 앎.
④ 自強不息(자강불식): 스스로 힘쓰며 쉬지 않음.
⑤ 近墨者黑(근묵자흑): 먹을 가까이하는 사람은 검음. 나쁜 사람과 사귀면 물들기 쉬움.

답: ⑤

15. 대구 문제

物之落水也, 較水輕則浮, (㉠). 물 지 락 수 야 교 수 경 즉 부 물체가 물에 떨어짐에 물과 비교하여 가벼우면 뜨고, ㉠.

대구 문제는 윗글을 암기해서 푸는 문제가 아니다. 한문의 대구를 이용해서 빈칸을 채우면 된다. '較水輕則浮'와 ㉠이 같은 구조이므로 ㉠에 들어갈 내용을 순서대로 바르게 배열하면 '較水重則沈'(물과 비교하여 무거우면 가라앉는다)이다.

답: ②

16. 단문 문제

雷聲大, 雨點小. 뢰 성 대 우 점 소 천둥소리는 큰데 빗방울은 작다.

답: ①

17. 단문 문제

① 室家和, 則百事吉.
실 가 화 즉 백 사 길
집이 화목하면 모든 일이 길하다.

② 處幽如顯, 處獨如衆.
처 유 여 현 처 독 여 중
그윽한 곳에 처하기를 드러남과 같게 하고, 홀로 있는 곳에 처하기를 여럿이 있음과 같게 하라.

③ 大凡天下事, 皆有其時.
대 범 천 하 사 개 유 기 시
무릇 천하의 일은 모두 그 때가 있다.

④ 知是行之始, 行是知之成.
지 시 행 지 시 행 시 지 지 성
앎은 행함의 시작이요, 행함은 앎의 완성이다.

⑤ 前事之不忘, 後事之師也.
전 사 지 불 망 후 사 지 사 야
앞일의 잊지 않음은 뒷일의 스승이다.

답: ②

18. 대구 문제

○ 與其遂欲而失人, 寧可敗事而(㉠)人. 여 기 수 욕 이 실 인 녕 가 패 사 이 인 그 하고자 하는 것을 따라 사람을 잃느니 차라리 일을 그르치고 사람을 ㉠함이 마땅하다. ○ 夫功者, 難成而易敗, 時者, 難(㉡)而易失也. 부 공 자 난 성 이 이 패 시 자 난 이 이 실 야 무릇 공이라는 것은 이루기는 어려우나 깨뜨리기는 쉽고, 때라는 것은 ㉡하기는 어려우나 잃기는 쉽다.

㉠, ㉡에 공통으로 들어갈 한자를 찾는 문제이지만 대구를 이용해 답을 찾을 수 있다. '難成而易敗'와 '難(㉡)而易失'이 대구를 이루고 있고, '成'(이룰 성)과 '敗'(깨뜨릴 패)가 반대되는 뜻의 한자이므로 ㉡에는 '失'(잃을 실)과 반대되는 뜻의 한자가 들어가야 한다.

① 治(다스릴 치) ② 待(기다릴 대) ③ 賢(어질 현)
④ 得(얻을 득) ⑤ 全(온전할 전)

답: ④

[19~20] 퇴우당집(退憂堂集)

聞人之過, 切勿發諸口外, 見人所失, 亦勿傳說於㉠他人. 문 인 지 과 절 물 발 저 구 외 견 인 소 실 역 물 전 설 어 타 인 남의 허물을 들으면 일절 그것을 입 밖에 내지 말고, 남의 잘못된 바를 보면 또한 다른 사람에게 전하여 말하지 말라.

19. 짜임 문제

㉠은 '다른 사람'으로 해석되므로 그 짜임은 '수식'이다.

① 左右(좌우): 왼쪽과 오른쪽. (병렬)
② 直線(직선): 곧은 선. (수식)
③ 夜深(야심): 밤이 깊음. (주술)
④ 敬老(경로): 늙은이를 공경함. (술목)
⑤ 歸鄕(귀향): 고향에 돌아옴. (술보)

답: ②

제2외국어/한문 영역 (한문 I)

20. 해석 문제

윗글의 내용을 교훈으로 삼아야 할 사람은 '남의 단점을 말하는 사람'이다.

답: ①

[21~22] 맹자(孟子)

> ㉠仁者如射, 射者正己而後發, 發而不㉡中, 不
> 인자여사　사자정기이후발　발이부　중　불
> 怨勝己者, 反求諸己而已矣.
> 원승기자　반구저기이이의
> 어진 사람은 사수와 같으니, 쏘는 사람은 자기를 바르게 하고 그 뒤에 쏘고, 쏘아 맞히지 못해도 자기를 이긴 사람을 원망하지 않으며, 돌이켜 그것을 자기에게서 구할 뿐이다.

21. 해석 문제

다분히 8월에 열린 올림픽을 염두에 두고 만들어진 문항이다. ㉠의 이유로 알맞은 것은 '모든 잘못을 나에게서 찾아야 하기 때문에'이다.

답: ③

22. 해석 문제

㉡은 '맞히다'로 해석된다.

① 的中(적중): 과녁에 맞힘.
② 中興(중흥): 중간에 일어남.
③ 集中(집중): 가운데로 모임.
④ 中斷(중단): 가운데에서 끊음.
⑤ 途中(도중): 길을 가는 가운데.

㉡을 해석하지 않아도 답으로 제시된 한자어 가운데 '的中'을 제외하면 나머지는 '가운데'라는 뜻이므로 답을 찾을 수 있다.

답: ①

[23~24] 이이의 선견지명

> 公嘗㉠建議, 欲養兵十萬, 以備緩急, 柳西厓成
> 공상　건의　욕양병십만　이비완급　류서애성
> 龍以爲不可.
> 룡이위불가
> 공이 일찍이 병사 십만을 기름으로써 위급함에 대비하고자 함을 건의하니, 서애 류성룡이 불가하다고 여겼다.
> …(중략)… 壬辰之亂, 西厓常語朝堂曰: "當時
> 　　　　　임진지란　서애상어조당왈　당시
> 無事, 吾亦以爲擾民, 今而思之, ㉡李文靖, 眞
> 무사　오역이위요민　금이사지　이문정　진
> 聖人也."
> 성인야
> 임진년의 난리에 류성룡이 조정에 늘 말하기를, "그때 일이 없어 나 또한 백성을 어지럽힌다고 여겼는데 지금 그것을 생각하니 이이가 참으로 성인이로다."

23. 독음 문제

㉠의 독음은 '건의'이다.

답: ④

24. 해석 문제

① 先見之明(선견지명): 앞을 내다보는 현명함.
② 克己復禮(극기복례): 자기를 이기고 예로 돌아감.
③ 不恥下問(불치하문): 아랫사람에게 묻는 것을 부끄러워하지 않음.
④ 百折不屈(백절불굴): 백 번 꺾여도 굽히지 않음.
⑤ 見利思義(견리사의): 이익을 보면 옳음을 생각함. 눈앞의 이익을 보면 의리를 먼저 생각함.

답: ①

[25~26] 성석린, 「송승지풍악(送僧之楓岳)」
이 백, 「황학루송맹호연지광릉(黃鶴樓送孟浩然之廣陵)」

> (가) 一萬二千峯, ㉠高低自不同.
> 　　일만이천봉　고저자부동
> 일만 이천 봉, 높고 낮음이 저마다 같지 않구나.
> 君看㉡日輪上, 高處最先紅.
> 군간　일륜상　고처최선홍
> 그대 태양이 올라가는 것을 보게나, 높은 곳이 가장 먼저 붉어지네.
>
> (나) ㉢故人西辭黃鶴樓, 煙花三月下揚州.
> 　　　고인서사황학루　연화삼월하양주
> 오랜 벗과 황학루 서쪽에서 헤어지고, 연화 3월에 양주로 내려간다.
> 孤帆遠影㉣碧空盡, 惟見長江㉤天際流.
> 고범원영　벽공진　유견장강　천제류
> 외로운 돛단배 먼 그림자가 푸른 하늘로 사라지니, 오직 장강이 하늘 가장자리까지 흘러가는 것만 보이네.

25. 해석 문제

㉤은 '하늘의 가장자리'로, '은하수'가 아니라 '수평선'으로 해석된다.

답: ⑤

26. 이해와 감상 문제

① (가)만 읽으면 물아일체의 경지를 표현한 것으로도 생각할 수 있다. 그래서 이런 문제에서는 다른 답도 다 읽어 보고 답을 결정해야 한다.
② (가)에 인간의 유한함과 자연의 무한함을 비교한 부분은 없다.
③ (나)에는 벗과의 이별을 아쉬워하는 감정이 나타나 있다.
④ (나)에 세속과의 단절이 드러난 부분은 없다.
⑤ (가)와 (나)에 색채의 대비는 드러나 있지 않다.

답: ③

[27~28] 독서광 김득신

> 金柏谷, 讀書記, 記讀諸書之數, 而史記伯夷傳,
> 김백곡　독서기　기독제서지수　이사기백이전
> 至一億一萬三千番.
> 지일억일만삼천번
> 백곡 김득신은 『독서기』에 모든 책을 읽은 횟수를 기록하였는데 사기 백이전은 1억 1만 3000번에 이른다.

…(중략)… 其少者, 不㉠減數千番. 自有㉡書
기 소 자 불 감 수 천 번 자 유 서
契以來, 上下數千年, 縱橫三萬里, 讀書之勤且
계 이 래 상 하 수 천 년 종 횡 삼 만 리 독 서 지 근 차
雄, 當以柏谷爲第一.
웅 당 이 백 곡 위 제 일

그 적은 것도 수천 번보다 덜하지 않다. 문자가 있은 이래로 위아래로 수천 년, 세로와 가로로 삼만 리, 책을 읽음의 부지런함과 웅대함은 마땅히 김득신으로써 으뜸을 삼아야 한다.

* 과거 '億'(억 억)은 '10만'의 뜻으로도 쓰였다. 여기에서도 11만 3000번이 더 적절하지만 이런 것에 당연히 신경 쓰지 않아도 된다.

27. 바꾸어 쓸 수 있는 한자 문제

㉠은 '덜하다', '밑이다'로 해석되므로 바꾸어 쓸 수 있는 것은 '下'(아래 하)이다. 원래 늘 거저먹는 문제였는데 정말 오랜만에 그렇지 않게 나왔다.

답: ②

28. 해석 문제

① 文字(문자) ② 百姓(백성) ③ 史官(사관)
④ 書信(서신) ⑤ 開國(개국)

'書契'는 '쓰고 새기다'에서 기록에 쓰이는 기호, 즉 문자를 뜻하게 되었다. '書信'은 '편지'라는 뜻이다.

답: ①

[29~30] 안용복

安龍福㉠善倭語.
안 용 복 선 왜 어
안용복은 일본어를 잘하였다.

入海漁採, 漂到鬱陵島, 被拘入馬島, 乃曰: "鬱
입 해 어 채 표 도 울 릉 도 피 구 입 마 도 내 왈 울
陵, 距我國, 一日㉡程, 距倭, 五日程, 非㉢屬
릉 거 아 국 일 일 정 거 왜 오 일 정 비 속
我國者乎?
아 국 자 호

바다에 들어가 고기잡고 캐다가 표류하여 울릉도에 이르러 잡혀 쓰시마섬에 들어가자 이에 말하기를, "울릉도는 우리나라로부터 떨어짐이 하룻길이고, 일본으로부터 떨어짐이 닷새 길이니, 우리나라에 속하는 것이 아니겠는가?

㉮朝鮮人, 自往朝鮮地, 何拘爲?"
조 선 인 자 왕 조 선 지 하 구 위

조선 사람이 스스로 조선 땅을 다니는데 어찌 잡는가?"

29. 해석 문제

㉡은 '헤아리다'가 아니라 '노정'(목적지까지 걸리는 시간)으로 해석된다.

답: ④

30. 해석 문제

윗글의 내용으로 보아 ㉮에 나타난 태도로 옳은 것은 '당당함'이다.

답: ③

2022학년도 수학능력시험

1	②	7	②	13	②	19	①	25	④
2	①	8	③	14	④	20	⑤	26	①
3	⑤	9	②	15	⑤	21	⑤	27	③
4	③	10	①	16	③	22	②	28	⑤
5	④	11	④	17	④	23	③	29	①
6	①	12	③	18	②	24	②	30	⑤

1. 그림 문제

"돌을 다루는 일을 직업으로 하는 사람은?"이라고 하면 될 것을……. 문제지를 채우기 위한 종이 낭비가 너무 심해 보인다.

① 木手(목수) ② 石工(석공) ③ 商人(상인)
④ 牧童(목동) ⑤ 漁夫(어부)

답: ②

2. 의미 관계 문제

ㄱ. 生(살 생) – 死(죽을 사)
ㄴ. 養(기를 양) – 育(기를 육)
ㄷ. 貧(가난할 빈) – 富(부유할 부)
ㄹ. 空(빌 공) – 虛(빌 허)

답: ①

3. 조건을 만족하는 한자 문제

조건을 만족하는 한자를 찾는 문제이다. 문제에서는 음, 부수, 총획, 결합할 수 있는 한자를 알려 주고 있다. 보통은 음으로 찾는 게 가장 빠르므로 음이 '志'(뜻 지)와 같은 한자를 먼저 찾아보자.

① 里(마을 리) ② 作(지을 작) ③ 池(못 지)
④ 至(이를 지) ⑤ 地(땅 지)

이 글자 앞에 '農'(농사 농)을 결합하면 '농사짓는 땅'을 뜻하는 말로 쓰이는 것은 '地'이다.

답: ⑤

4. 한자어 문제

원래의 뜻이 '첫걸음'이므로 '처음'와 '걸음'이라는 뜻의 한자가 포함된 한자어를 찾으면 된다. 읽어 보아서 '학문이나 기술을 익힐 때의 처음 단계'라는 뜻의 한자어를 찾아도 된다.

① 獨步(독보) ② 始原(시원) ③ 初步(초보)
④ 始初(시초) ⑤ 原初(원초)

답: ③

5. 한중일 한자어 문제

'退回'에는 신경 쓰지 않아도 된다. '도로 돌려보낸다'라는 뜻의 한자어를 찾으면 된다.

① 接受(접수) ② 回收(회수) ③ 退出(퇴출)
④ 返送(반송) ⑤ 發送(발송)

답: ④

6. 십자말풀이 문제

가로 열쇠는 '群鷄一鶴'(군계일학), 세로 열쇠는 '鶴首苦待'(학수고대)이다. '뛰어남'을 뜻하는 성어는 많으므로 세로 열쇠로 접근해야 답을 찾기 쉽다.

① 鶴(두루미 학) ② 中(가운데 중) ③ 人(사람 인)
④ 首(머리 수) ⑤ 待(기다릴 대)

답: ①

7. 한자어 문제

알아보려는 단어는 '青雲'(청운)이다.
㉡ 그럴싸하지만 '青雲'은 높은 지위나 벼슬을 비유적으로 이르는 말이다.
㉢ '浮雲'(부운)은 '하늘에 떠다니는 구름'이라는 뜻으로, 덧없는 세상일을 비유적으로 이르는 말이다.

답: ②

8. 한자어 문제

'변곡점'은 '이과'에서 공부하는데……. '굴곡의 방향이 바뀌는 자리를 나타내는 점'이라는 뜻이므로 '굴곡'이라는 뜻의 한자를 찾으면 된다.

① 動(움직일 동) ② 種(씨 종) ③ 曲(굽을 곡)
④ 色(빛 색) ⑤ 貌(얼굴 모)

답: ③

9. 카드 문제

① 만나면 언젠가는 헤어지기 마련이지. ☞ 會者定離(회자정리)
② 네가 벌인 일이니까 네가 알아서 해결해.
☞ 結者解之(결자해지)
③ 네가 나였다면 기분이 어땠을지 생각해 봐.
☞ 易地思之(역지사지)
④ 그 친구에게 받은 도움은 언젠가 꼭 갚고 싶어.
☞ 結草報恩(결초보은)
⑤ 가재는 게 편이라더니 비슷한 사람들끼리 모여 있구나.
☞ 草綠同色(초록동색)

답: ②

10. 한자어 문제

① 尊重(존중) ② 放心(방심) ③ 競爭(경쟁)
④ 節約(절약) ⑤ 正直(정직)

답: ①

11. 사자성어 문제

① 溫故知新(온고지신): 옛것을 익혀 새것을 앎.
② 炎涼世態(염량세태): 더웠다 서늘했다 하는 세상의 모양. 세력이 있을 때는 아첨하여 따르고 세력이 없어지면 푸대접하는 세상 인심.

③ 脣亡齒寒(순망치한): 입술이 없으면 이가 시림. 서로 이해관계가 밀접한 사이에 어느 한쪽이 망하면 다른 한쪽도 그 영향을 받아 온전하기 어려움.
④ 有備無患(유비무환): 대비가 있으면 근심이 없음.
⑤ 識字憂患(식자우환): 글자를 아는 것이 근심임. 학식이 있는 것이 오히려 근심을 사게 됨.

답: ④

12. 사자성어 문제

① 治(다스릴 치) ② 切(끊을 절) ③ 致(이를 치)
④ 別(나눌 별) ⑤ 置(둘 치)

훈이 '들어맞다'인 한자가 없어 어려울 수 있다. 잘못 쓸 만한 글자이므로 '到'(이를 도)와 비슷한 모양의 한자를 고르면 답을 찾을 수 있다.

답: ③

13. 단문 문제

> 不經一事, 不長一智.
> 불경일사 부장일지
> 하나의 일을 거치지 않으면 하나의 지혜를 기르지 못한다.

① 不屈(불굴) ② 經驗(경험) ③ 長壽(장수)
④ 成事(성사) ⑤ 一貫(일관)

답: ②

14. 단문 문제

> 有而不知足, 失其所以有.
> 유이부지족 실기소이유
> 있으나 만족을 알지 못하면 잃음이 그 까닭으로 있다.

글의 내용을 교훈으로 삼아야 할 사람은 '만족할 줄 모르고 욕심만 부리는 사람'이다.

답: ④

15. 빈칸 문제

> ○ 人無(㉠)慮, 必有近憂.
> 인무 려 필유근우
> 사람이 ㉠한 염려가 없으면 반드시 가까운 근심이 있다.
> ○ (㉡)親, 不如近鄰.
> 친 불여근린
> ㉡한 친척은 가까운 이웃만 못하다.

㉠, ㉡에 공통으로 들어갈 한자를 찾는 문제로 앞뒤를 비교해 답을 찾을 수 있다. '無', '有'로 '(㉠)慮'와 '近憂'를 비교하고 있고, '不如'로 '(㉡)親'과 '近鄰'을 비교하고 있다. 따라서 ㉠, ㉡에 공통으로 들어갈 한자는 거리와 관련된 한자가 들어가야 한다.

① 園(동산 원) ② 家(집 가) ③ 再(다시 재)
④ 道(길 도) ⑤ 遠(멀 원)

문장을 해석하지 못해도 두 문장에 공통으로 '近'(가까울 근)이 있으므로 거리와 관련된 한자를 찾으면 '遠'을 답으로 고를 수 있다.

답: ⑤

16. 대구 문제

> 記人之功, (㉠).
> 기인지공
> 남의 공은 기억하고, ㉠.

대구 문제는 윗글을 암기해서 푸는 문제가 아니다. 한문의 대구를 이용해서 빈칸을 채우면 된다. '記人之功'와 ㉠이 같은 구조이므로 ㉠에 들어갈 내용을 순서대로 바르게 배열하면 '忘人之過'(남의 허물은 잊으라)이다.

답: ③

17. 단문 문제

① 表端則影直, 源潔則流清.
표단즉영직 원결즉류청
겉이 바르면 그림자가 곧고, 근원이 깨끗하면 흐름이 맑다.
② 前事之不忘, 後事之師也.
전사지불망 후사지사야
앞일의 잊지 않음은 뒷일의 스승이다.
③ 破山中賊易, 破心中賊難.
파산중적이 파심중적난
산속 도적을 깨뜨리기는 쉬우나 마음속 도적을 깨뜨리기는 어렵다.
④ 及時當勉勵, 歲月不待人.
급시당면려 세월부대인
때에 이르면 마땅히 힘쓰고 힘써야 하니, 세월은 사람을 기다리지 않는다.
⑤ 行善者獲福, 爲惡者得禍.
행선자획복 위악자득화
선을 행하는 사람은 복을 얻고, 악을 행하는 사람은 재앙을 얻는다.

답: ④

18. 단문 문제

> 苟非其義, 雖千金之利, 不動心焉.
> 구비기의 수천금지리 부동심언
> 진실로 그 옳음이 아니면 비록 천금의 이로움이 있어도 그것에 마음을 움직여서는 안 된다.

① 貴(귀할 귀) ② 義(옳을 의) ③ 金(쇠 금)
④ 利(이로울 리) ⑤ 和(화목할 화)

답: ②

[19~20] 논형(論衡)

> 物之生長, ㉠無卒成暴起, 皆有浸漸.
> 물지생장 무졸성폭기 개유침점
> 사물이 나고 자람에는 갑자기 이루어지고 갑자기 일어남이 없으니, 모두 배어들고 차츰차츰 됨만 있다.

19. 해석 문제

㉠은 '갑자기 이루어지고 갑자기 일어남이 없다'로 해석되므로 마지막으로 풀이되는 것은 '無'(없을 무)이다.

답: ①

20. 해석 문제

윗글에 대한 이해로 옳은 것은 '무엇이든 차츰차츰 해 나가는 것이 중요해'이다.

답: ⑤

[21~22] 논어(論語)

㉠上好禮, 則民莫敢不㉡敬,
상 호 례 즉 민 막 감 불 경
윗사람이 예를 좋아하면 백성이 감히 공경하지 않음이 없고,
上好義, 則民莫敢不㉢服,
상 호 의 즉 민 막 감 불 복
윗사람이 의를 좋아하면 백성이 감히 복종하지 않음이 없고,
上好㉣信, 則民莫敢不用情,
상 호 신 즉 민 막 감 불 용 정
윗사람이 믿음을 좋아하면 백성이 감히 (사사로운) 정을 씀이 없고,
夫㉤如是, 則㉮四方之民, 襁負其子而至矣.
부 여 시 즉 사 방 지 민 강 부 기 자 이 지 의
무릇 이와 같다면 사방의 백성이 포대기에 그 자식을 지고 이를 것입니다.

21. 해석 문제

㉤은 '같다'로 해석된다.

답: ⑤

22. 해석 문제

윗글의 내용으로 보아 ㉮의 의미로 옳은 것은 '천하의 백성들이 가족을 데리고 찾아올 것이다'이다.

답: ②

[23~24] 도원결의(桃園結義)

不求同年同月同日生, ㉠只願同年同月同日死,
불 구 동 년 동 월 동 일 생 지 원 동 년 동 월 동 일 사
皇天后土, 以鑑此心, 背義忘恩, 天人共戮.
황 천 후 토 이 감 차 심 배 의 망 은 천 인 공 륙
같은 해 같은 달 같은 날에 태어나기를 구하지 않고, 다만 같은 해 같은 달 같은 날에 죽기를 원하니, 황천(하늘의 신)과 후토(땅의 신)로써 이 마음을 비추니 의리를 등지고 은혜를 잊으면 하늘과 사람이 함께 죽이소서.

23. 바꾸어 쓸 수 있는 한자 문제

① 非(아닐 비) ② 勿(말 물) ③ 但(다만 단)
④ 豈(어찌 기) ⑤ 支(지탱할 지)

의미상 ㉠과 바꾸어 쓸 수 있는 것은 '但'이다.

답: ③

24. 해석 문제

윗글의 내용에 대한 설명으로 알맞은 것은 '결의를 맹세하고 있다'이다.

답: ②

[25~26] 이 백, 「추포가(秋浦歌)」
이옥봉, 「자술(自述)」

(가) ㉠白髮三千丈, 緣愁似箇長.
백 발 삼 천 장 연 수 사 개 장
흰머리가 삼천 길이니 근심이 말미암음이 이것과 같이 길구나.
不知㉡明鏡裏, ㉢何處得秋霜.
부 지 명 경 리 하 처 득 추 상
밝은 거울 속임을 알지 못하고, 어느 곳에서 가을 서리(흰머리)를 얻었는가.

(나) 近來㉣安否問如何, 月白紗窓妾恨多.
근 래 안 부 문 여 하 월 백 사 창 첩 한 다
근래에 안부가 어떤지 묻습니다. 달은 흰데 비단으로 바른 창에 제 한이 많습니다.
若使夢魂行有跡, ㉤門前石路已成沙.
약 사 몽 혼 행 유 적 문 전 석 로 이 성 사
만약 꿈의 넋이 다녀 자취가 있게 하면 문 앞 돌길이 이미 모래가 되었을 것입니다.

25. 해석 문제

㉣은 해석할 것도 없이 '안부'의 뜻이다.

답: ④

26. 이해와 감상 문제

① (가)의 '秋'(가을 추)만 보고 계절적 배경을 알 수 있다고 생각하면 안 된다. '秋霜'은 흰머리를 비유적으로 나타낸 표현이다.
② (나)의 둘째 구에서 시적 화자가 여성임을 알 수 있다. '妾'(첩 첩)은 여성이 자신을 가리킬 때 쓰는 표현이다.
③ (나)의 둘째 구에서 시간적 배경이 밤임을 알 수 있다.
④ (가)와 (나)의 둘째 구에는 각각 감정을 드러낸 시어 '愁'(근심 수), '恨'(한 한)이 쓰였다.
⑤ (가)와 (나)에는 각각 '白髮三千丈', '門前石路已成沙'라는 과장된 표현이 사용되었다.

답: ①

[27~28] 청백리 맹사성

公, 覲省溫陽, ㉠往來之時, 不入官家, 常簡僕從, 時或騎牛.
공 근 성 온 양 왕 래 지 시 불 입 관 가 상 간 복 종 시 혹 기 우
공이 온양을 뵙고 살피러 오고 가는 때에는 관가에 들어가지 않고 늘 종으로 따르는 사람을 간소하게 하고 때때로 혹은 소를 탔다.

27. 독음 문제

㉠의 독음은 '왕래'이다.

답: ③

28. 해석 문제

① 溫順(온순) ② 榮辱(영욕) ③ 反省(반성)
④ 時急(시급) ⑤ 淸廉(청렴)

답: ⑤

[29~30] 명필 이명은

李掌令命殷, 癖於書.
이 장 령 명 은 벽 어 서
장령(벼슬 이름) 이명은은 글씨 쓰기에 기벽이 있었다.

雖在路上, 常執木枝以行, 曰: "不可一刻忘 ㉠執筆之法也."
수 재 로 상 상 집 목 지 이 행 왈 불 가 일 각 망 집 필 지 법 야
비록 길 위라도 늘 나뭇가지를 잡고 그것으로써 다니며 말하기를, "잠시도 붓을 잡는 방법을 잊을 수 없다."

竟以筆名世.
경 이 필 명 세
마침내 글씨로 세상에 이름났다.

29. 짜임 문제

㉠은 '붓을 잡다'로 해석되므로 그 짜임은 '술목'이다.

① 開業(개업): 사업을 엶. (술목)
② 萬年(만년): 일만 해. (수식)
③ 日出(일출): 해가 남. (주술)
④ 人造(인조): 사람이 만듦. (주술)
⑤ 本末(본말): 근본과 끝. (병렬)

답: ①

30. 해석 문제

윗글의 내용을 이해한 그림으로 알맞은 것은 ⑤이다.

답: ⑤

지은이

김경률

서울대학교 경제학과

지은 책: 『고등수학+』, 『고등수학의 지름길』, 『6일 만에 끝내는 미분방정식』
『5일 만에 끝내는 미적분학 1』, 『7일 만에 끝내는 미적분학 2』
『8일 만에 끝내는 경제수학』

수능기출문제집 한문 I

초 판 1쇄 발행 2017년 3월 2일
제3판 1쇄 발행 2022년 1월 30일

지은이 김경률
펴낸곳 도서출판 계승
펴낸이 임지윤

출판등록 제2016-000036호

주소 13600 경기도 성남시 분당구 백현로 227
대표전화 031-714-0783

제작처 서울대학교출판문화원
주소 08826 서울특별시 관악구 관악로 1
전화 02-880-5220

ISBN 979-11-976426-1-6 53710